중국현대문학발전사 上

■ 한 손에 잡히는 중국, 차이나하우스

중국현대문학발전사上

오복휘 지음
김현철·신동순·신진호·정선경·조홍선 옮김

차이나하우스

저자서문

　저는 제가 몸담고 있는 분야의 한 부분에서 새로운 분야를 개척하여, 실험적인 삽화본 중국현대문학사 책을 써 내려갔으며, 오늘에서야 마침내 이 결과물을 독자 여러분들께 내보일 수 있게 되었습니다.

　이 책을 완성하기까지는 수많은 어려움들이 있었습니다. 처음 상해와 북경의 두 출판사에서 저에게 삽화가 들어간 현대문학사를 집필해 달라는 요청이 왔었는데, 이는 기획도 괜찮았고 포부도 나쁘지 않았습니다. 그러나 유감스럽게도 냉혹한 현실의 문제를 피할 수 없었고, 마지막에는 저 때문은 아니었지만 이 일은 중단되고 말았습니다. 이 기간 동안은 정말 어떠한 기약도 없는 것 같았습니다. 그러나 세상일이라는 것이 화가 있으면 복이 따르고 복이 있으면 화가 기다리고 있듯이, 이 일이 이렇게 미뤄짐에 따라 문학사 집필의 완성도 늦춰지게 되었고, 바로 이때에 변화된 시대를 맞이하게 될 것이라고 어느 누가 짐작이나 했겠습니까? 만약 이 책이 몇 년 전에 쓰여 졌다면 아마도 케케묵은 문학사에 그림이나 지도만 더해져서, 이도저도 아니고 오래되지도 새롭지도 않은, 어쩌면 형식은 새로우나 실제로는 기존의 것과 다름없는 책이 되었을 것입니다. 물론 지금 이 책이 엄청나게 대단하다고는 할 수 없을 것입니다. 그렇다고 해서 본문 외의 그림과 표들이 중요치 않다는 것은 아닙니다. 여러 가지 다양한 것들을 모두 귀납하여 새로운 관념을 포함하는 것으로, 조금 더 대담하게 말하자면 이는 몸속에 미래적인 요소를 품은 채 문학사를 향해 조금씩 나아가는 것이라고 말할 수 있습니다.

　문학사적 관념의 변혁 형세에 관해서, 필자는 작년 겨울 상해대학의 강연을 통해 젊은 교사들과의 좌담회를 가진 적이 있었습니다. 좌담회 후 그분들이 녹음을 정리하여 강연 제목을 '현재 중국 현대문학연구의 형세'로 정하였는데, 저는 이를 출판 예정인 『프리즘 아래서多棱鏡下』라는 논문집에 수록하였습니다. 제가 여기서 자세하게 다룬 것은 최근 몇 년 사이 발표된 대표성이 있는 문학사의 다섯 가지 새로운 견해들입니다. 즉 엄가염嚴家炎 선생님의 '생태生態'설, 범백군範伯群 선생님의 '쌍방향 선택雙選'론, 진사화陳思和의 '선봉先鋒과 상태常態', 양의楊義의 '다시 그리는 문학지도重繪文學地圖', 그리고 제가 『문예쟁명文藝爭鳴』에서 제기했던 사라져버린 '주류형'문학사와 '협력형'문학사에 대한 부족한 인식과 관련한 것입니다. 이러한 견해들은 결코 서로 완전히 차단된 것이 아니고 사실상 서로 보충하고 스며들 수 있는 것들로서, 이들 속에는 '다원공생'과 '大문 학사'라는 요점이 공통된 인식으로 존재합니다. 이는 바로 학술계가 서로 보조를 맞추어 문학사를 다시 쓰는 단계에서 집중적으로 구현할 수 있도록 해주는 것입니다. 바람은 푸르른 풀끝으로 불기 시작하고, 우리는 이러한 변화의 움직임이 가까이 다가오고 있음을 충분히 느끼게 될 것입니다.

　필자 개인의 문학사 관념도 이렇게 서로 출렁이는 학술분위기 속에서 자연스럽게 점차 분명해지고 있습니다. 저는 왕요王瑤 선생님께서 여러 차례 비유를 들었던 것을 기억합니다. 즉 "학문을 하는 것은 대체로 두 종류의 방법으로 나눌 수 있다. 첫 번째는 하나의 관념을 중심으로 놓는 것으로, 마치 한 장의 음반이 원을 그리며 돌고, 전축 바늘이 중심이 되어 음을 내는 것과 같다. 두 번째는 다양한 관념들을 서술하게 되는 발산형으로, 마치 니트의 앞부분과 뒷부분을 뜨는 것과 같고 털목도리의 조각조각을 뜨는 것과 같다"는 것입니다. 왕요 선생님께서는 이러한 두 종류의 방법 중 전자의 경지가 비교적 더 높지만 후자의 경우 역시 꼭 필요한 것이기 때문에 소홀히 해서는 안 된다고 하였습니다. 우리들은 이렇게 오랫동안 문학사를 연구하면서 '혁명'을 전축 바늘로 삼고 있지는 않았습니까? '현대성'을 전축 바늘로 삼는다고 하면서, 설마 아직도 '후현대주의' 혹은 '민족국가주의'라는 개념을 위주로 틀에 박힌 방식에 따라 책을 쓰고 있지는 않습니까? 필자는 제시했던 '20세기 중국문학'이라는 이 개념을 시작으로 하여 기성 현대문학사의 해체 작업을 진행하고 있지만, 아직은 전체적으로 귀납할 수 있는 시대가 오지 않았다고 생각합니다.

'해체'와 '귀납'은 우리가 손쉽게 사용하는 중국적인 개념입니다. 한 권의 문학사가 상상 속의 완전한 구조로 굳어진다면, 이것들은 귀납된 결과입니다. 그러나 문학사가 질의를 받아 커다란 빈틈을 드러내고 더 나아가 잡다하게 뒤섞인 상태가 될 때, 이는 해체가 되는 것입니다. 저는 왕요 선생님께서 말씀하신 니트 짜는 비유를 생각할 때면, 복잡하게 뒤섞여 있는 문학사책이 오늘날의 꼭 필요한 구조라는 생각이 듭니다. 같은 맥락으로, 문학사 속에서 혁명성과 현대성이 뒤엉킨 문제는 '공생'과 '전환'이라는 개념을 사용한다면 그들끼리 서로 대치되는 관계를 해소할 수 있을 것입니다.

중국문학이 내부적으로 현대성의 시각을 쌓아갈 때, 잡다한 도입은 필연적인 것입니다. 혁명은 강력한 힘으로 문학현대화의 역사과정을 신속하게 추진하기 때문에 다수의 전환이 나타나게 되었습니다. 이렇게 계속적으로 쌓여가고 전환되어 가면서 문학사의 형태 또한 더욱 복잡해지고 다양하게 변해갔습니다. 그 결과 우리는 다양한 종류의 문학 형태를 보유하게 되었는데, 좌익문학·통속문학·경파京派문학·해파海派문학과 같은 네 가지 문학이 여기에 속합니다. 어떤 종류의 문학이 어떤 단계에 있든지 한 종류가 다른 모든 것을 독점하지는 못하고, 각각의 문학은 각기 자신들만의 독자 군단을 보유하면서, 정치문학·상업문학·순수문학이라는 세 종류의 문학 계통으로 나뉘게 됩니다. 이런 문학 계통들끼리는 서로 멀리 떨어져 있는 것이 아니고 서로 충돌하면서 변해가고 있습니다. 이는 마치 좌익 정치문학이 상해의 도서시장을 의지하려고 하면 경파문학이 당파문학을 반대는 하되, 사회인생까지는 차단시키지 않는 것과 같은 것이라 할 수 있습니다.

순수문학이 순수하지는 않습니다. 이러한 모습은 중국 자유문학이래 없었던 다양한 형태로, 바로 '현대'의 문학 상태를 나타내고 있는 것입니다. 즉 어떠한 문학 형태라도 유일하게 하나만을 드러내는 순수한 형태는 없는 것을 말하는데 오늘날에도 여전히 이와 같습니다.

필자는 문학사를 다양하게 해석하는 인식 방식과 글 쓰는 방식 사이에서 스스로 모색하는 방법을 찾고 있었으며, 이 모색은 오늘까지도 계속되고 있습니다. 그러나 북경대학출판사의 원고계약서에 사인하면서 이 작업은 새롭게 시작하게 되었고 이 문학사 책은 제가 작업했던 분야로 들어왔습니다. 만약 이전 사람들의 연구 성과가 없었다면 저는 그저 요즘 사람들의 경험만을 받아들여 소화하고 발전시키는 것 밖에 할 수 없었을 것입니다. 예를 들어, 필자는 엄가염 선생님의 '문학생태'에서 문학사는 소홀히 할 수 없는 인간들의 생태라고 생각하기 때문에, 작가의 심정이나 혹은 그 심정과 직접적으로 연관이 있는 문화 물질 환경을 집필할 수밖에 없는 것입니다. 범백군 선생님의 '쌍방향선택'론은 각성 효과가 크기 때문에, 필자가 비록 통속문학과 선봉문학이 문학사에서 동등하게 취급되는 것에 동의하지 않는다 하더라도, 이에 영감을 얻어 어떻게 통속문학을 통합하고 조정하여 시민문학으로 들어갈 수 있게 할 수 있을까 고민하게 되는 것입니다. 그러나 시민문학은 해파문학에서 두드러지지만 선봉과 통속이라는 이중성질을 구비하고 있기 때문에 그렇게 뚜렷하고 분명하지는 않습니다. 이는 진사화가 '선봉'과 '상태'를 두 종류의 서로 영향을 주는 문학 세력으로 만들어 그 원인을 제시한 것과 같습니다. 필자는 문학사에서 모범적인 선봉문학을 골라 깊이 관찰하여 분석하고, 대중화된 상태의 구성도 견고히 가미하여 농민대중문학과 시민대중문학을 확대하여 집필하였습니다. 또한 양의의 '大文學판도설'은 제가 새로운 역사 서술의 공간을 건립할 수 있도록 시사해 주었으며, 과거 선형의 시각을 입체적·개방적·그물모양적인 문학 모습으로 바꾸어 주었습니다. 이러한 의미에서 필자는 이 문학사책에 감히 '발전'이라는 두 자를 가할 수 있을 것이라고 생각합니다.

『삽화본 중국현대문학발전사』라는 이름은 문학사 명칭의 중복을 방지하고 구별하기 쉽도록 하기 위함입니다. '문화대혁명'이 끝나고 필자는 현대문학 연구생 시험을 준비하고 있었는데, 왕요 선생님께서 고대문학 시험을 추가로 보라고 하여 대책을 강구하게 되었습니다. 오직 한 달이란 준비기간이 있었고, 사용한 교재는 1960년대에 '오염'되지 않은 유대걸劉大傑 선생님의 고판본 『중국문학발전사』였습니다. 이는 필자의 가슴에 소중한 기억으로 남아 있습니다. 하지만 더 중요한 것은 이 책의 '발전' 함의를 실제 집필에 충분히 사용했다는 것입니다. 이 책은 문학 작품, 작가와 연관이 있는 모든 현상을 역사 '변동'의 흐름 속에 넣었습니다. 문학 작품의 발표, 출판, 전파, 수용, 변천은 특별한 관심을 받았습니다. 문학형성의 인문환경도 예전의 어떠한 시기보다 더욱 중시를 받았습니다. 문학중심의 변천, 작가의 생존조건, 그들의 이주와 유동, 물질생활 방식과 창작생활 방식도 상당히 중요한 부분에서 충분히 전개되었습니다. 단체와 유파의 서술은 문학 간행물, 증간, 총서 등의 현대출판매체와 긴밀히 결합하여 문학 발생의 원상태에 더욱 근접하였습니다. 문학 비평을 통하여 독자와 부딪치고 번역을 통하여 세계문학과 연결하며, 영화를 통하여 동일한 시기의 예술에 서로 영향을 주면서 현대문학의 외연은 하나의 문어 촉수처럼 뻗어나갔습니다. 현대 백화문학 언어의 생성과 변천은 당연히 경전 작품의 정독과 맞물려야 한다고 생각 합니다. 이 책은 특별히 문학 연표를 수록하였으며, 편년체의 연대기를 사용하여 독자들을 문학 현장으로 끌어들입니다. 필자는 진정한 문학의 원상태는 존재하지 않는다고 생각합니다. 연표든 중대사이든 모두 필자가 선택한 결과가 아닐까요? 이처럼 문학의 발생, 변화 상태에 접근한 난잡한 편년은 비록 예를 드는 것이지만 왜곡된 역사를 최대한 회복한다는 측면에서 그 독특한 기능을 가지고 있습니다.

　　본서에서 '발전'이라는 의미를 충분히 드러낸 후, 필자는 몇 가지 설명을 덧붙이려고 합니다. '발전'의 테두리는 영원히 개방적이고 부단히 확장되며 누구도 완전 봉쇄할 수 없습니다. 필자가 쓰고자 하는 것은 단행본 문학사인데 삽화를 추가하니 전개할 수 있는 범위가 제한적이었습니다. 또한 大문학사의 내용은 이미 여러 측면으로 확장되었기 때문에 전형과 관건을 찾아야 했습니다. 필자는 의식적으로 작가 작품에 대한 서술을 최소화하려고 시도하였기 때문에, 작가와 작품 측면의 누락이 불가피한 상황에서 전형적인 작품을 틀어쥐고 피나는 분석을 해야 했습니다. 어쩌면 이것도 하나의 창작 방법일 수도 있습니다. 무의식중에 장래의 현대문학사를 쓰면 쓸수록 더욱 메마르게 되는 현상에 대하여 정반대의 경험을 하였습니다.

문학사란 본래 당대에 이미 이룬 연구 성과의 기초에서 진행됩니다. 엄격하게 말하면, 이는 한 사람의 능력으로 쉽게 완성할 수 있는 것이 아닙니다. 이 책에서 인용한 자료와 여러 가지 도표의 통합도 출처를 밝혔습니다. 첨부된 참고문헌은 비교적 간단한데, 본인의 박학다식함을 자랑하기 위함이 아니라 창작과정에서 확실하게 참고한 서적만 적었습니다. 이에 대해서도 역시 감사의 뜻을 표합니다. 『중국현대문학 30년』이라는 저서의 창작에 참여할 때, 필자들 모두 자료와 기술에 대해 충분한 자신이 없어 북경에 있는 몇 명의 전문가를 청하여 심사를 했었습니다. 하지만 여전히 적지 않은 오류가 있음을 발견하였습니다. 지금은 오직 필자 혼자의 힘으로 대량 인용 외에 이 책의 연표 · 도표 · 그림 · 연대기를 제작해야 하는데, 그 중에서 나타날 수 있는 오류를 생각하면 마치 살얼음판을 걷는 듯 매우 두렵고 불안합니다. 전문가와 독자들의 아낌없는 지도 편달을 부탁드립니다.

삽화 작업은 통속문학의 사진자료 수집의 어려움에 따라 다른데, 적은 것은 너무 적고 많은 것은 너무 많았습니다. 작가 초상, 작품 초판본, 친필 원고 등은 원래 가장 중요한 삽화 내용이지만 선정하기가 쉽지 않습니다. 이를테면 작가들의 초상은 대표적인 작품의 탄생과 동일한 시기의 것이어야 합니다. 사진 외에 만화 사진, 자화상, 단체 사진 등도 선택하여야 하는데 비교적 어렵습니다. 초판본 외에 초간 잡지도 선택하여야 하고 필적은 전형적인 작품을 선택해야 해서 어려움이 있습니다. 이 밖에도 작가의 생가와 집회 장소, 작가가 그린 작품 지도와 인물그림, 발표한 간행물 및 광고,

스틸 포스터 등은 모두 세밀하고 새로우며 전면적이어야 하는데, 이것은 간단한 일이 아닙니다. 이 책의 탈고가 다가올수록 나머지 삽화 마무리 작업도 더욱 어려움을 겪었습니다. 심지어 교정본을 볼 때까지도 여전히 찾고 있었습니다. 본 서문을 통해 필자가 장기적으로 근무하고 있는 중국현대문학관에 감사를 전합니다. 이곳에서 제공한 일부 그림과 동료들과 학생들이 준 도움을 영원히 잊지 않을 것입니다.

또한 모교의 출판사에 감사를 드립니다. 특히 고수근高秀芹 편집자는 필자에게 원고를 부탁하였고 끝내 이 책을 만들어 내도록 도와주었으며, 동시에 많은 좋은 기회들도 만들어 주었습니다. 그녀는 필자의 원고를 존중해주고 삽화에 대한 설명도 필자의 뜻대로 수정할 수 있게 해주었습니다. 몇 년을 하루같이 저를 믿어주었고 인내심을 가지고 한 글자 한 글자, 한 장 한 장씩 완성하는 것을 기다려 주었습니다. 마지막에는 최대한 2009년 말까지 완성하라고 하였는데, 이것은 필자를 위해 날짜를 조절하여 출판한 것이었습니다. 그리고 이 책의 편집 담당자 주경朱竟과 정초丁超에게 감사를 드립니다. 그들의 끝없는 관대함은 필자가 독립적이고 자주적으로 창작할 수 있도록 해주었습니다. 그들은 열심히 필자의 원고와 교정본을 읽어 이 책에 큰 착오가 없도록 하였습니다. 이 책을 탈고했을 때 마침 북경대학교출판사가 재창립 30주년 기념일을 맞았는데, 필자 역시 영광스럽게 생각합니다.

이 책의 목표는 하나의 새로운 문학사 본보기를 창립하려는 것이 아닙니다. 다만 미래의 새로운 문학사가 출현하기 전의 '워밍업'일 뿐이며 미래의 문학사를 위하여 사전에 여러 가지 가능성에 대하여 준비하려는 것입니다. 이것은 또한 저의 꿈에 대한 실현이기도 합니다. 최근 십 년 동안, 필자의 꿈은 점점 많아졌습니다. 좋은 꿈도 있고 나쁜 꿈도 있었습니다. 좋은 꿈에서 필자는 젊어진 것 같았고, 아름다운 동경이 있었고, 원대한 창작 계획이 있었으며, 더욱 풍요롭고 공정한 사회와 더욱 건강한 청년 세대가 성장하고 있었습니다. 나쁜 꿈에서 필자는 강제로 제가 방랑하던 곳에 돌아가 길을 잃고 부모의 옛 집도 찾지 못하며 상처를 입었습니다. 이로써 필자의 문학 꿈은 일부는 실현되었고 일부는 소멸되었으며 일부는 새롭게 탄생하였습니다. 이 책은 비록 여전히 많은 아쉬움이 있지만 문학에 대한 필자의 꿈이 실현된 것이라고 할 수 있습니다.

필경 문학도에게 있어서 꿈을 꾸고 꿈을 열망하는 것은 아주 중요하기 때문입니다.

2009년 11월 12일

다시 진눈깨비가 날리고,
창밖에는 눈 쌓인 나무가 우뚝 솟은 경성京城에서

역자서문

　중국이라는 두 글자를 접하고 부대끼고 살아가는 많은 사람들 중에서 보다 나은 연구를 위해 고민하는 몇 사람이 모여 새로운 시도를 하게 되었고, 그 노력의 결과 세상에 감히 이런 책을 소개할 수 있게 된 것을 무척 기쁘게 생각합니다.

　2013년 3월 원서를 접하고 바로 이 책을 번역해야겠다고 마음먹은 후 시작한 번역을 이제야 끝낼 수 있게 되었습니다. 그 동안 많은 어려움들이 있었지만 그래도 특히 묵묵히 지켜봐 주고 도와주신 역자들과 출판사 식구들에게 고마움을 먼저 전합니다. 그리고 이 책을 접하시는 많은 독자들이 없었더라면 아마도 힘들었을 것 같다는 말씀을 드리고 싶습니다.

　저자 서문에도 나오듯 "여러 가지 다양한 것들을 모두 귀납하여 새로운 관념을 포함하는"정신으로 저자와 역자 모두 한 가지 생각으로 몰두하였습니다.

　중국의 현대사를 알고 이해하고 풀어가는 데, 반드시 필요한 것이 그들의 언어와 그리고 언어로 표현된 문학작품입니다. 여기에는 역사, 철학, 사상, 문화적인 요소들이 모두 내재되어 있을 뿐만 아니라 언어적인 요소와 문학적 상상력이 조화를 이루고 있습니다.

　굴곡진 역사의 부침 속에서 서로 교류가 빈번했고 또 앞으로도 상호 이해와 공존을 지향하며 살아가야 하는 이웃 나라 중국에 대해 이 책을 통해서 마음껏 살펴보시고 과거 역사적인 경험을 발판삼아 내일의 중국을 타진하는데 도움이 되시기를 바랍니다.

　끝으로 다시 한 번 차이나하우스 식구들에게 감사드립니다. 이건웅 대표님과 안우리 실장님, 그리고 편집을 맡아 하나하나 조언을 아끼지 않았던 권연주 님이 계셨기에 이 책이 무사히 독자들을 만날 수 있었습니다.

　역시 같이 해서 좋았고, 의미 있는 작업이었습니다. 여전히 목마른 과정일 뿐입니다. 앞으로도 중국을 잘 이해하고 잘 전달할 수 있도록 계속 정진하겠습니다.

2015년 初夏
역자 일동

목차

제3장 다원공생

신 문 화 의 태 동

제1장

제1절

망평가(望平街) 복주로(福州路): 문학 환경의 변화

중국 최초의 신문거리_{런던의 신문사업 소재지인} 프리트 스트리트에 해당인 상해 망평가를 현대문학사 서술의 시작으로 선택한 것은 이후 이어진 백여 년간의 문학을 강조하고자 함이다. 당시는 이미 고전문학의 시대와는 다른 환경이었다. 이러한 환경은 경제생산력의 수준 이외에 문학 방면에서 가장 중요한 두 가지 조건, 즉 사상계의 급격한 변화와 물질적 문화조건의 재구성이 현대 신문잡지 출판업을 흥성시키는데 크게 기여했기 때문이다.

낯설어서는 안 될 지명 토산만_{土山灣}. 이미 역사의 기억 속에서 사라졌을지 모를 토산만은 망평가의 옛 명칭이다. 프랑스 천주교 선교사는 아편전쟁 후 서구 국가들의 '승리'를 빌미로 1847년 상해 서가회_{徐家汇}에 자

■ 명대 상해현 건설 이후의 지도
■ 신문사와 서점으로 즐비한 망평가(지금의 복주로 산동중로)

■ 최초의 현대문명 복합지인 상해 서가회 지역의 성당과 산천 조감도. 이미 도시와 농촌이 공존하고 있는 상태였다.
■ 토산만 화관은 중국 최초의 서양미술 전수 장소로서 많은 근대 화가들이 이곳에서 배출되었다. 서양화 전수소에서 미술 소묘 수업을 받고 있는 사진이다.

리를 잡아 토산만 일대를 빙 둘러 성당_{지금까지도 그 자리에 서 있는 쌍둥이 첨탑 성당은 1910년에 증}
_{축된 것이다} · 수도원 · 학교 · 도서관 · 박물관 · 천문대 · 고아원 등을 세웠다. '서가회'라는 이름은 명말 예부상서이자 천주교 신자였던 과학자 서광계_{徐光啓}와 연관되었을 정도로 그 역사적 배경이 오래되었다. 서광계는 로마 선교사 마테오 리치_{Matteo Ricci}의 영향을 받아 중국에서 서방과학을 배우는 길을 열어놓은 사람으로, 사망 후에 이곳에 묻혔으며 그 후 후손들도 여기에 모여 살게 되었다

송 씨 세 자매의 모친이 바로 서 씨의 후손이다. 송경령의 부모와 그녀 자신도 서가회에 묻혔고 현대작가 빙심의 부모도 여기에 묻혔다. 다른 한편으로는 서구 교회문화와 연관되어 있다. 교회문화는 식민지 색채가 분명하면서도 현대적이었다. 애초에 교회는 토산만 고아원에서 자란 고아들의 취업 편의를 위해 세워진 수공예 공장이었는데 그 중에는 화관과 인쇄소도 포함되어 있었다. 이곳이 나중에 중국 현대 회화와 인쇄출판업의 기원이 될 줄은 어느 누구도 예상하지 못했다. 예를 들면 고대의 조판인쇄술을 버리고 외국의 석판 인쇄를 사용한 것이 그것이다. 최초의 시작은 일반적으로 1879년 점석재 석인국_{點石齋石印局}이라고 알려져 있지만 실제로는 점석재 석인국에서 토산만 인쇄소의 구자앙_{邱子昴} 기사를 초빙하여 기술을 익혔던 것이었으니 토산만에 석판인쇄술이 전해진 시기는 이보다 3년이나 빠른 1876년이었다. 그 후 콜로타이프 인쇄술은 더욱 신속하게 도입되었다. 상무인서관이 1907년에 와서야 콜로타이프 설비를 갖춘 것에 비한다면 거의 30년이나 앞선 것이었다.

■ 만청시기 『신보』사의 전면 경관　　　　　　　　■ 1872년 4월 30일 창간된 『신보』

　　점석재 석인국의 주인은 바로 중국 최초의 신문 중 하나인 『신보申報』의 창간인 메이저E. Major였다. 그는 민국시기 이전에 중국인에게 신문사를 양도하여 이 신문이 중국인 자본의 유서 깊은 대형 신문으로 탄생할 수 있게 해주었다. 『신보』는 선교사들이 만들었던 종교적인 색채의 중국어 신문의 역사를 마감하고, 상업적인 기초 위에서 문화와 문학적 요소를 가미했기 때문에 그 영향력이 엄청났다. 그래서 당시 사람들은 『신보』라는 명칭으로 다른 모든 신문들을 대체해 버렸고 아예 '신보 신문'이라고 부르게 되었다. 1872년 『신보』의 창간 당시 주소는 상해 한구로漢口路와 강서로江西路의 교차로였는데, 1882년에 서쪽으로 두 블록 지난 곳으로 옮겨가서 한구로 산동로山東路 모퉁이 309호인 망평가에 자리하게 되었다. 망평가現在 산동중로 북단에 위치했으며 남북 방향으로 뻗어 있는데 전체 길이는 중국의 전통 계량법으로 오륙십 장에 불과하다는 묘가廟街 혹은 맥가권麥家圈으로도 불린다. 망평가를 중심으로 주변에 신문사와 서점들이 밀집한 문화구역이 형성된 것은 바로 옆에 있는 보선가賣善街, 광동로 즉 오마로(五馬路)와 복주로사마로(四馬路), 이후 유명한 문화의 거리가 청조 말기에 번화했던 것과 연관된다. 이 상업적 거리들은 당시 배를 타고 양경빈洋涇浜을 지나 상해 조계지로 들어오는 첩경이었다. 『해상화열전海上花列傳』소설 첫머리에 나오는 인물 조박재趙朴齋가 장사를 하러 외지에서 상해에 들어오면서 처음 도착한 곳이 바로 오마로와 사마로가 있는 풍화구風化區였다. 당시는 이미 현대 인쇄술을 도입하기 위한 조건이 갖추어져 있었고, 양무운동과 유신사상의 영향을 받은 사람들은 현대적 신문이 국민을 각성시키고 새로운 사상과 신지식을 전파하는 역할을 한다는 것을 알고 있었다. 망평가 복주로 일대는 현대 인쇄업이 대폭적으로 추진되어 신문사가 즐비하게 되었고 중국 현대 신문잡지의 발상지가 되었다.

시간이 지나면서 신문사들 간의 경쟁이 치열해져, 세워졌다가 파산하는 경우가 많을 뿐 아니라 자주 옮겨 다녔기 때문에 청말 망평가 신문사의 위치도를 그려내기란 아주 어려운 일이다. 다만 대체적인 정황만을 묘사해 낼 수 있다. 자료에 근거하면 민국 전까지 이 거리에 세워졌던 신문사들은 대략 20여 개였다. 부차적인 것부터 말하자면 『천립보天立報』·『민탁보民鐸報』·『민강보民强報』·『중화민보中華民報』·『태평양보太平洋報』·『정보晶報』·『상해화보上海畵報』·『아시아보亞西亞報』 등이 있었다. 비교적 중요한 것으로는 『신보』 외에 1893년 창간된 『신문보新聞報』가 있었는데 『신보』와 경쟁하는 유일한 대형 신문이었다. 『신문보』도 처음엔 이곳에 자리 잡고 있다가 나중에 근처의 한구로 274호로 옮겼다. 1896년에 창간된 『시무보時務報』는 복주로에 위치해 있었는데 양계초가 주필로 있으면서 변법을 제창하여 전국적으로 유행하게 되었다. 1896년에 창간된 『소보蘇報』도 처음엔 복주로에 있다가 나중에 한구로 20호로 옮겼으며, 장태염章太炎과 추용鄒容의 혁명적인 문장 때문에 박해를 받았던 '소보안蘇報案'으로 유명해졌다.

1904년에 창간된 『시보時報』는 망평가 6호에 있다가 나중에 기반가棋盤街, 하남중로로 옮겼는데, 적보현狄葆賢이 탑 모양의 신문사 건물을 지었기 때문

■ 1872년 『신보』에서 사용한 신식 인쇄기

■ 만청시기 상해 망평가의 『신보』 관.
■ 망평가의 남쪽 끝(산동로(山東路) 복주로(福州路)의 모퉁이)에는 나중에 건축했던 『신보』 관의 탑 모양 건물이 보이는데 그 모습이 아주 독특하다.
■ 망평가는 1920년대까지 매일 새벽이면 신문 팔이들이 구름같이 모여들어 신문을 도매로 샀다. 번화한 광경의 사진이다.

에 남겨진 많은 옛 사진들에서 그 기묘한 모습을 볼 수 있다. 이 신문은 양계초가 직접 기획한 것으로 뉴스를 보도하는 면에서 과감하게 개혁했고, 또 '소설'·'여흥餘興' 등 최초의 문학란을 만들었다는 점에서도 큰 특징을 지닌다. 호적胡適의 『17년간의 회고』에 보면 '『시보』가 중국 신문업계를 위해 문학적 흥취를 지니고 있는 부록附張란을 어떻게 개설했는지'적혀 있다. '부록附張'은 나중에 신문의 문화란副刊으로 발전했다.

『시보』의 세력은 나날이 커져서 나중에 『신보』·『신문보』와 함께 상해 3대 신문이 되었다. 그 외 1907년에 창간된 『신주일보神州日報』는 망평가 161호에 자리 잡고 있었다. 『신주일보』의 책임 창간인 우우于右는 『민호일보民呼日報』1909와 『민우일보民吁日報』1909도 창간했는데 이 신문사들은 모두 망평가 160호에 위치해 있었다. 1907년에 창간된 『시사보時事報』역시 망평가에 있었으며 나중에 『시사신보時事新報』로 개명한 유명한 신문이었다.

『상해조계지죽지사上海洋場竹枝詞』에는 번화했던 신문사 거리에 대하여 다음과 같이 묘사했다.

　　　　"뉴스가 집중된 망평가, 동서 방향으로 신문사들 즐비하네. 다른 업종의 인근 점포들, 이사하여 간판을 다시 올리네(集中消息望平街, 報館東西栉比排. 近有幾家營別業, 遷從他處別懸牌)."

　　시장 원리에 따라 신문사가 아닌 다른 업종의 점포들은 모두 제각기 살 길을 찾아 다른 곳으로 옮겨갔다. 망평가 밖에 있는 일부 신문사들은 온갖 방법을 동원하여 이곳에 들어오려고 노력했고 발행소나 영업부만이라도 망평가에 세우고자 했다. 이것은 이 문화거리의 위력을 충분히 보여주는 단면이다. 당시 매일 새벽이면 각지의 신문팔이들이 모두 망평가에 모여 신문을 도매할 정도로 인기가 엄청났다. 특히 국외에서 큰 사건이 터지면 사람들은 너도나도 '호외號外'를 기다렸는데 이 때 인파가 더욱 몰려들어 그 번화하고 떠들썩함이 대단했다.

　　물론 현대 중국어 신문이 상해에서만 창간된 것은 아니었다. 시기의 선후를 따지자면 남양南洋 일대가 중국어 신문의 탄생지라고 할 수 있다. 예를 들면, 1874년에 홍콩에서 창간된 『순환일보循環日報』는 중국인이 만든 첫 대형 신문이었다. 임어당林語堂이 창간인 왕도王韜를 중국 신문업계의 아버지로 칭송할 정도였다. 북방의 가장 큰 상업도시인 천진天津에서는 1897년에 엄복嚴復이 참여해서 만든 『국문보國聞報』가, 1902년에 『대공보大公報』가 창간되었다. 북경北京에서는 1904년에 『경화일보京話日報』가 창간되었다. 그러나 상해 망평가처럼 거대한 규모로 형성된 곳은 어디에도 없었다. 이는 상해가 현대도시로 급속히 성장하는 것을 보여주는 단면이자 전국 신문업의 중심지였음을 의미하며, 청말 현대문학 초기의 환경을 형성하는데 직접적

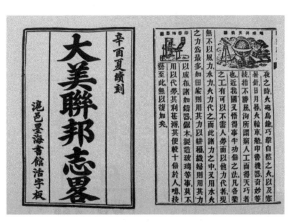

■ 상해 묵해서관(墨海書館)에서 활자판으로 인쇄한 서적인 『대미연방지략(大美聯邦志略)』

인 영향을 미칠 수밖에 없었던 배경이었다.

신문사와 함께 인쇄업이 추진된 것은 서국_{書局}이 모여 있었기 때문인데 이것도 망평가와 복주로 일대의 진풍경이었다.^{여기에서 말하는'서관·서국'은 주로 출판기구를 가리키고, 서적을 판매하는 곳은 서국의 지점이었다.} 중국 최초의 현대식 출판사는 영국 선교사 매드허스트_{Medhurst, 麥都思}가 1843년 상해에 설립한 묵해서관_{墨海書館}으로, 2년 후 맥가권으로 이사했다. 처음에는 『성경』등의 책을 인쇄했고 나중에 왕도_{王韜} 등을 초청하여 서방의 문학과 역사·과학 방면의 서적들을 번역했다. 1857년 묵해서관에서 창간한 『육합총담_{六合叢談}』이라는 월간 잡지는 국내 최초의 중국어 잡지였다. 번역 서관의 출현은 서방의 사상·학술 및 과학 서적들을 도입하는데 큰 역할을 했다. 초창기에 이러한 서관들은 모두 정부에서 설립했

는데 북경의 경사동문관_{京師同文館, 1862}, 상해의 광방언관_{廣方言館, 1863}을 예로 들 수 있다. 광방언관은 1868년 강남제조국 번역관이 설립된 이듬해에 그것을 합병하여 더 막강한 세력을 형성했다. 상해는 여전히 전국 출판업의 중심지로 자리하고 있었고 1876년에 점석재 석인국이 설립된 후 불과 몇 달 사이에 『강희자전_{康熙字典}』을 10만권이나 인쇄했다. 이 사건은 중국인들을 자극하게 되어 홍문서국_{鴻文書局, 망평가에 위치}과 홍보재석인서국_{鴻寶齋石印書局, 복주로에 위치}이 잇따라 문을 열게 되었다. 서적 인쇄에서 창출되는 거대한 이익은 상해에서 민족자본의 대형 출판업이 출현하는 계기를 만들었다.

- 초창기 상무인서관이 설립한 상해 하남로의 발행소. 이미 상당한 규모를 갖추고 있었다.
- 상해 사마로에 위치한 1930년대의 웅장한 상무인서관

1897년 중국인 하서방_{夏瑞芳}·하수방_{夏粹芳}·포함은_{鮑咸恩}이 자금을 모아 강서로_{江西路} 덕창리_{德昌里}에 상무인서관을 창립하고 그 후

기반가棋盤街에 발행소를 설립했는데 교과서를 출판하면서 많은 이익을 남겼다. 나중에는 자체적인 인쇄공장, 편역소를 갖게 되었으며 중국에서 가장 큰 출판기업으로 발전하였다. 상무인서관은 신문·잡지 및 문학 정기간행물을 출판하는데 중점을 두었다. 이 시기에 『동방잡지東方雜誌』·『부녀잡지婦女雜誌』·『교육잡지敎育雜誌』·『학생잡지學生雜誌』·『소년잡지少年雜誌』·『소설월보小說月報』등 각종 간행물들도 편집 출판되었다. 『동방잡지』는 1904년에 창간되었는데 정간을 반복하면서 40여 년간 운영되다가 1948년에 폐간되었다. 『동방잡지』는 종합적 성격의 간행물이었고 만청시기부터 줄곧 '소설小說 · 총담叢談 · 문원文苑 · 잡찬雜纂' 등의 문학관련 란을 수록했다. 『소설월보』는 1910년 창간될 때 원앙호접파의 근거지였으나 나중에 전향하여 순수한 문학 간행물이 되었다. 이렇게 현대 출판업과 문학의 관계는 출발부터 아주 밀접했다. 그 밖에 기반가와 복주로의 많은 서국들이 문학 서적과 잡지를 출판했다. 예를 들면 유구한 역사의 소엽산방掃葉山房, 명대에 창립은 소주에서 옮겨왔고, 대동역서국大同譯書局, 1897은 유신 서적들을 출판하는 것으로 유명했는데 추용鄒容의 『혁명군』이라는 책만 20여판 110만 권이나 인쇄했다. 광지서국廣智書局, 1898에서는 『20년간 목격한 괴이한 현상二十年目睹之怪現狀』·『차화녀일화茶花女軼事』등의 책을 출판했고, 군학사群學社에서는 잡지 『월월소설月月小說』을, 광익서국廣益書局, 1900에서는 통속소설을 인쇄했다. 군익서사群益書社, 1907에서는 주 씨周氏 형제가 번역한 『역외소설집域外小說集』과 이후 명성이 자자했던 『신청년』이란 잡지를 출판했다. 종합해서 말하면, 신해혁명이 일어나기 전 복주로에는 이미 68개의 서점이 있었는데 대부분은 문학과 관련된 것이었다.

상해에서 현대 신문, 서적 및 잡지 출판업이 신속하게 발전한 것으로부터 만청문학의 현대적 환경의 변화

■ 이후 크게 발전했던 상무인서관의 조감도

■ 광서(光緒) 신축본(辛丑本) 『천연론』 첫 페이지
■ 엄복(앞)과 그의 동료들
■ 엄복이 1904년에 상무인서관에서 출판한 『영문한고(英文漢詁)』, 오른쪽 아래는 중국 최초의 저작권 보호에 사용된 '저작권 스탬프'

를 엿볼 수 있다. 외래 문명의 맹렬한 기세 아래에서 형성된 중국의 현대도시 북경과 상해는 서로 달랐다. 북경은 보수적인 정치도시로서 관리들이 부패했고 권력에 민감했으며 신구 세대의 소비 패턴이 복잡해서 폭로 문학에 끊임없는 원천을 제공했다. 북경에서는 비교적 이른 시기에 문학인재 육성을 위한 준비로써 새로운 학당이 창설되었고 이것은 전국적으로 퍼져나갔다. 1905년에 과거제도가 폐지되자 신식 교육을 받은 독자와 작가들이 계속해서 역사의 무대에 등장하게 된다. 상해는 조계지가 되면서 중국에서 가장 번화한 상업 대도시로 발전하였다. 외국인들과 섞여 살면서 그들과 무역을 하여 상업이 크게 발전하자 서방문명을 더 빨리 수용하는 계기가 되었다. 상해의 문화와 시민들의 생활방식예를 들어 매일 아침에 신문을 보는 습관은 내륙과 적지 않은 차이가 났다. 또한 현대 인쇄업이 출판업을 부흥시키면서 원가를 낮추자 전파속도는 더욱 빨라지고 독자들은 늘어났다. 유신변법 인사들이 신문사와 학당을 설립하고 신학을 제창하는 것이 서로 관련된 것도 이 같은 논리였다. 당시 문학사조에 큰 영향을 미쳤던 엄복嚴復·하증우夏曾佑·왕도王韜·황준헌黃遵憲·양계초梁啓超 등은 모두 새로 흥성했던 신문잡지의 발생과 관련이 있는데, 그들의 이론과 사상이 모두 신문잡지를 통해 널리 알려졌기 때문이다. 영국의 생물학가 헉슬리의 명작 『진화와 윤리』를 『천연론天演論』으로 번역한 엄복1854~1921은 『국문보國聞報』를 창간했다. 처음에는 『천연론』의 번역 원고를 『국문회편國聞滙編』에 연재했으나 나중에 단행본으로 출판하여 국민들을 일깨우고 안목을 넓혀주는 획기적인 사건이 되었다. 남경에서 공부하던 노신魯迅이 회고하기를 "시간만 나면 관례처럼 떡이나 땅콩, 고추를 먹으면서 『천연론』을 보았다.", "아! 세상에 헉슬리란 사람이 서재에 앉아서 그런 생각을 했는데 어찌 그리 새로울까? 단숨에 읽어 나가는데 '물경物竟, 천택天择'이 나오고 소크라테스, 플라톤도 나오며, 스토아학파도 나온다."고 했다. 어느 부분은 외울 정도로 늘 보았다고 하니[1] 이 책이 중국에서 얼마나 큰 영향을 미쳤는지 알 수 있다.

엄복과 하증우가 1897년에 『국문보』에 발표한 『본관부인설부연기本館附印說部緣起』도 서구 진화론과 인성론 사상을 소설에 적용한 중요한 문헌자료이다. 양계초는 양무파에서 문학과 실학을 대립시키고 문학이 나라를 망친다고 하는 과거의 잘못된 관점을 버리면서, 문학에 새로운 사상과 문체를 결합시켜 신문잡지를 전파하는 매개로 끌어들였다. 유명한 '시계혁명詩界革命', '문계혁명文界革命', '소설계혁명小說界革命'이 바로 대표적인 사례이다.

신문잡지의 대량 출판은 문학을 소수인의 전유물에서 벗어나 대중들의 읽을거리로 만들었고, 관습화되어 왔던 집필 수락의 조건도 바꾸어 놓았다. 원고료 제도가 확립되어 작가들은 정치 관료적 종속성에서 벗어나 자신의 정신적인 노동으로 가족을 부양하고 독립적인 지위를 확고히 얻게 되면서 현대의 전문 작가계층이 탄생하게 된다. 최초의 원고료 자료는 『신보』1884년 6월에 수차례 기재되었던 『전국 그림 공지請各处名手专画新聞啓』라는 문장에서 찾을 수 있다. 전문이 길지 않아 아래에 실어본다.

"본 사는 매 달 수차례 화보를 인쇄 및 판매하는데 이미 널리 유행하고 있습니다. 다만, 외지의 재밌고 독특한 이야기들 중 아직 그림이 삽입되지 않아『신보』에 실리지 않은 원고들이 아주 많습니다. 그리하여 본 사는 전국 화가들에게 공지합니다. 만약 주변에 놀랍고 재미있는 소재가 있다면 흰 종이에 그림을 잘 그린 후 별지에 그림의 설명을 적어 주시기 바랍니다. 만약 그림이 실물처럼 생동감 있어 화보에 채용된다면 그림마다 각 2원의 원고료를 드립니다. 원고는 채

- 1884년 6월4일 『신보』에 기재된 「전국 그림 공지(請各處名手專畫新聞啓)」에는 중국 최초의 공개 원고료가 공지되어 있다.
- 광서 9년(1883) 『신보』의 한 면이다. 새련지(賽連紙)에 단면 인쇄로 4호 활자를 사용했으며 세로로 길게 썼다. 필기 · 시문 · 죽지사 등을 실었는데 이후 신문 문화란의 기원이다.

용 여부와 상관없이 모두 돌려주지 않으며, 편지 봉투에 당신의 이름과 주소를 꼭 적어주십시오. 접수 후에는 영수증을 보내드리는데 화보에 채용되면 영수증에 근거해서 원고료를 드립니다. 채용되지 않으면 영수증은 소용없으니 오해 없으시길 바랍니다. 잘 부탁드립니다."

이는 중국 최초로 원고료를 표기한 모집 공고였다. 일반적으로 도시에서는 원고료가 이미 공론화 되어 있었으나 이렇게 서면 형식으로 정해진 것은 아니었다. 예를 들어 원앙호접파의 대표작가 포천소包天笑는 1906년광서32년 상해 『시보』와 『소설림』 두 신문사에서 동시에 일했는데 그의 기억에 따르면 다음과 같다.

- 상해 점석재 석인공장 내부의 전경. 이미 상당한 크기의 규모를 갖추었다.

"당시 상해의 소설 시장에서 원고료는 보통 천 자당 2원이었고 이런 일급 소설은 수정할 필요가 없었다. 천 자당 1원, 심지어 천 자당 50전짜리 원고료도 있었는데 이런 원고들은 삭제와 수정을 거쳐야 했다."

"내 소설은 나중에 천 자당 3원으로 인상되었고, 그 시기 임금남(林琴南) 선생은 상무인서관 및 기타 출판사에서 소설을 번역했는데 상무인서관에서 천 자당 5원을 주었다." 2)

이렇게 공인된 원고료는 시세에 따라 조정이 가능했으며, 간행물이 도시민들의 일상적인 독서물이 된 후 점차적으로 형성된 것이다. 원고료의 출현은 문학의 현대적인 환경을 구축하는 중요한 요소였다. 이로부터 중국에서 현대적인 최초의 직업 작가들이 자신들의 원대한 포부를 실현할 수 있게 되었다.

1) 노신(魯迅)의 『쇄기(瑣記)』, 『노신전집(魯迅全集)』 제2권 『조화석습(朝花夕拾)』에 수록되어 있다. 인민문학출판사, 1981년, 296쪽.
2) 포천소(包天笑), 『천영루회억록 · 재소설림(釧影樓回憶錄 · 在小說林)』, 홍콩, 대화출판사(大華出版社), 1971년, 324~325쪽.

제2절

백화신문과 문학 서면어의 변혁

　　문학의 체재는 언어이며 언어에 대한 준비는 현대 문학으로 전환하기 위한 필수 조건이 되었다. 청 말까지 시문을 창작하는데 쓰인 언어는 입으로 실제 사용되지 않는 '문언'이었다. 문언은 유일한 서면어로서 정통적인 지위를 누려왔고 이때에 와서야 시대의 도전과 심각하게 마주하게 되었다.

　　문언이 위기를 맞은 것은 전반적인 사회 환경과 밀접하게 연관된다. 서구 문명이 물질로부터 정신·제도로, 소리·빛·화학·전기로부터 정치·법률, 그리고 문학예술에까지 침투해 들어왔다. 또한 기차·기선·전등·전보 등 대량의 새로운 사물들과 '양기養氣, 산소, 군학群學, 사회학, 파력문巴力門, 의회' 등과 같은 '새로운 학술용어'의 급증이 이미 국민들의 눈앞에 놓여있었다. 중국의 백화소설은 예전부터 있었으나 줄곧 문단의 중심이 아니었으므로 문학계에서 큰 영향을 미치지 않았다. 시가는 중국 문학에서 정통적인 지위를 차지하고 있었기 때문에 시인들은 시대가 언어에 미치는 영향을 누구보다 먼저 느낄 수 있었다. 18세기 초 공자진龔自珍, 1792~1841부터 황준헌黃遵憲, 1848~1905은 시의 의경에 개인과 감정을 담아냈고 시의 언어에 새로운 사물과 지식을 대표하는 단어들을 사용하기 시작했다. 유신파 시인 중 '신학新學의 시'를 제창했던 담사동譚嗣同, 1865~1898, 하증우夏曾佑, 1863~1924 등은 구체제의 시 속에 외래어와 유교·불교·기독교 세 경전의 전고를 번역한 명칭들을 넣었고, 때문에 그들의 작품을 읽으면 새롭고 기이한 감정이 느껴진다. 예를 들어 담사동의 『금릉청

설법시삼수_{金陵聽說法詩三首}」의 제3수에서는 "불법을 따르는 상수중이 되어 세상을 두루 관찰하며, 불법의 비전에 따라 게언을 말하네. 홀로 불심을 키워 팔리는 인자가 되며, 홀로 여래의 성해에서 영혼을 구하리라. 삼강오륜은 카스트 제도를 부끄러워하며, 의회에서도 법회는 흥성하리니. 대지와 산천을 이제 다 얻으며, 아말라의 진리가 손 안에 들었노라_{而为上}

首普观察, 承佛威神說偈言. 一任法田卖人子, 独从性海救靈魂. 纲伦惭以喀私德, 法会盛于巴力门. 大地山河今受领取, 庵摩罗果掌中論· 카스트는 인간의 신분제도, 파력문은 영국의 의회라는 구절을 볼 수 있다. 이런 종류로 하증우의 대표작을 들자면, "빙하기에 세상은 너무 맑고 찼으며, 큰물이 망망히 넘쳐 아래 땅에 가득했네. 바벨탑 앞에서 가르침이 나뉘었으니, 인간 세상은 이로부터 서로 맞지 않음을 느꼈네_{冰期世界太清凉, 洪水茫茫下土方. 巴别塔前分种教, 人天从此感参商}"가 있다. 양계초가 직접 해석하기를 "빙하기나 홍수는 지질학자의 말이고, 바벨탑을 언급한 것은 『구약성서』에 셈·햄·야벳의 자손이 셋으로 나뉜 일을 말한다."_{『음빙실시화(飮冰室詩話)』 참조}고 했다. 이러한 시와 해석은 지금 사람들이 이해하기도 아주 어렵지만 적어도 천 년이나 사용했던 시체가 막을 수 없을 만큼 끊임없이 밀려오는 외래어의 충격 속에 흔들리고 있었음을 말해주고 있다. 만약 '간부·무대·진보·목적·대표·단체·조직·사회·영향·충돌·팽창' 등 현대 중국어에 잠시라도 없어서는 안 될 이러한 단어들이 백년 전 외래어가 밀물처럼 들어올 때 일본어에서 가져왔던 것임을 알게 된다면, '신학_{新學}의 시'가 난삽

■ 담사동의 반신상. 아주 영민하고 용맹해 보인다.
■ 『청의보(淸議報)』 제1기, 양계초의 「과도시대론(过渡时代論)」을 발표했던 신문이다.
■ 『중국백화보(中國白話報)』 제1기 목차

하여 읽기 어렵다는 것도 자연스럽게 받아들이면서 이해하게 될 것이다.

외래어의 침입은 늘 쓰는 문장에서도 문언문의 기초를 흔들었다. 이것은 현대 신문잡지의 역할과 함께 언급해야 한다. 왕도, 양계초 등의 사람들이 신문체로 쓸 때 일반 대중 독자들을 염두에 두어야 했기에 '문언'을 통속화 시키는 것은 불가피한 일이었다.

그 결과 '문언'으로 된 서면어에서 단음절의 어려운 글자와 난삽한 단어가 줄어들었고 사회에서 보편적으로 사용하는 쌍음절의 새로운 단어들이 대량으로 증가했다. 이러한 조정을 거쳐 비록 문언의 문장 구조 변화는 크지 않았지만 문장 읽기가 점차 쉬워졌다. 양계초가 무술변법 실패 후 일본으로 망명갈 때 쓴 문언문은 바로 아래와 같다.

> "과도기를 마주한다는 것은 곤(鯤)과 붕(鵬)이 남방으로 날아올라 한 번 호흡에 구만 리를 나는 것 같고, 강물과 호수가 천 백 번의 굽이를 돌아 바다로 흘러가는 것과 같다. 전도유망하고 생기발랄하며 포부가 원대하다. 우리나라는 땅이 넓고 군대가 정예롭고 군량도 충분하니 만민이 힘을 합치면 누가 우리를 막을 수 있겠는가? 미래의 목적지는 부유하고 강성한 국가이니 누가 막을 수 있겠는가? 자고로 과도기는 역사적인 영웅호걸들의 무대이다. 수많은 민족들이 실패에서 성공으로, 쇠퇴에서 흥성으로, 노예에서 주인으로, 가난에서 부유함으로 반드시 거쳐 가는 길이니 과도기란 얼마나 아름다운 것인가!" [1]

이 문장에서 사용된 '과도기 · 목적 · 무대 · 민족' 등은 모두 들어온 지 얼마 되지 않은 외래어였다. 이 단어들을 변려문 등의 상당히 복잡한 문장에 넣어도 오늘날 문장을 이해하는데 큰 어려움은 없다. 문언의 이러한 변화는 문체 방면에서 현대 백화가 물밀듯이 들어오는데 '과도기적인' 준비를 해 준 셈이다. 이것은 매우 중요한 준비 과정이었으며 뒷장에서 양계초에 관해 집중적으로 논의할 때 다시 설명하기로 하겠다.

이와 동시에 19세기 말에는 신문의 창간이 유행이었다. 그 중 백화신문이 대세였는데 이는 현대 백화가 '5.4시기' 서면문학에서 정통적인 언어적 지위를 차지하는데 또 다른 토대가 돼 주었다. 이미 우리 모두 주지하듯이, 청 말부터 신해혁명기간까지 각종 백화신문은 약 200종 이상으로 수량이 아주 많았다. 백화신문은 전국각지에 분포되어 있었으나 주요 신문은 대부분 상해에 집중되어 있었다. '속화보(俗話報)·이어보(俚語報)'를 포함한 비교적 중요한 백화신문은 40여 종이 있었는데 절반은 상해 복주로 망평가 지역에서 발행되었다. 『영파백화보(寧波白話報)』·『호주백화보(湖州白話報)』·『안휘백화보(安徽白話報)』 등 신문의 명칭으로 지역의 경계를 분명히 나누었지만 사실은 모두 상해에서 출판된 것이라는 점이 흥미롭다. 이것 역시 현대 출판업의 중심지로서 상해의 확고부동한 지위를 증명해 준다. 북경의 신문 중 백화신문은 큰 비중을 차지하고 있었다. 그러나 북경이나 상해 두 곳의 백화신문을 제외하고 출간된 신문의 비율을 비교한다면, 북경은 상당히 뒤쳐져 있었다. 그 원인은 바로 '백화'란 청조 '관화(官話)'의 연장인 것이고 북경 말을 기초로 하였기 때문에 북경의 백화신문 창간 열풍이 대단했기 때문이었다. 이러한 백화신문은 형식적인 면에서 '간행물'과 같았는데, 초창기 현대 간행물은 신문과 잡지의 구별이 없었다. 백화신문의 경우도 마찬가지였는데 한 부씩 자세히 식별해야 했다. 현재 찾아볼 수 있는 것으로는 32절판이 가장 많으며 순간(旬刊)·반월간(半月刊)·월간(月刊)의 수량이 일간(日刊)보다 많다. 하지만 내용과 판식으로 볼 때 거의 모두가 '연설·주요 뉴스·잡조(雜組)'의 세 가지

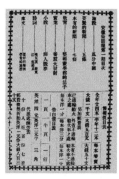

- 독자들의 많은 사랑을 받았던 『재판중국백화보(再版中國白話報)』 제1기.
- 『중국백화보』 제1기 본문 첫 페이지
- 『안휘속화보(安徽俗話報)』 제1기 목차
- 『안휘속화보』 제1기 표지. 이 신문의 창간호 제3판이 문화관에 저장되어 있는 것으로 보아 독자가 상당히 많았음을 짐작할 수 있다.

■『무석백화보(無錫白話報)』제1기.
백화신문들이 앞 다투어 모방하는
대상이었다.

로 구성되어 있으며 현대 신문의 '사설·뉴스·문화'의 세 가지 형식적 기초를 최초로 갖춘 셈이었다. 백화신문은 문언으로 된 대형 신문과는 달리 부정기적으로 인쇄되고 또 흩어졌기 때문에 지금까지 남겨져 읽을 수 있는 것은 아주 적다_{전파} 와 수집 보존 상태로 보면 문화대혁명 시기 홍위병소보와 비슷하다. 이런 작은 신문과 잡지 형식의 백화신문이 점차 확산됨으로써 백화는 전국적으로 크게 유행하며 위세를 떨치게 되었다.

최초의 백화신문으로 공인된 것은 1876년 3월 30일에 창간된 『민보_{民報}』인데, 저명한 신보관_{申報館}에서 통속어체로 만든 또 다른 신문이었다. 출판된 이튿날 상해 『자림서보_{字林西報}』에 아래와 같은 소개문이 실렸다.

"우리는 신보관에서 새로 출판한 『민보』라고 하는 신문의 창간호를 보았다. 『민보』는 한 부당 동전 다섯 개에 팔고, 백화로 글을 써서 독자들이 내용을 이해하기 쉽다는 특징이 있다. 매 구절의 끝부분은 모두 한 칸씩 비우고 인명과 지명 옆에는 세로선과 점선으로 표기하였으며 게다가 한 부당 5전에 팔았다. 이것은 『신보』가 미치지 못하는 계층인 대장장이·노동자·작은 상점의 점원들까지 읽을 수 있으며 매일 발행된다." 2)

이 소개문에서 『민보』의 백화문체적 경향은 독자의 대상을 분명히 했다는 것과 관련됨을 알 수 있다. 그 밖에 1897년 11월 상해 복주로에서 출판된 『연의백화보_{演义白話報}』도 비교적 이른 시기에 발간된 것이었는데 창간호에 실린 『백화보소인_{白話報小引}』에서 그 취지를 알 수 있다. 여기에서는 "중국인들이 분발해서 뜻을 세우고 피해를 보지 않으려면 외국의 상황과 세상 돌아가는 대세를 알아야 한다. 그걸 알려면 반드시 신문을 읽어야 하며 신문을 읽으려면 백화로 봐야 분명히 이해할 수 있다"3)고 하였는데 이 글에 사용된 언어는 순수한 백화였다. 『무석백화보無錫白話報』는 숙부와 조카인 구정량裘廷梁과 구육방裘毓芳 두 사람이 1898년 5월에 창간했다. 제1기에 구정량이 작성한 『무석백화보서無錫白話報序』가 실렸는데 언어는 상당히 세련되었고 알아보기 쉬운 양계초의 문체로 쓰었다. 그는 이렇게 주장했다.

> "국가가 큰일을 도모하려면 천하 백성의 지혜를 모아야 하는데 그들이 병사·농민·상인·공인이든 각자의 위치에서 최선을 다해야만 서양의 각 나라를 이길 수 있다. 국민을 지혜롭게 하고 계몽시키려면 반드시 학교 교육을 보급시키는 것에서부터 시작해야 하는데, 불가능하다면 차선의 방법은 신문을 읽는 것이다. 신문이 보급되어 모두가 읽으려면 백화신문부터 시작해야 한다." [4]

1904년 남쪽과 북쪽에서 동시에 창간된 백화신문인 소주의 『오군백화보吳郡白話報』와 북경의 『경화일보京話日報』 발간사에는 각각 아래와 같이 적혀있다. 『오군백화보』에는 "본 신문은 각종 초보적인 이치의 학문, 현재의 세계 정황을 여러분들께 천천히 알려드릴 것입니다."[5]라고 적혀있었고, 북경의 『경화일보』에서는 "본 신문은 문명을 받아들여서 풍속을 바로잡고 많은 사람들의 지혜와 지식을 깨우치는 것을 목표로 삼을 것입니다. 그러므로 모든 문장은 알아보기 쉬운 북경말로 적어서 소박한 이치와 주요한 사건들을 전달하며, 고상한 사람이나 속인이나 부녀자나 어린 아이들이 모두 읽을 수 있게 할 것입니다."[6]고 밝혔다.

결론적으로 백화 신문을 만든 절차는 거의 이와 비슷했다. 그들은 문언보다 현대 사회의 수요에 훨씬 적합한 서면어를 구축할 것이라고는 단 한마디도 언급하지 않았다. 실제로 당시 백화신문을 만드는 데에는 아래와 같은 몇 가지 목적이 있었다. 첫째, 유신을 주장했던 사람들의 목적과 같은 것으로 국가를 발전시키고 외국 열강들에 대항하여 국민을 계몽시키기 위함이었다. 구정량이 쓴 『백화가 유신의 근본임을 논함論白話为维新之本』이 바로 그러한 의미이다.[7] 둘째, 일종의 통속화된 서면어, 즉 구두어와 서면어가 거의 비슷해진 '백화'를 제창하려 했다. 셋째, 백화에 내포된 '언문일치'라는 희망을 모든 사람이 다 느낄 수 있는 것은 아니었다. 대부분의 지식인들은 백화란 단지 인민 대중이 사용하여 읽을 수 있고 알아들을 수 있으면 된다고 여겼다. 그리하여 당시 백화를 주장했던 사람들은 대부분 두 가지 언어를 사용했다. 민중들에게는 그들이 알아볼 수 있도록 백화를 썼고, 그 밖의 사람들에게는 여전히 문언을 사용했다. 한 가지 재미있는 예를 든다면 '국민을 계몽시키려는' 『경화일보_{京話日報}』의 팽익중_{彭翼仲}은 '관리들을 계몽시키기' 위해 『중화보_{中華報}』라는 신문을 만들었는데 사용된 언어가 전부 문언이었다. 백화신문은 본래 민간에서 시작되었으나 '모두가 유신에 참여하던' 시기, 자희 태후 역시 조건부 '입헌군주제' 추진에 동의했을 때 정부에서도 적극적으로 백화신문을 만들기 시작했다. 이것은 '예비 입헌백화보_{預備立憲白話報}' · '지방자치 백화보_{地方自治白話報}'라는 명칭을 봐서도 알 수 있다. 그 후 정부에서도 '국어'를 보급하며 교육 부문에서 국어교육에 매진했기 때문에 '민간 지식인과 제도권의 결합, 국문 · 문언에서 국어 · 백화로의 변화 완성'[8]이라고 일컬어진다.

어문의 통속화를 실행하는 원칙으로 '백화'라는 명칭은 이미 존재했었다. 백화에 대한 기원은 우선 고대 백화_{송대 화본소설, 어록체의 필기 산문을 대표하는 고대백화}였고, 거기에 당시의 민간 구어를 흡수했다. 그리하여 일부 백화신문은 방언 · 속담 · 속어 등을 모두 '백화'라는 틀 속에 넣었다. 물론 대부분의 백화신문은 방언의 비중을 지나치게 많이 넣지는 않았으며 다만 각 성의 지역 독자들이 대체로 알아볼 수 있으면 그만이었다. 이것은 청말 백화문운동 이외 한자병음화 운동이 일어난 것과 연관되어 진다.

한자병음화는 해금_{海禁}이 풀린 후 시작되었다. 당시 중국의 일부 선각자들은 외국이 부강했던 근본적인 원인이 교육에 있음을 깨달았다. 정방형의 네모난 문자와 병음 문자를 비교한 결과, 중국 교육의 보편화 실현의 어려움 중 하나가 바로 배우기 어려운 한자에 있으며 문자와 언어가 서로 분리된 것이 그 원인이었음을 알게 되었다. 그리하여 양계초와 담사동은 모두 한자를 개혁하고자 했다.

1892년 노당장_{盧戇章}이 『일목요연초계_{一目了然初阶}』를 발표해서 각종 병음화 방안이 연이어 만들어 졌는데, 본래의 목적은 병음 한자를 만들어 네모난 한자를 대체해 반문맹의 중국 백성들이 쉽게 익힐 수 있도록 하기 위함이었다. 그러나 실제로 진행해보니 너무 어려워 병음 방안으로 새로운 언어를 만들려던 목적을 달성하지 못했고, 오히려 중국어음을 통일하고 전 국민의 공동어를 만들자는 목표가 생기게 되었다.

1918년, 중화민국 교육부에서 정식으로 주음자모를 발표했고 얼마 후 병음화 운동 내부에서 '국어'라는 단어가 생겨났다. 이것은 이후 '국어운동'에서 '보통화 운동'까지 줄곧 이어진 단어였고, '5.4' 문화혁명에 호적이 제기한 '국어의 문학'과 연관된 단어로서 역사적으로 영향력이 상당했음을 증명한다. 청말 '국어'라는 단어는 '언문일치'와 '어음통일'이 서로 역설적이지 않게 만들어주는 백화문 운동의 내재적인 역량이었다. '언문일치'에서의 '언_言'은 방언이나 속담에서의 '언'이 아니고 '어음통일_{語音統一}'에서의 '언'이었다. 이로써 전국에서 물밀 듯 거세게 일어나던 백화신문 운동에서 '할거' 역할을 수행하던 방언이 너무 범람하다가 대세를 그르치는 결과를 초래하지 않았다고 이해할 수 있다.

이 시기 문학을 창작하는데 있어 백화의 사용이 날로 늘었는데, 동시에 서면어의 변화는 하루아침에 일어난 것이 아니었기에 문언과 백화가 뒤섞여 사용된 현상은 어쩌면 당연한 일이었다. 당시 대부분의 지식인들은 사상적으로는 이미 유신에 동조하고 새로운 학문을 제창했지만 시나 문장을 지을 때 여전히 문언을 위주로 사용했다. 백화신문이 이미 대량으로 존재했으나 백화작가들이 백화문을 쓴 것을 보면, 예를 들어 주작인_{周作人}이 『여계주석_{女诫注释}』『백화총서(白話叢書)』중 하나의 서문을 쓴 작가를 들었는데, 글을 써내려가는 방식과 문장의 전개는 "여전히 고문의 방식이었다. 당시의 백화는 작가가 고문으로 생각을 한 후에 그것을 다시 백화로 번역해냈던 것임을 알 수 있다."[9]고 했다. 이는 '5.4' 후의 백화와는 완전히 다른 것이다. 중국번_{曾國藩}이 육성했던 동성고문파의 '중흥'이나 그 여맥_{오여륜(吳汝纶)으로부터 임서(林纾)까지}에

■ 삽화평점본 『아녀영웅전
(兒女英雄傳)』 첫 페이지.
문강(文康) 지음.
■ 삽화평점본 『아녀영웅전』
저작권 페이지
■ 양복을 입은 세련된 모습
의 청년 소만수.

도 불구하고, 동광체 시인들_{진인각(陳寅恪)의 부친 진삼립(陳三立)을 대표로 한다}의 잠재세력은 당시의 문단에서 표면적으로는 지위가 상당히 높았지만 실제적으로는 이미 쇠락의 막바지였던 것이다.

소설은 고대 백화를 사용했던 전통이 있었다. 광서 초년에 간행된 『아녀영웅전_{兒女英雄傳}』의 원 제목은 『아녀영웅전평화_{兒女英雄傳評話}』인데 제1회 첫 구절에서 "『아녀영웅전』의 취지는 '서두'에서 분명히 설명 드리며 다시 중복하지 않겠습니다. 이 책은 도대체 무엇을 말하려고 하고 어떤 인물들이 나올까요? 어느 시대일까요? 조용히 해 주시고 이야기하는 사람의 말을 천천히 들어봅시다."[10]라고 백화를 아주 조리 있게 사용하고 있다. 이후 4대 견책소설도 거의 백화로 쓰였다. 『관장현형기_{官場現形記 1903년 초판 간행}』 제1회에 이렇게 쓰여 있다. "섬서성 동주부 조바현 남쪽 30리에 한 마을이 있었습니다. 마을에는 다만 조씨와 방씨 두 성씨만 살고 있었지요."[11] 『이십년목도지괴현상_{二十年目睹之怪現狀 1906년부터 단행본이 있다}』 제1회 첫 부분에는 "상해는 상인들이 무리지어 몰려드는 곳으로 중국인과 외국인들이 함께 살고 인가가 빼곡하며 기선과 배가 드나들어 많은 상품들이 운송된다. 소주, 양주 지역의 기녀들도 모두 상해의 호상들을 노렸고 배를 타고 사마로 일대로 와서 기예와 미모를 다투었다."[12]고 쓰여 있는데 문장 모두 아주 읽기 쉬웠다. 그러나 이후에도 한동안 문언소설이 여전히 존재했다. 예를 들면 이백원_{李伯元}·오견인_{吳趼人}보다 20년 늦게 태어났고 '정승_{情僧}·시승_{詩僧}'이란 추송을 받는 소만수_{苏曼殊, 1884~1918}가 쓴 소설들은 여전히 문언으로 되어있다. 영향력이 컸던 대표작품 『단홍영안기断鴻零雁記』에서 헤어진 지 오래된 어머니가 주인공에게 부인을 얻으라고 말하는 것을 듣고 주인공은 자신은 이미 출가하여 마음이 쓸쓸하고 심정이 애달프다는 것을 이렇게 표현하였다.

"내가 끊임없이 고민해 보았으나 마음을 달랠 길이 없네. 뒷산 너머 숲을 스치는 처량한 바람소리 들으니 마음이 떨려 불경을 읊조려 보네. '내 몸을 이룬 사대에 각기 이름 있지만 어디를 보아도 도무지 내가 아니네.' 아! 자애로운 어머니, 저를 파계하게 마옵소서!(余反復思維, 不可自聊; 又聞山後凄風號林, 余不覺惴惴其栗, 因念佛言 '身中四大, 各自有名, 都無我者' 嗟乎! 望吾慈母, 切勿驅兒作哑羊可耳!)" [13]

소만수의 사상과 문학 관념은 견책소설 작가들과 비교해 보면 상당히 참신했다. 위의 단락만 보아도 제1인칭으로 '나사랑의 충격을 받은 청년 승려'를 가리켰으며 자신, 불어佛言, 어머니의 뜻 사이에서 갈팡질팡하는 심리 묘사를 아주 섬세하게 표현하였는데, 사용된 언어는 문언이었다. 이후에 흥성했던 원앙호접파의 많은 소설과 잡지에는 백화를 대량으로 사용한 작가들이 참여했지만 관념과 사상적인 면에서 한동안 소만수에 미치지 못했다. 그러므로 이러한 과도기의 문언과 백화의 혼용, 사상 의식의 표달 방식에 대해서는 융통성 있게 받아들여야 한다. 신문의 문체는 문언의 울타리에서 벗어나게 해주는 일등공신이었으나 다른 각도에서 보면 오히려 문언을 사용한 시간이 제일 길었던 곳이기도 했다. 오늘날 홍콩 신문이나 뉴스 해설에서는 여전히 문언적인 색채를 엿볼 수 있다. 또 사회적으로도 문언을 사용하면 학식이 깊어 보인다는 심리를 아직 떨쳐버리지 못했다. 그러나 사람들은 친척이나 친구한테 편지를 쓸 때 비교적 평이한 문자를 사용했고 백화야말로 친밀함을 전달하는 서면어라고 여겼다. 아직까지도 널리 퍼져있는 『증국번가서曾國藩家書』가 바로 그러하다. 증국번이 붓을 들어 편지를 쓸 때 아마도 동성파 고문으로 쓰겠다는 생각은 없었을 것이다. 그의 편지에는 이렇게 적혀있다.

"집에 있는 자식들이 체력이 약하여 학문에 진보가 없는 것을 보고 여섯 가
지 일로 건강을 챙기도록 격려하였다. 매일 식사 후 천 보를 걸어야 하고, 저녁
에 자기 전에 발을 씻으며, 가슴 속에 짜증을 담지 말고, 평소 조용히 자주 연
좌하며, 자주 활을 쏘고(활쏘기는 용모와 태도를 연마하고 몸을 튼튼히 해주니
자녀들은 많이 연습하는 것이 좋다), 동틀 무렵 반찬 없이 쌀밥 한 그릇씩 먹는
다." (1871년에 씀)[14]

그 시기 문언과 백화, 이 두 가지를 모두 사용하는 것은 보편적인 현상
이었다.

민국초기 초중등학교 교과서에 '국문'이란 단어에서 '국어'라는 단어가
출현했는데 이는 천하를 지배했던 문언의 지위가 바뀌었음을 증명해 준다.
1920년 교육부에서 초등학교 1, 2학년은 반드시 백화문 어문교재를 사용
해야 한다고 발표했다. 교육제도의 뒷받침으로 백화문 운동의 성과는 비로
소 토대를 갖추었고 널리 보편화되었다. 흥미로운 것은 1912년에 원앙호접
파 문학의 초기 작가 서침아徐枕亚가 상해 『민권보民權報』에 실은 『옥리혼玉梨魂』
이란 애절한 소설이 여전히 큰 사랑을 받았다는 점이다. 서침아는 이미 진보
적인 사상을 가지고 있었는데 남녀의 연애비극과 '5 · 4'의 애정 스토리를
잘 연결시켰으나 문자는 여전히 변려문을 혼용해서 사용했다. 이 문언 장회
소설은 1928년까지도 서국에서 계속 출판되었고, 실제로 변려체 소설을 즐
겨 읽는 독자가 없어지게 된 후에야 이러한 소설도 사라지게 되었다. 대체
적으로 문언 독자가 역사의 무대에서 퇴장한 마지막 시기는 20세기 1930
년대로 추정할 수 있다.

각주

1) 하효홍(夏曉虹)의 『각세여전세(覺世與傳世)』, 상해인민출판사(上海人民出版社), 1991년, 122 쪽에서 인용.

2) 「육십년전적백화보(六十年前的白話報)」, 『상해연구자료속집(上海研究資料續集)』, 상해통사편(上海通社編), 상해서점(上海書店), 1984년, 321쪽에서 인용.

3) 진옥신(陳玉申)의 『만청보업사(晩晴報業史)』, 산동화보출판사(山東畵報出版社), 2003년, 109쪽에서 인용.

4) 진옥신(陳玉申)의 『만청보업사(晩晴報業史)』, 산동화보출판사(山東畵報出版社), 2003년, 110쪽에서 인용.

5) 『중국근대기간편목휘록(中國近代期刊篇目彙錄)』(제3권), 상해도서관편(上海圖書館編), 상해인민출판사(上海人民出版社), 1981년, 1178쪽에서 인용.

6) 진옥신(陳玉申)의 『만청보업사(晩晴報業史)』, 산동화보출판사(山東畵報出版社), 2003년, 152쪽에서 인용.

7) 구정량(裘廷梁), 「논백화위유신지본(論白話爲維新之本)」, 『중국관음백화보(中國官音白話報)』(제5기전에는 『무석백화보(無錫白話報)』라고 불렸음), 1898년 8월 27일, 제19, 20기

8) 왕풍(王風), 「문학혁명여국어운동지관계(文學革命與國語運動之關係)」, 『중국현대문학연구총간(中國現代文學研究叢刊)』, 2001년, 제3기

9) 주작인(周作人), 『중국신문학적원류(中國新文學的源流)』, 장사(長沙), 악록서사(岳麓書社), 1989년, 52쪽.

10) 청(淸) 문강(文康)이 지은 『아녀영웅전(兒女英雄傳)』제1회 "隱西山閉門課驥子, 捷南宮垂老占龍頭", 천진(天津), 백화문예출판사(百花文藝出版社), 2003년, 10쪽.

11) 『관장현형기(官场現形記)』제1회, 인민문학출판사(人民文學出版社), 1957년, 1쪽.

12) 『이십년목도지괴현상(二十年目睹之怪現狀)』제1회, 인민문학출판사(人民文學出版社), 1981년, 1쪽.

13) 소만수(苏曼殊), 「단홍령안기(斷鴻零雁記)」, 『소만수소설집(苏曼殊小說集)』, 절강인민출판사(浙江人民出版社), 1981년, 29쪽.

14) 당호명평점(唐浩明評點) 『증국번가서(曾國藩家書)』(하권), "致澄弟沅弟 同治十年十月二十三日", 장사(長沙), 악록서사(岳麓書社), 2002년, 434쪽.

제3절
세계로 시야를 넓힌 최초의 문인들

　청 말의 선각적인 문인들은 열강들이 중국을 분열시키고 있다는 위기의 식을 느끼면서도 다른 한 편으로는 이미 세계로 시야를 돌리고 있었다. 당시 각종 간행물에 실린 분열된 중국의 정세도로부터 대다수의 민중과 선각적인 지식인들이 강렬하게 자강을 갈구했던 심정을 느낄 수 있다. 또 세계를 이해하고 봉건적 지식체계에서 벗어나야 된다는 생각은 많은 선각자들의 공통된 인식이었다. 임칙서林則徐, 1785~1850는 비교적 이른 시기에 '서양인을 막고制夷', '서양인을 방어防夷'하기 위해 직접 『사주지四洲志』편역을 주관했다. 비슷한 연령의 위원魏源, 1794~1857과 공자진龔自珍도 모두 임칙서와 함께 경세치용의 학문을 제창했다. 위원은 임칙서의 부탁을 받고 『사주지』와 기타 외국 문헌에 근거해서 『해국도지海國圖志』를 편찬했다. 그는 "서양인의 장점을 배워서 그들을 방어한다師夷長技以制夷."고 주장했는데 여기에서 '사師, 배우다'자를 이끌어 내기란 정말 쉽지 않았다. 공자진은 현실을 비판하고 몰락해가는 상황을 떨치고 새롭게 일어나야 한다고 주장했던, 역사적인 안목을 지닌 채 한 시대의 시풍을 열었던

■ 『중국신보(中國新報)』 창간호 제1기에 '중국과 열강' 이라는 분열되는 상황의 삽화를 실음. 위기에 처한 형세를 그렸던 많은 그림들 중 하나이다.
■ 왕도의 초상화

대가였다. 이 세 사람은 모두 세계와 중국 변방의 인문, 역사 및 지리를 연구했다. 그 후 왕도와 황준헌은 특별한 기회를 얻어 제일 처음 해외로 나가게 되었고 그들보다 다소 어렸던 양계초와 함께 중국에서 세계적인 안목을 지녔던 최초의 지식인_{작가} 그룹을 형성했다.

왕도_{王韜, 1828~1890}의 경력은 좀 특이하다. 왕도는 먼저 청 조정에 태평천국군을 섬멸하는 방안을 제출했는데 수용되지 않았다. 그 후 고향에 돌아가 병든 어머니를 모시면서 소주를 점령한 태평천국의 장수에게 상해를 공략하는 계책을 바쳤다. 그러나 이 일이 발각되면서 조정의 체포영장을 받게 되어 나중에 영국인의 도움을 받아 1862년 홍콩으로 건너갔다. 당시 그의 정치적 견해는 공리적이었고 상관에 의탁하는 수단에 불과했으나 해외에서 22년 동안 망명 생활을 하면서 차츰 성장해 나갔다. 1867년부터 1870년에는 영국에 초빙되어 책을 번역했으며 유럽 각국을 돌아다녔다. 1879년 일본에 갔을 때 거기에서 황준헌_{黃遵憲}을 만나게 된다. 왕도는 국내에 있을 때 이미 영국인 선교사 매드허스트_{Medhurst}의 요청으로 1849년에 상해 묵해서관에 들어갔다. 매드허스트는 바로 최초의 중문 간행물을 만들고 중국 최초로 현대 출판사를 설립한 서양인이었으니, 왕도는 중국에서 최초로 현대 출판업에 종사하고 번역에 참여했던 행운아였던 것이다. 그는 10여 년 동안 묵해서관에서 근무하면서 많은 서방의 자연과학과 인문지식을 쌓고 안목을 넓혀 나갔다. 홍콩으로 망명한 후 영화서원_{英华書院}의 원장 제임스 레그_{James Legge}를 도와 중국의 사서오경을 영문으로 번역하였고 이후 그를 따라서 영국과 홍콩을 넘나들었다. 1874년 제임스 레그가 귀국하여 옥스퍼드 대학 중문과 강사를 맡게 되자 왕도는 자금을 모아 영화서원의 인쇄설비를 구매하고 중국인 최초로 자체적으로 창립한 중국어 신문 『순환일보_{循环日報}』를 창간했다. 그는 10여 년간 신문에 정치를 논평하는 글을 발표하여 강유위_{康有爲}, 양계초_{梁啓超}와 이름을 나란히 하면서 영향력이 있는 '유신'의 인물이 되었다.

음풍농월하던 풍류재자이자 봉건사대부였던 왕도는 신식의 저널리스트·문학가·선전가로 변모하였고 그의 이러한 변화는 대표성을 지닌다.

그는 동서고금에 관하여 정통했으나 벼슬을 얻지 못하자 직업 작가가 되었다. 정치를 논설하는 그의 문장은 일전에 썼던 '상서上書'와는 전혀 달랐으며, 이미 누구한테 충성할 필요도 없었고 그저 신문에 실어 사회민중을 위해 발표하면 그만이었다. 따라서 그의 글은 점점 과격해졌고 서방의 새로운 사물이나 신사상을 소개하는데 전력을 기울였다. 그는 양계초보다 더 일찍 송동松動 문언을 사용하였고 새로운 '신문체' 문자의 선구자로서 손색이 없었다. 문언 필기소설로는 『송은만록淞隱漫錄』·『둔굴란언遁窟讕言』·『송빈쇄화淞濱瑣話』 등이 있다. 『송은만록』의 분편分篇은 『점석재화보』『신보』관에서 발행에 발표했는데 화보의 주필인 오우여吳友如가 삽도를 그렸다. 왕도는 해외파 문인의 진면목을 보여주었다. 그가 쓴 소설의 내용은 사회 뉴스·민간전설·전래되어 온 일화 등이 다 포함되었는데 시민들의 소일거리나 감정을 토로하기 위해 썼으며 작가가 매일 빠져 지내던 기루 생활과 연관되어 있었다. 어떤 의미에서 보면 왕도는 소설로 현대 도시의 풍토를 묘사한 최초의 작가였다. 게다가 비교적 이른 시기에 해외 여행기를 쓴 작가로서 『만유수록漫游隨錄』·

『부상유기扶桑游記』라는 두 개의 작품이 전해져 온다.

왕도의 출국이 자발적인 것은 아니었으나 뜻밖에도 중국 최초 런던 주재 공사였던 곽숭도郭嵩燾보다 7년이나 빨랐다. 그는 상해 개항 4년 후인 1847년에 상해를 유람하였고 묵해서관에 가입하여 상해에서 14년이나 살았다. 홍콩에 망명하면서 머물렀던 시간도 짧지 않았다. 그가 쓴 여행기에 보면 바깥 세상에 관해 잘 몰랐던 중국인이 프랑스 남부에 도착하는 순간의 느낌을 "시야가 확 트였고 다른 세상에 온 것만 같았다."고 적고 있다. 서양 문명을 알리려면 직접 보고 직접 듣지 않으면 안 되었다. 그는 마르세유Marseille

■ 왕도의 『송은만록(淞隱漫錄)』 '해외미인(海外美人)' 삽화는 오우여(吳友如)가 그렸다.
■ 왕도가 쓴 『영연잡지(瀛壖雜誌)』에 삽입된 서책광고(민국판)

에 대한 인상을 다음과 같이 적었다.

> "이틀이 지난 후 마르세유에 도착하였다. 마르세유는 프랑스의 항구이자 무
> 역 대도시이다. 여기에 도착한 후에야 나는 해외의 상업이 이렇게 번화했음을 알
> 게 되었다. 빌딩들은 아름답고 웅장하면서 호화로우며 대체로 7, 8층의 높이였
> 다. 아름다운 그림이 그려진 울타리, 정교하고 섬세한 조각의 난간은 모두 천국
> 에 있는 사물 같았고, 하늘의 빛나는 별들도 휘황찬란함을 비길 수 없었다. 길은
> 넓었고 차량들은 흐르는 물처럼 끊임없이 지나다녔으며 유람객들은 베를 짜는
> 실 마냥 빼곡히 많았다. 민가의 불빛은 하늘의 별보다도 많았는데 천상의 불꽃과
> 도 같았다. 호텔에서 제공하는 음식은 풍족하였고 가구들은 아름답고 화려했으
> 며 이전에는 볼 수 없었던 것들이었다. 외출할 때면 마차가 준비되어 있었고 가
> 격은 일정하게 정해져 있어서 더 이상 받지 않았다. 하문(夏文)과 함께 시내 지역
> 을 한 바퀴 돌아보니 물건의 종류가 풍부하고 사람들과 상인들도 많았으며 프랑
> 스의 많은 도시 중에서 으뜸인 곳이다." [1]

문언의 네 글자 문장은 그가 거리를 구체적으로 묘사하는데 제한적이었
다. 하지만 그는 유럽에 도착하는 순간 도시 빌딩의 층수, 야간 등불의 밝
기, 마차 임대 가격, 시장 상품의 완비 및 인구와 상인의 많음을 주시하였
는데 이만하면 충분히 표현해 낸 것이었다. 왕도의 유럽 여행기는 마치 놀
란 기러기가 한번 흘끗 본 것 같은 묘사를 면치 못했지만, 도시 행정에 주의
하면서 각지 박물관을 참관했고 남녀교제와 여성 교육의 기풍에 관심을 갖

■ 19세기 중엽의 런던대학
■ 강유위가 각국을 유람할 때 수집한 그림 중 하나: 이태리 밀라노의 대극장(옆에 적힌 글은 강유위의 자필)

■ 강유위가 유럽을 유람할 때 수집한 그림 중 하나:
이태리 밀라노의 성당. 그림 옆에 적힌 글은 강유위의 자필.

고 살폈다. 당시에 왕도는 이미 도시의 환경건설과 사람들과의 관계에 주의하였다. 그는 런던의 도로 관리에 관해서 "길가의 넓이는 20여 미터[6~7장]였고 양쪽은 가늘고 긴 돌들이 가지런하게 놓여 있었다. 길 가운데에는 나무판을 깔아 마차의 왕래를 편리하게 하고 철바퀴가 내는 소음을 줄였다. 매일 아침이면 살수차가 길바닥을 깨끗이 청소했고 길에는 긴 대들보 같은 것이 설치되어 있었는데 길바닥의 고인 물을 제거하는데 쓰였다."고 하였다. 수돗물 시설에 관해서는 "집집의 벽에는 수도관이 묻혀 있었고 밸브로 열고 닫았으며 물이 필요하면 셔터를 열었는데 물이 잘 나와서 부족할까 걱정할 필요가 없었다."고 묘사했다. 가스가 어떻게 집집마다 연결되어 조명을 밝혀주는지에 관해서는 "저녁마다 불을 켤 때는 촛불을 쓰지 않는다. 집의 벽에 파묻힌 쇠파이프에 가스를 넣으면 관으로 연결되어 실내를 밝게 비춘다."[2]라고 아주 자세하게 묘사했다. 또한 그는 런던 박물관의 도서관을 참관한 것을 아래와 같이 적었다.

"박물관 안의 장서는 제일 많았는데 오대주의 지도, 고대와 현대의 서적들이 모두 52만 여 부에 달하였다. 방들은 서로 연결되어 있었고 구불구불한 복도와 중첩된 선반에는 위에서부터 아래까지 층층이 책들이 꽂혀 있었으며 고운 책갑의 도서 표지들이 빽빽하고 정연하게 늘어서 있었다. 각각의 나라들은 선반에 따라서 분류되어 있어 조금도 틀림이 없었다. 중문 서적들은 데글러(Degler)라는 사람이 관리하였는데 중국말을 할 줄 알았다. 그는 천진에서 5년간 생활했다고 한다. 도서관 앞에는 넓은 홀이 있었고 의자가 몇 줄 놓여 있어서 몇 백 명은 앉을 수 있었다. 책상 위에는 붓과 먹이 있었고 도서관의 사면은 철로 된 울타리로 둘러싸여 있었다. 매일 책을 보러 오는 남녀 독자들은 100여 명이 되었는데 아침부터 저녁 늦게까지 있었으며 마음껏 책을 볼 수 있었지만 가지고 나갈 수는 없었다." [3]

결론적으로, 왕도의 유럽 여행기는 최초로 외국에 나간 근대 지식인이 할 수 있는 생각과 안목의 수준을 반영한 것이다. 여성에 대한 관심과 기생집에 드나드는 것을 분별하지 못한 것을 제외하고는 왕도가 서방 문명을 배우는 데에 특별히 우려할 바는 없었는데, 중외문화 교류의 목적에서 비굴하지도 거만하지도 않았던 태도를 높이 살만하다.

왕도처럼 해외여행기·일기 혹은 회고록을 쓴 이들은 또 용굉_{容閎}, 곽숭도_{郭嵩燾}, 설복성_{薛福成}, 여서창_{黎庶昌} 등의 사람들이 있었다. 그들은 모두 중국 최초의 외교관이었다.

그 중 용굉_{1828~1912}이 제일 먼저 출국하였다. 그는 1847년에 자금을 지원받아 미국에 가서 공부하게 되었는데 나중에 예일_{Yale} 대학에 들어가서 미국 일류대학을 졸업한 첫 중국인이 되었다. 증국번에 의해 참모로 지낸 적이 있었고 주미 중국대사관에서 부대사관을 역임한 적도 있었으며 일생동안 두 가지 큰일을 하였다.

그 첫째는 강남제조국을 대신해 미국에서 기계를 사들인 것이다. 둘째는 청 정부를 설득하여 1872년부터 네 차례에 걸쳐 120명의 어린이들을 해외로 유학 보낸 일이다. 나중에 이 일이 완고파의 반대에 부딪혀 노신이 태어난 1881년에 무산되었지만 유학생 중에서 경장철도_{京張铁路}를 건설한 엔지니어 첨천우_{詹天佑}, 민국정부의 국무총리인 당소

■ 용굉이 주도해서 선발한 청국의 첫 미국 유학 어린이 중에는 첨천우 등이 있었다.
■ 청년시절의 용굉(容閎)의 모습
■ 곽숭도의 동판 화상

의_{唐紹儀} 등의 인물이 배출되었다. 1909년 그는 이러한 경력을 바탕으로 영문으로 된 『서학동점기_{西學東漸記}』를 썼는데 1915년에 운철초_{惲鉄樵}, 서봉석_{徐鳳石}이 중문으로 번역하여 상무인서관에서 출판했다. 책에서는 19세기 중엽 미국의 상황을 서술하고 기독교를 공부하기 위해 강제적으로 선교사가 되는 조건에 수락할 뻔 했던 일 등 아주 감동적인 내용을 담고 있다.

이들 중 곽숭도_{1818~1891}의 나이가 가장 많았는데 증국번과는 악록서원_{岳麓書院}의 동창이었다. 그는 직언을 즐겨했기 때문에 관리들과 원한을 많이 맺게 되었다. 1876년에서 1879년 사이에 최초로 영국 프랑스 주재 중국대사관에서 공사직을 수행했다. 공사로 있는 동안 영국에서 유학 중인 마흔 살이나 차이 났던 엄복과는 절친한 친구가 되었다. 그는 양무파였으나 그의 사상적 경계는 훨씬 고원하였다. 또 운이 아주 나쁜 대사이기도 했다. 운남에서 영국대사관 직원이 피살된 사건 때문에 자희 태후가 그를 사죄하러 보내게 되었는데 출국하기도 전에 '매국자'라는 오명을 받게 된다. 런던으로 가던 50일 동안 일기를 써서 '사서기정_{使西紀程}'이란 서명으로 인쇄했는데 조정에서 큰 파문을 일으켰다. 장애령_{张爱玲}의 조부 장패륜_{张佩纶}은 상소를 올려 그를 파직시킬 것을 요구했고 결국 책의 인쇄판을 없애버리라는 명령을 받았다. 2년 후 그의 유럽여행기도 인쇄를 계속할 수 없게 되었으며 거의 1세기 동안 빛을 보지 못하다가 1984년에 와서야 『런던과 파리의 일기_{倫敦與巴黎日記}』라는 서명으로 출판하게 되었다.[4] 『사서기정』의 죄명은 서방에도 이천 년의 문명이 존재한다는 것을 승인하고 여러 가지 방면에서 우리의 문명과 비교를 했다는 것이었다. 그의 보좌관 유석홍_{刘锡鸿}은 배후에서 그를 '매국노'라고 비판했는데 열거했던 세 가지 죄상이 참으로 황당무계하다. 아래에 적어본다.

> "첫째, 갑돈포대를 유람할 때 서양인의 옷을 걸쳤다. 얼어 죽는 한이 있더라도 외국인의 옷은 걸치지 말아야 했다. 둘째, 브라질 국왕이 입장하자 일어나서 맞이하였다. 우리나라는 대국인데 어찌 소국의 원수에게 경의를 표할 수 있단 말인가! 셋째, 백금(柏金) 궁전에서 음악을 들을 때 서양 사람들의 행위를 본떠서 몇 번이나 악보를 펼쳐 보았다."[5]

사실 곽숭도는 58세부터_{그는 런던에서 60세 생일을 보냈다} 유럽의 8만 리를 여행했는데 그의 일기를 보면 돌아다니는 동안 교육방안, 선박관리 및 포로를 죽이지 않는 법을 연구하였고 각국의 종교와 감옥의 현황을 파악했다. 심지어 각국의 국기, 해군기, 상선기 등에 대해 상세히 분별해 냈는데 국가를 위해 서방을 이해하려는 태도가 아주 진지하였다.

설복성_{薛福成, 1838~1894}의 『외교 사절로 영국, 프랑스, 이태리, 벨기에 네 나라에 갔을 때의 일기_{出使英法義比四國日記}』를 보면 그도 곽숭도처럼 외국의 감옥에 특별한 관심을 가지고 있었다. 당시 중국의 감옥은 아주 어두웠는데 설복성은 파리의 감옥에 대해 다음과 같은 단어를 써서 묘사했다. "죄수들이 일해서 얻은 월급은 죄수 본인의 소유이지 공동 기금으로 바치지 않았다. 죄수들도 스스로 음식을 살 수 있었고 심지어 돈을 저축하는 사람도 있었다.", "지하실에서 불을 피워 추위를 막으니 겨울이라도 감옥의 통로는 아주 따뜻했다. 이 감옥에서 매년 겨울에 나오는 숯불 비용만 해도 3만 프랑에 달하였다."처럼 의미심장하게 기록했다. 설복성은 중국번의 젊은 참모였는데 여서창_{黎庶昌} 등과 함께 '증씨 학파 4인'으로 불렸다. 출국하기 전 그는 곽숭도가 '서양의 국정과 민속의 아름다움을 흠모하는 것이' '지나치다'고 여겼지만, 1890년부터 1894년까지 4년 반 동안 영국·프랑스·이태리·벨기에 네 나라의 공사를 역임한 후 "비로소 시랑이 말한 것을 믿을 수 있겠는데, 의원·학당·감옥·병원·도로를 둘러보면 증명할 수 있다."고 하였다._{'시랑'은 곽숭도를 말한다} 그도 파리의 거리에 대하여 아주 자세하게 기록했다. 특히 에펠탑은 새로 세운 지 얼마 되지 않아 가 보고는 문학적인 필치로 "한 층씩 올라갈 때마다 산천·초막·사람·마차들이 반절로 작아졌고 내려다보면 파리의 도시 전체 모습이 다 보였다. 하늘높이 솟아 표연히 바람을 맞으니 둥실둥실 떠 있어 속세를 떠난 느낌이었다."고 적었다. 몇 년이 지난 후 다시 에펠탑에 올랐을 때는 탑에 투자한 돈이 얼마인지, 참관하는 사람의 수가 몇인지, 입장권 수입이 얼마인지, 주식으로 얼마나 많은 이익을 창출하는지를 계산하여 서방 국가들이 어떻게 '엄청나게 부강'할 수 있었는지에 대해 생각했다. 설복성은 상업뿐만 아니라 문학에도 뛰어나, 그의 일기에서 파리의 유화와 밀랍 인형을 묘사한 부분은 문필이 세련되고 생동하여 칭송이 자자했으며 이후에 그의 작품은 늘 교재에 실리게 되었다.

또 다른 '증씨 학파 4인'이었던 여서창黎庶昌, 1837~1897은 1876년에 곽숭도를 따라 영국에 외교관으로 갔다. 이듬해부터 독일 · 프랑스 · 스페인 대사관으로 옮겨 다니다가 1881년에 일본 주재 중국대사관 대사로 임명받았다. 이 시기 유럽에서의 경험을 바탕으로 『서양잡지西洋雜誌』라는 책이 나올 수 있었다. 제목을 '잡지'라고 한 것은 이 책이 위에서 말한 외교가들 일기처럼 시간의 순서대로 기록되지 않았기 때문이다. 연대별, 국가별로 되어 있지 않고 오로지 유럽의 사회풍습에만 중점을 두었으며, 제목에 따라 분류하여 여행기 · 서신 · 지리 관련 문장을 섞어서 편집했다. 여서창의 유럽 관찰은 자신만의 독특한 관점이 있었는데 정치교류보다는 각국의 예의 풍속을 주시하여 기록했다. 즉 국서를 어떻게 받고, 제복을 어떻게 입었는지, 열병의식을 어떻게 하는지, 의원에서는 어떻게 회의를 하는지, 약혼의식은 어떻게 올리고, 파티는 어떻게 여는지 등에 관한 것이다. '출산 축하'와 '남녀 영아 검증'에 관련된 기록을 보면 스페인 왕후가 임신한지 5개월 되었을 때 관례에 따라 대신과 외국사절의 축하를 받으며 출산당일 대신과 공사를 초청하여 분만실 밖에서 대기하게 하고 아기가 태어난후 은바구니에 담아 그 자리에서 확인한다고 쓰였는데 아주 흥미롭다. 작가는 직접 수소 기구를 타고 하늘로 올라갔던 경험을 적었으며 특히 인문지리에 열중해서 애

■ 여서창의 『서양잡지』 번각본. 이것은 잡지가 아니라 책 제목이다.

착을 가졌던 점이 특별하다. 또한 러시아의 확장 의도를 고려하여 시베리아 일대로 가서 둘러보며 조사할 것을 건의했다. 이를 위해 수집한 지리 자료들을 번역하여 『북경에서부터 몽골중로를 지나 러시아 수도까지 노정 고찰由北京出蒙古中路至俄都路程考略』 · 『아시아 러시아 서쪽 국경부

터 이리_{伊犂}로 가는 노정 고찰_{由亞西亞俄境西路至伊犂等處路程考略}」등의 문장에 기록했다. 이는 단지 몇 편의 형식적인 글이 아니다. 전체 노선에 대한 간단명료한 기록은 아래와 같다.

"상해부터 천진까지는 기선을 타고, 천진부터 통주까지는 중국 대범선(夾板舨)을 이용한다. 통주부터 북경까지는 노새 수레를 타며 북경부터 장가구까지는 노새 가마를 타고 장가구부터 하크타까지는 낙타를 탄다. 하크타에서 러시아 철도까지는 러시아 사륜마차를 이용한다." 6)

몽골 사막과 마차를 이용할 때 주의사항도 하나씩 분명하게 열거하였다.

"몽골을 지날 때는 낙타를 탈 수도 있고 말을 탈 수도 있다. 말을 탈 때는 반드시 몽골의 말안장을 사용해야 한다. 7월 이내로 가야 하는데(서양은 7월, 중국은 5월말 혹은 6월초) 이때는 풀이 있어 가축을 먹일 수 있다. 만약 말을 타고 빨리 가면 하루에 한 번씩 바꿔 타서 12일이면 사막을 지날 수 있으나 여정이 아주 힘들다. 이는 8백 마일로 그 거리가 중국의 2천 4백리에 해당하기 때문이다." (1절)
"하크타에서 러시아 수도까지 밤낮으로 간다. 도중에 필요한 물건은 하크타에서 살 수 있는데 차와 설탕 가루는 꼭 사야하고 동전을 바꿔서 작은 물건들을 사거나 마부한테 팁으로 줄 수 있다. 출발하기 전에 국경 통행권을 받아서 러시아 공사의 도장을 받아야 한다. 가지고 가는 물건은 적을수록 좋고 물건 가방은 너무 크지 않게 하여 낙타나 말이 상처 입었을 때 차를 타기 편해야 한다." (1절)7)

이것은 중국 경세학과 외국 실용학의 두 가지 방면에 모두 능통한 문인만이 써낼 수 있는 문장이다.
청말 출국 여행기와 일기를 쓴 사람들을 몇 가지 유형으로 나눌 수 있다. 가장 이른 유형은 서양인들의 통역과 비서 역할을 하면서 출국한 사람들이다. 예를 들면 라삼_{羅森}·빈춘_{斌椿}인데 그들이 외국에서 본 광경들에 대한 인상은 깊지 않았다. 그 다음은 위에서 언급한, 관찰하는 성향이 뚜렷했던 외교관들이다. 예외적으로 서건인_{徐建寅}·이규_{李圭}·전단사리_{錢單士廛}는 관원은 아

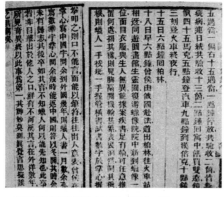
■『구유잡록(歐游雜錄)』중 로봇에 관한 기록

니었지만 이 세 사람의 눈에 비친 세계는 그들만의 특색이 있었다.

서건인(徐建寅, 1845~1901)은 열일곱 살 때 부친 서수(徐壽)를 따라 중국 번(曾國藩)의 안경(安慶) 무기소에서 일하며 중국 최초의 증기선 '황곡호(黃鵠號)'를 만들었다. 계속해서 부자는 강남 제조국(江南制造局)에서 더 많은 군함과 대포, 화약과 질산을 연구하며 제작했다. 1879년 산동기기국(山東機器局)에 있을 당시 이홍장(李鴻章)의 눈에 띄어 독일로 파견돼 북양수사(北洋水師)를 위한 장갑함을 주문 구입했으며 유럽각국을 견학할 무렵 그는 이미 중국 최고의 엔지니어가 되어 있었다. 『구유잡록(歐游雜錄)』은 2년여 동안 독일·프랑스·영국의 공장과 연구소 80여 곳을 참관하고 남긴 기록으로 다른 외교관들의 기록과 확실히 달랐다. 예를 들어 파리와 베를린을 자주 왕래했음에도 거리에 대한 기록은 하지 않고 공중목욕탕에 목욕을 하러 여러 번 들러 목욕탕의 길이와 넓이, 심지어 욕탕에 내려갈 때 계단이 몇 개인지 까지 한 치의 오차 없이 정확히 기록해 두었다. 또한 서양기계의 외관, 구조, 성능에 대한 기록은 더 말할 필요도 없이 상세했다. 조국을 위해 유럽 유학을 갔기 때문에 유럽의 화약 공장을 참관할 때에는 중국에 도입된 설비가 뒤처지지 않았음에도 불구하고 외국에 비해 상품의 질이 떨어지는 문제에 주목하며 이렇게 말했다.

"독일 화약 공장을 둘러보니 기계들이 모두 중국의 천진·녕파·제남·상해에 있는 설비보다 정밀하지 못한데 왜 만들어낸 화약은 품질이 더 좋은 것인가? 팽창력·속도·무게 등 각종 실험을 거쳐 꼼꼼하게 테스트하고 문제가 있으면 바로 개선하니 특별한 비법이 있는 게 아니다." [8]

여기에서 지적한 중국과 외국 관리인들의 장단점은 이미 일반적인 기술 개선의 범위를 벗어나 있었다. 그의 산업 조사가 뛰어난 부분은 바로 '사람'에 주목했다는 점이다. 물론 그는 이역만리까지 와서 심혈을 기울여 구입한 당시 세계 최대이자 최첨단 군함 '진원호鎭遠號·정원호定遠號'가 갑오해전에서 적재량·장갑·화력 등 모든 면에서 훨씬 뒤처지는 일본 군함에게 무참히 패할 것이라고 전혀 예상하지 못했다. 사물과 사물의 경쟁은 결국 사람과 사람의 경쟁으로 변질되어 승부가 난다. 베를린 여행 도중 그는 밀랍원에서 최신 과학의 기적이라는 로봇을 보고 다음과 같이 보고했다.

> "밀랍원에 새로 온 인형 하나는 용모나 옷차림이 사람과 다를 바 없었으며 책상에 앉아 글을 쓸 줄 알았다. 발에는 바퀴가 달려 있어 마음대로 갈 수 있고 가슴 부분을 열어보니 복잡한 톱니바퀴가 있는 것이 다 들여다보였다. 전원을 켜면 로봇은 한 손으로 종이를 누르고 한 손으로 붓을 잡아 글씨를 썼다. 내가 시험 삼아 손바닥에 몇 자를 적고 주먹으로 로봇을 두드리니 말은 못했지만 글로 답을 할 수 있어 사람들을 놀라게 했다." 9)

백여 년 전 머리를 땋고 다니던 중국인들에게 이것은 그야말로 상상조차 할 수 없는 일이었다.

이규李圭, 1842~1903가 쓴 『환유지구신록環游地球新錄』은 그가 1876년 중국 상공업계 대표의 신분으로 미국 필라델피아 세계박람회에 참가했을 때 일주일간 여행을 하며 남긴 기록이다. 이규는 녕파寧波 세관 세무사에서 근무하던 영국인 홉슨H. E. Hobson, 만청 시대에는 많은 성(省)의 세무관원들이 외국인이었는데 전국 총세무사 최고관원은 영국인 하덕(Robert Hart)이었다의 눈에 들어 그의 서기로 일하게 되었다. 그는 십년 후 미국 건국 100주년 경축행사의 활동으로 박람

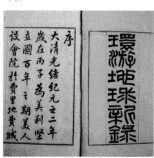

■이규의 『환유지구신록(環游地球新錄)』
■이규의 『환유지구신록』과 이홍장이 쓴 서문

■ 1876년 5월 10일 필라델피아 만국박람회 개
막식. 가운데 거대한 기계가 이규가 묘사한
1500마력 '콜리스(Corliss)' 증기 기관.

회가 개최되어서 참석차 미국에 가게 되었
다. 이 기행문은 우선 박람회 각 전시관의
상황을 기록하였는데 주로 미국관과 중국
관을 중점적으로 기술했다. 그 다음으로는
박람회가 끝나고 미국과 유럽 각지를 여행
하며 쓴 기록이 나오고 마지막에 동부 여
행일기를 적었다. 박람회에서 그는 미국이
출품한 1,500마력 대형 스팀엔진 콜리스
를 극찬했으며 당시로서는 실로 굉장한 물
건이었다. 중국의 실정에 맞게 이규는 박람
회에서 농기계에 특별한 관심을 기울였고
이웃나라 일본이 18기종의 농기계를 구입
한 사실에 주목했다_{대국인 청은 당연히 주문할 리 없었다}. 또한 미술전시관의 여성누드화
에 대한 이해는 상당히 진보적이었다.

> "여성을 그릴 때 옷을 입고 모자를 쓴 사람을 그리기는 쉽지만 누드를 그리
> 기는 어렵다. 나체는 피부·근육·힘줄과 골격이 있고 살찌고 마른 부분 등 모
> 든 부분이 의미를 가지기 때문에 조금도 숨길 수 없다. 나체 석상을 조각하고 동
> 상을 주조하는 것도 마찬가지다. 이는 화가와 조각가의 출중함을 보여주는 것
> 이지 일부러 누드를 보여줌으로써 우아하지 못함을 나타내는 것이 아니다." 10)

이 말은 중화민국 이후 유해속_{劉海粟}이 예술 전람회에서 여성 누드모델을
고용해 일으킨 파문보다 시기적으로 훨씬 이르지만 그의 생각은 세계적인
조류에 맞는 것이었다. 이 밖에 당시 용굉_{容閎}이 가르치던 100여 명의 어린이
유학생들이 박람회에 견학을 와서 미국 대통령을 접견하는 기회를 갖게 되
었는데 '어린이 박람회 참관기록_{書幼童觀會事}' 한 단락을 써서 이렇게 묘사했다.

"박람회에 견학 온 어린 유학생들을 보고 있자니 수천 명의 사람들 속에서도 행동이 자유롭고 전혀 의기소침한 기색이 없었다. 옷차림은 언뜻 보기에 서양사람 같았으나 겉에 걸친 짧은 저고리가 여전히 중국식이었다. 우리 일행에게 붙임성 좋게 친근감을 표시했는데 서양식 말투가 느껴졌다. 어린 아이들과 여선생님이 함께 다녔고 선생님이 전시물을 가리키며 아이들과 질문과 대답을 주고받는 모습이 다정해 보여 마치 모자지간처럼 보였다."

결론은 '서학이 만들어 낸 것은 예상 할 수도 없다'[11]였다. 이것은 외국 교육의 선진성을 표현하는 것으로 당시에 결코 쉽지 않은 일이었다.

이규의 미국여행은 중국에서 출발해 계속해서 동쪽으로 가고 또 가서 지구를 한 바퀴 돌게 되었다. 이 사실에 의기양양해진 그는 『동행일기東行日記』를 『신보申報』에 발표하면서 스스로 '지구를 주유하는 나그네環游地球客'라고 사인했다. 당시 중국인들 대다수는 '지구는 둥글고 태양 주위를 돌며 태양은 움직이지 않고 지구가 움직인다'는 말을 믿지 않았다. 이규 자신도 원래는 믿지 않았으나 직접 한 바퀴를 돌고 나서는 이렇게 말했다.

"만약 지구가 평평하고 태양이 지구를 에워싸고 돈다면 내가 어찌 상해에서 동쪽으로 출발하여 마지막에 상해로 돌아왔는데 수로와 육로를 합쳐서 8만 2천 3백 5십 1리를 서쪽으로 반걸음도 가지 않고 가능하단 말인가? 본래 지구는 둥글고 동서의 구분이 없기 때문이다." [12]

이는 중국 지식인들이 국외로 나가 배움을 통해 진리를 추구했던 모습을 아주 잘 묘사하고 있다.

전단사리錢單士厘, 1856~1943는 외교관 전순錢恂의 부인이자 전현동錢玄同의 형수이

■ 전단사리(錢單士厘)의 사진, 소박한 성품으로 중국 최초로 국외에 나간 여성.

다. 그녀는 남편과 동반하여 일본과 유럽 각지를 다녔으니 중국 최초로 규방을 넘어 국문을 나선 여성이 되었다. 그녀의 『계묘여행기癸卯旅行記』는 1903년 전후 80일 동안 블라디보스토크에서 출발해 만주리滿洲里 시, 시베리아를 거쳐 기차로 모스크바와 피터버그까지 간 여정을 기록했다. 구체적이고 섬세한 여성의 필체로 쓰여 문학적 색채가 한층 강하다. 예를 들면 기차가 바이칼 호 근처에 도달할 무렵의 정경을 이렇게 묘사하고 있다.

"날이 밝자 산자락 나무들 사이로 반짝이는 호수가 서서히 보이기 시작했다. 그 곳이 바로 세계에서 제일 큰 담수호로 유명한 바이칼 호였다(중국의 옛 서적에는 백해(白海)라고 나오고 원대에는 국해(菊海)라고 불렀다). 베르흐네우딘스크를 지날 때부터 무성한 수목들이 이어져 경치는 빼어났지만 사천의 산길보다 위험해 보였다. 그러나 이러한 위험은 무섭기 보단 즐거웠다. 문득 한나라 소무(蘇武)가 양을 치던 것이 떠올랐는데(소무가 양을 치던 북해(北海)가 바로 바이칼 호다), 비록 배가 고프면 풀을 씹고 목이 마르면 눈을 먹으면서 살았지만 처자식과 함께 한 평생을 누렸으니 이 또한 고요하고 아름다운 정경이라 아니할 수 없고 하늘의 뜻과 화합하는 것이다." 12)

그녀는 애국에 대하여 언급한 것이 아니라 '소무가 이곳에서 남은 생을 살아도 나쁘지 않았겠다'는 여성적인 입장에서 기록했다. 이 책은 1904년 일본에서 출판되어 상당한 영향을 미쳤다. 그녀는 차르가 통치하는 러시아가 전제적이고 낙후되었으나 힘이 넘치고 광대하다고 묘사했으며 일본·유럽·미국의 상황을 잘 알고 있던 그녀였기에 날카롭고 예리한 시선으로 러시아의 문제점을 지적하였다. 특히 관원들의 어리석음·거만함·불성실함과 지나친 스트레스로 인해 떨어지는 업무 효율 등을 꼬집었다. 러시아는 파리 만국박람회에 시베리아 철도를 출품하여 그 완벽한 설비로 극찬을 받았으나 실제 주행을 해본 결과 관리상의 허점이 곳곳에서 발견되었다. 그들 부부의 러시아 여행 노선을 종합해보면 유목사회에서 출발해 농업사회를 거쳐 공업사회까지 갔으니 유럽과 아시아 대륙을 잇는 한 폭의 역사적인 그림이 그려진다.

이것을 한 여성이 기록해 낸 것은 참으로 보기 드문 일인 셈이다.

이처럼 최초로 해외에 나가 얻은 포부와 안목을 넓혀서 '기행문'으로 남기는 것은 전형적인 문학 현상이라고 할 수 있었다. 이런 기

■ 선통(宣統) 2년, 즉 1910년 조원임(趙元任, 2번), 호적(55번)이 의화단사건 배상금 관련한 미국 유학생 명단에 포함된 것을 회상해서 적어낸 것이다. 이들은 본 절에서 언급한 선배들의 후계자들이다.

행문들은 대부분 정치적인 사명감을 가지고 있기 때문에 산수풍경을 즐기고 감상하는 심미감이나 오락적인 분위기는 찾아볼 수 없다. 20세기 초 강유위康有爲의 『이태리 기행문意大利游記』, 『프랑스 기행문法蘭西游記』나중에 합쳐져 『유럽 십일개국 기행문(歐洲十一國游記)』이 되었다과 양계초梁啓超의 『신대륙기행문新大陸游記』이 아주 유명하다. 시문으로 세상을 적어내는 데 가장 큰 성취를 보인 사람으로는 황준헌黃遵憲을 꼽을 수 있다. 황준헌에 대해서는 다음 장에서 그가 양계초의 '신문체新文體' 운동의 주요구성원으로 활동한 것을 다루면서 이야기하겠다. 다만 황준헌 전의 1, 2세대 문인이 세계를 향해 내딛었던 발걸음, 예를 들어 전단사리 부부의 러시아여행 열차노선, 왕도와 곽숭도郭嵩燾의 영국여행 항해노선, 용굉의 미국여행 항해노선, 설복성薛福成과 서건인의 유럽여행 육해노선, 이규의 세계일주 육해노선 등이 그려낸 지도는 작다고 할 수 없다. 이들은 본래 양무파였다. 출국한 후 유럽과 미국에 빠져들어 정도의 차이는 있지만 서양의 과학과 민주주의를 알게 되었고, 현대 행정·법률·휴머니즘·교육·과학기술·정치체제를 조금씩 이해하면서 유신파로 넘어가는 추세를 형성하게 된다. 이들이 황제에게 충성하고 손중산孫中山의 혁명에 반대했다는 것은 부정할 수 없는 사실이지만 어쨌거나 그들은 당시에 가장 깨어있던 제1세대 문인이며 호적胡適과 같은 이들의 선배였다.

각주

1) 왕도(王韜), 『만유수록(漫游隨錄)』『만유수록 · 부상유기(漫游隨錄 · 扶桑游記)』, 장사(長沙), 호남인민출판사(湖南人民出版社), 1982년, 80쪽.

2) 왕도(王韜), 『만유수록(漫游隨錄)』『만유수록 · 부상유기(漫游隨錄 · 扶桑游記)』, 장사(長沙), 호남인민출판사(湖南人民出版社), 1982년, 103~104쪽.

3) 왕도(王韜), 『만유수록(漫游隨錄)』『만유수록 · 부상유기(漫游隨錄 · 扶桑游記)』, 장사(長沙), 호남인 민출판사(湖南人民出版社), 1982년, 105쪽.

4) 곽숭도(郭嵩燾), 『런던과 파리의 일기(倫敦與巴黎日記)』, 장사(長沙), 악록서사(岳麓書社), 1984년.

5) 유석홍(刘锡鴻)의 탄핵문은 곽숭도(郭嵩燾)의 『런던과 파리의 일기(倫敦與巴黎日記)』에 수록된 종숙하(鐘叔河)의 『논곽숭도(論郭嵩燾)』, 장사(長沙), 악록서사(岳麓書社), 1984년, 43쪽에서 인용.

6) 여서창(黎庶昌), 『서양잡지(西洋雜誌)』, 장사(長沙), 악록서사(岳麓書社), 1985년, 549쪽.

7) 여서창(黎庶昌), 『서양잡지(西洋雜誌)』, 장사(長沙), 악록서사(岳麓書社), 1985년, 550쪽.

8) 서건인(徐建寅), 『구유잡록(歐游雜錄)』, 장사(長沙), 악록서사(岳麓書社), 1985년, 701쪽.

9) 서건인(徐建寅), 『구유잡록(歐游雜錄)』, 장사(長沙), 악록서사(岳麓書社), 1985년, 777쪽.

10) 이규(李圭), 『환유지구신록(環游地球新錄)』, 장사(長沙), 악록서사(岳麓書社), 1985년, 232쪽.

11) 이규(李圭), 『환유지구신록(環游地球新錄)』, 장사(長沙), 악록서사(岳麓書社), 1985년, 298~299쪽.

12) 전단사리(錢單士厘), 『계묘여행기(癸卯旅行記)』, 장사(長沙), 악록서사(岳麓書社), 1985년, 734~735쪽.

제4절

정치에서 문학으로의 '신문체' 운동

중국 현대 문학의 최종적인 확립을 나타내는 지표는 '5·4' 신문화운동이다. 지금 양계초_{梁啓超}의 '신문체' 운동을 언급하는 이유는 현대문학에 대한 만청시기의 준비과정을 두드러지게 강조하기 위해서이다. 이 시기 문학사에서 꼽는 걸출한 인물은 결코 순수한 문학가라고 할 수 없다. 언어에서 각종 문체 개량에 이르기까지 모든 분야가 이 한사람에게 집중되어 있었는데 그는 바로 양복을 입고_{정말 빨리 받아들였다} 마고자도 입었던 근대혁명가 양계초_{1873~1929}였다. 그의 출생은 좀 늦은 감이 있었는데 공자진_{龔自珍}이 사망한 지 서른 두 해가 지나서야 태어났고 황준헌보다 스물다섯 살이 어렸으며 엄복_{嚴復}보다도 스무 살 정도 어렸다. 그는 스스로 자신이 태어난 때를 멋지게 표현했다.

> "내가 태어난 동치 계유년 정월 26일은 사실 태평천국이 금릉(金陵)에서 망한 지 십 년이 되고, 청의 대학사 증국번이 사망한 후 일 년이 되며, 보불전쟁이 있은 지 삼 년이 되고 이탈리아가 로마를 건국한 해이다." [1]

이러한 세계관과 포부는 그야말로 기백이 넘친다고 할 만하다.

'개량'·'혁신'을 언급할 때 당시는 전부 '혁명'이라는 단어를 사용했다. 양계초는 처음에 스승인 강유위를 따라 비운의 황제인 광서제_{光緒帝}의 유신변법을 도왔으나 이후에는 입헌군주제를 주장했고, 더 이후에는 공화제를 찬성하

여 중화민국의 사법 총장·화폐제조국 총재·재정 총장과 같은 관직을 역임했다. 그러나 결국 자신에게 가장 잘 어울리는 역할은 신문을 발행하고 저술활동을 하며 학문을 닦는 것이라는 걸 깨달았다. 그가 제안한 '문계혁명文界革命·시계혁명詩界革命·소설계혁명小說界革命'은 모두 정치와 문학의 이중적 성격을 띠고 있었다. 비록 그는 산문·시가·소설·희곡 네 분야에서도 모두 뛰어났지만, 양계초 문학의 주안점은 창작에 있는 것이 아니라 각종 과도기적 문학운동에 활력을 불어넣고 이를 설명하는 데 있었다.

양계초의 '문계혁명'은 문언이 흔들리던 역사적 시기를 기회로 삼아서 새로운 문체를 선도했을 뿐 아니라 영향력 있는 문체를 만들었다. 그 문체는 여전히 문언이긴 했지만 과거의 문언과는 달랐으며 여러 가지 이름으로 불렸다. 일반 저작물에서는 쓰지 않고 간행물에서만 쓰이는 문체였기 때문에 '보장체報章體'라 불리기도 했고, 1896년 그가 상해 『시무보時務報』의 총주간이 되었기 때문에 사람들이 그가 쓴 글을 '시무문時務文'이라 부르기도 했다. 무술변법이 실패로 돌아가 일본에 망명해서 1902년 『신민총보新民叢報』를 발행했을 때는 '신민체新民體'라고도 했으나 결국엔 '신문체新文體'라고 부르게 되었다. 그는 이 문체의 특징을 문장의 각도에서 귀납해 내었는데 어느 누구와도 비교할 수 없을 만큼 아주 훌륭하게 설명하였다.

"나는 원래 어려서부터 동성파의 고문을 좋아하지 않았다. 어린 시절 글을 쓰기 위해 한말·위·진 시기의 문장 구성이 엄밀하고 간결한 문체를 배웠다. 해방 후에는 평이하고 유창하며 가끔씩 속어와 시가의 압운한 글(운어), 외래어를 섞어 붓이 가는대로 자유롭게 적었더니 학자들이

- 양복을 입은 양계초의 청년시절 상단의 글자는 "하나의 붓이 십만 병사보다 강하다."
- 47세의 중년 양계초의 모습
- 마고자를 입은 노년의 양계초 모습
- 1896년 양계초, 왕강년(汪康年) 등이 상하이에서 창간한 『시무보』(旬刊)의 창간호. 만여 장씩 팔렸고 유신 운동을 추진하는데 영향이 상당히 컸음.

다투어 이것을 모방하며 신문체라고 불렀다. 이전 세대들은 마음에 들지 않아하며 문장이 저속하고 거칠다고 비판했으나 문장의 조리가 분명하고 감정의 색채가 실려 있기에 독자들은 그 문장에 독특한 매력을 느낀다." [2]

여기서 말하는 것은 일종의 읽기 쉬운 문언문이었다. 속어과 운어, 외국어(외래어와 외국식 표현방식)를 섞어 쓰고 언문을 일치시켜 글을 쓰면 흐름이 논리적이고 유창하여 통제하기 어려울 만큼 계속 써내려갈 수 있다. 이러한 문체는 새로운 단어와 개념을 끌어들여 사상을 계몽하고 선전하며 고취시키는데 적합하기 때문에 독자들이 새로운 관념과 정서를 형성하는데 큰 자극을 준다. 그의 대표 작품 『소년중국설少年中國說』 1900을 예로 들면 선명한 문체적 특징을 알 수 있다. 문장의 서두는 이렇게 시작된다.

일본인이 우리 중국을 부를 때 처음에 늙어 빠진 대제국(老大帝國)이라 하더니 계속해서 늙어 빠진 대제국(老大帝國)이라 부르고 있다. 이는 아마도 유럽 서양인들의 말을 그대로 옮긴 것 같다. 아아! 우리 중국은 과연 늙었는가? 양계초는 "아니, 이게 무슨 말인가. 무슨 말인가. 내 마음 속에는 소년 중국이 있다!"고 말한다. [3]

첫머리에서 주지를 분명히 밝히며 문제를 제기한 이 글은 유창하고 명확하며 정치 평론적 색채가 강하다. 다음에 이어진 단락에서 '국가의 젊고 늙음을 말하려면 먼저 사람의 젊고 늙음을 이야기해야 한다'고 하며 전편에서 '국가'를 '사람'에 비유하였다.

……노인들은 항상 일하기를 싫어하고 청년들은 일하기를 좋아한다. 일을 하기 싫어하기 때문에 세상에는 할 수 있는 일이 없다고 생각하고, 일을 하기 좋아하기 때문에 세상에는 못해낼 일이 없다고 여긴다. 노인은 황혼 무렵의 해와 같고 청년은 아침에 떠오르는 태양과 같다. 노인은 허약하고 야윈 소와 같고 청년은 새끼 호랑이와 같다. 노인은 승려와 같고 청년은 협객과 같다. 노인은 뜻을 해석하는 사전과 같고 청년은 활기찬 희곡과 같다. 노인은 아편연기 같고 청

년은 독한 술 브랜디 같다. 노인은 다른 행성에서 떨어진 운석과 같고 소년은 큰 바다의 산호섬 같다. 노인은 이집트 사막의 피라미드 같고 청년은 시베리아의 뻗어나가는 철도와 같다. 노인은 늦가을 버드나무 같고 청년은 초봄의 새싹 같다. 노인은 사해(死海)의 고인 연못 같고 청년은 양자강의 발원지 같다. 노인과 청년의 다른 점은 대략 이러하다. 양계초는 "사람이 이러하니 국가도 자연히 그러하다."고 말했다.[4]

거침없이 써내려간 글은 마치 뒤의 파도가 앞의 파도를 밀어주듯이 비유가 쉽고 명확하며 깊은 뜻을 담고 있다. 전체적으로 보면 한 글자씩 자세히 음미할 만하다. 그 중에 인용된 외국 사물을 가리키는 단어들은 지금 보기엔 평범한 것들이지만 백여 년 전에 쓴 글이라는 점을 생각해 보면 '브랜디·행성·운석·이집트·피라미드·시베리아·철도' 등의 단어에서 당시 양계초가 전 세계 사물을 받아들이려 했던 열정을 충분히 느낄 수 있다. 물론 이런 글은 지나치게 나열하여 조리가 없고 세련되지 못해 논리적으로 깊이 접근하기 어렵다는 한계가 있는데, 이 점은 후세 사람들도 쉽게 인지할 수 있는 부분이다. 하지만 당시에 이러한 문체 때문에 그는 『천연론天演論』을 번역한 엄복진화론을 들여와 노신(魯迅)과 그 세대 사람들의 사상에 영향을 주었다과 논쟁을 벌인 적도 있었다. 엄복은 문학계에 어떤 '혁명'이 필요하다는 데 동의하지 않았고, 자신의 번역은 '시골 촌구석의 무식한 자'에게 보이기 위한 것이 아니라 '바로 중국 고서를 많이 읽은 사람을 위한 것'[5]이라 했다. 이에 양계초는 노골적으로 "글이 너무 고상하고 선진 시대의 문체를 모방하려고 애쓴다."고 그를 비판하면서, 저술 활동의 목적은 "문명과 사상을 국민에게 널리 알리는 것이지 불후의 명예를 길이 남기기 위함이 아니다."[6]라고 지적했다. 양계초는 글을 쓰는 최종 목적이 대중 독자가 쉽게 받아들이기 위함이라는 새로운 관념을 제시한 것이다.

시대의 흐름도 양계초의 편이었다. 19세기 말에 태어나 '5·4'운동으로 이름을 알린 인물 중 상당수가 자신의 사상과 글이 양계초가 유행시킨 신문체와 관련 있다고 했다. 호적은 "양 선생님의 문장은 명확하고 유창한 가운데 진지한 열정이 담겨 있어서 독자들이 그를 따라가지 않을 수 없고, 그의 생각을 따르지 않을 수 없다."[7]고 했다. 곽말약郭沫若은 양계초의 영향을 받았던 때를 떠올리며 "20년 전 젊은이들은 …… 찬성했든 반대했든 상관없이 그의 사상 혹은 문장의 영향을 받지 않은 자가 없었다고 말할 수 있다."[8]고 했다. 모택동과 미국 기자 에드가 스노Edgar Parks Snow의 대화에 따르면 모택동이 호남제일사범학교湖南第一師范學校 재학시절 양계초의 문체를 지지했기 때문에 국어선생님께 비판받았다는 일화가 있다. "선생님은 내 글을 비웃으며 신문기자처럼 글을 썼다고 꾸짖으셨다. 선생님은 내가 존경하는 양계초를 무시했는데 그건 양계초가 어설프다고 여겼기 때문이다."[9] 이 부분에서 우리는 '신문체'와 '5·4'문체가 실제적으로 일맥상통한다는 점을 알 수 있다. 문언이 양계초의 수중에 왔을 때는 이미 쇠락하는 시기였는데 양계초는 이를 철저하게 통속화시켜 작가의 주체적인 숨결을 불어넣었다. 그는 '문계혁명'을 주장하면서부터 두 가지를 견지했다. 첫째는 문장을 개혁하는 것이 문명과 사상을 전파하기 위함이며 바로 '신민新民'을 위함이라는 것이다. 양계초의 '신민'은 당연히 노신이 1908년에 쓴 『문화편지론文化偏至論』에서 말한 '입민立民'과는 다르지만 전혀 연관이 없는 것은 아니다. 둘째는 동서고금의 이미 존재하는 모든 문체의 한계를 깨뜨리는 것인데 중점적으로는 옛 문언의 '언문분리言文分離'라는 단점을 개조시키는 일이다. 그는 이렇게 말했다.

> "말과 글이 일치되면 말이 늘어나면서 글도 함께 늘어나고 새로운 사물이나 뜻이 생기면 새로운 문자로 이에 호응할 수 있으니 새로움이 새로움을 낳아 나날이 더 발전하게 된다. 말과 글이 분리되면 말은 나날이 늘어나는데 글이 늘어나지 않아 새로운 것을 받아들여도 이해할 수 없고, 이해한다 해도 전달할 수 없다. 그러니 새로운 것을 배울 기회가 생겨도 막힐 수밖에 없다." [10]

폐쇄된 사상에서 벗어나서 '언문일치'라는 문체에 도달하려는 목표는 만청 백화문 운동의 총체적인 정신과 십여 년 후의 '5·4' 백화문 운동이 모두 연결되는 것임을 분명히 보여준다. 다른 점은 문언의 개량이냐 아니면 포기냐 하는 차이에 있었다. 양계초의 '신문체' 시대는 아직 '개량'의 시대였고 현대백화로 넘어가는 과도기적 시대였다.

본격적인 문학운동의 범주에 속한 것은 '시계혁명'과 '소설계혁명'이다. 양계초는 1899년에 쓴 『하와이 기행문_{夏威夷游記}』에서 정식으로 '시계혁명'을 제기했다. 그 이전까지는 담사동_{譚嗣同}, 하증우_{夏曾佑}와 함께 공동으로 '신학시_{新學詩}'의 단계에 머물러 있었다. 그가 『청의보_{淸議報}』를 창간할 때 문학란인 '시문사수록_{詩文辭隨錄}'을 개설하고 황준헌의 시가를 하나씩 본보기로 발표하여 평론과 칭찬을 덧붙였다. 그 후 『신민총보_{新民叢報}』에 '시계조음집_{詩界潮音集}'이란 란을 만들고 『음빙실시화_{飲冰室詩話}』를 발표하였으며 잡지 『신소설_{新小說}』에 '잡가요_{雜歌謠}'란을 개설한 것도 모두 시가의 혁신을 고취하기 위한 활동이었다. 이 시기 양계초는 이미 '신학시'가 단순히 새로운 명사를 모아놓은 것에 불과하다는 문제점을 반성하고 있었다. 그는 "과도기에는 반드시 혁명이 필요하다. 혁명가는 그 정신을 개혁해야지 형식을 개혁하면 안 된다. 우리는 시계혁명이라는 말을 자주 한다. 하지만 만약 종이 가득 새로운 명사를 모아놓은 것을 혁명이라 한다면 이는 만주 정부의 변법유신과 같은 것이 된다. 옛 풍격에 새로운 경지를 담을 수 있어야 진정한 혁명이 될 것이다."[11]라고 말했다. 그래서 그는 '새로운 어구_{新語句}'와 '새로운 경지_{新意境}'를 '시계혁명'의 이중 기준으로 제시하였고 특히 '새로운 경지'를 더욱 중시했다. 그의 풍격은 '문언으로써 시를 쓰는_{以文入詩}' 스타일이며 통속적인 가요시를 선도하기도 했다. 말년에는 백화로 시를 쓰기도 하고 가끔 백화로 사령_{詞令}을 쓰기도 했다.

■ 『음빙실시화(飲冰室詩話)』
표지

황준헌_{黃遵憲, 1848~1905}이 양계초와 교제할 때는 이미 노년이었으나 두 사람의 사상적 기초는 모두 세계적 안목과 개혁의 의지에 뜻을 같이 하고 있었다. 황준헌은 자전체 시 『기해잡시_{己亥雜詩}』의 첫 수에서 이렇게 말한다. "나는 동서남북인으로 평생 스스로 풍파민_{風波民}이라 불렀다. 백 년 중 절반은 세계를 돌아다녔으니 남은 오십 년은 조국에서 봄을 맞이하련다_{我是東西南北人, 平生自號風波民, 百年過半洲游四, 留得家園五十春}·" 일본 친구와 작별하는 시에서는 이렇게 썼다. "예전엔 한 배를 탔어도 대부분이 적국이었으나 지금은 전 세계가 이웃이다. 2만 3천 리를 더 가면 동서남북인이다"_{昔日同舟多敵國, 而今四海總}比隣. 更行二萬三千里, 等是東西南北人·『미국 샌프란시스코 총영사로 임명되어 일본 친구들과 작별하며(奉命爲美國三富蘭西四果總領事留別日本諸君子)』제5수 스스로를 '동서남북인'이라 부르기를 좋아하는 이 시인은 외국에서 13~14년을 보냈다. 1877년에서 1882년에는 일본에서 참사관을 지냈고 1882년에서 1885년에는 샌프란시스코 총영사관을 지냈다. 가족을 만나러 귀국한 후 다시 돌아가지 않고 은거하며 40권 50만 자에 달하는 『일본국지_{日本國志}』를 썼다. 이 책은 유신사상을 배경으로 편찬된 일본문헌으로 무술_{戊戌} 년 광서_{光緖} 황제가 급히 필독도서로 지정했던 책이다. 1890년에서 1891년에는 설복성_{薛福成}을 따라 유럽에 외교사절로 갔고, 1891년에서 1894년에는 다시 싱가포르 총영사관을 맡았다. 무술변법 전에 독일과 일본사절로 임명된 적이 두 번 있었으나 사정이 있어 무산되었다. 그의 외국생활 경력은 길고 풍부하였으며 청말 문인 중에 그런 경험을 한 사람은 그가 유일하다. 이런 경험은 『일본잡사시_{日本雜事詩}』200수와 그의 대표시집 『인경려시초_{人境廬詩草}』700수 중 3분의 1이 해외시편으로 구성되는 기반이 되었다. 예를 들면 『8월 15일 밤 태평양의 배에서 달을 보며 노래 부르네_{八月十五夜太平洋舟中望月作歌}』·『싱가포르 잡시_{新加坡雜詩}』·『런던대무행_{倫敦大霧行}』·『이집트 고주_{埃及國古柱}』·『미국유학을 마치는 감회_{罷美國留學感賦}』·『번객편_{番客篇}』등이 그러하다. 그러나 더 중요한 것은 개방된 역사인식, 세계를 보는 넓고 예리한 시각, 세계를 통해 중국을 보는 신사상·신지식·신경지라는 시문 창작의 풍격을 다진 것이다. 우선 그는 세상이 크다는 것을 깨닫고 중국과 자신의 위치를 알았다. 출국해서야 비로소 산 너머에 산이 있고 하늘 위에 하늘이 있음을 알게 되었는데 『감사_{感事}』3수에서 그 깨달음을 적었다.

"아득한 구주(九州)는 오래 전부터 중국의 땅이었고 동서남북 사면에는 오랑캐들이 살고 있었네. 칠만 리가 넘는 대륙이 있고 이천 년을 이어온 대국이 있을 줄 어찌 알았을까?(芒芒九有古禹域, 南北東西盡戎狄. 旦知七萬餘里大九洲, 竟有二千年來諸大國)"

■『인경려시초(人境廬詩草)』

태평양을 건너 미국에 가면서 그의 가슴은 한 순간에 활짝 열렸다. 그는 『해행잡감海行雜感』에서 "아홉 점九点의 연기가 희미하고 세 개의 섬三島이 작아 보이니 인간 세상은 예로부터 어우러져 있었다九点烟微三島小, 人間世要縱婆娑."고 적었다. 구주九州 중국을 의미하는 '아홉 점九点'과 일본을 가리키는 '세 개의 섬三島'은 모두 작았던 것이다. 또한 "별이 총총 광활한 우주, 그 크기를 따질 수 없다. 만약 뗏목타고 가던 나그네가 있다면 고개 돌려 우리 사는 지구 바라보겠지星星世界遍諸天, 不計三千與大千, 倘亦乘槎中有客, 回頭望我地球圓."라고 하여 지구도 크지 않음을 이야기했다. 이런 회포를 지닌 시인이 만청시대에 몇이나 있었던가? 한편 그는 중국에 관한 어떤 사건이든 사물이든, 크고 작은 것에 구애받지 않고 다 적었으며 하나에만 국한하지 않았다. 해외시 이외에 그가 우국의 마음으로 쓴 시를 사람들은 '역사시史詩'라고 불렀다. 그는 제1차 아편전쟁 후에 태어나 신해혁명 전에 사망했는데 일본에 의한 유구琉球 강제합병, 중불中佛 전쟁, 중일 갑오전쟁, 무술정변, 의화단 사건 등을 겪었다. 이런 경험들은 시를 통해 표현되었고 연작시의 형식으로 된 것도 있었다. 직접적으로 드러난 작품으로는 『유구가琉球歌』·『풍장군가馮將軍歌』·『월 21일 8국 연합군 북경침략七月二十一日八國連軍人犯京師』이 있고, 『5월 13일 밤 달을 보며 강을 건너네五月十三夜江行望月』처럼 간접적으로 드러난 작품도 있다. 이 작품에서 그는 이렇게 표현했다. "흐르는 눈물이 동해를 메우는데 오늘 밤은 보름달이 떴구나. 강물의 흐름은 여전하나 이 세상은 도대체 어디쯤인가酒淚填東海, 而今月一圓, 江流仍此水, 世界竟何年."달과 물을 보고 중일해전의 씻을 수 없는 치욕을 연상한 것이다. 『황학루에 올라上黃鶴樓』에는 "강가 자갈밭의 황고니는 해가 뜨자 떠나고, 이 난간에서 또 다시 가을을 맞는구나矶頭黃鵠日東流, 又此闌干又此秋."라는 구절이 나오는데 과거 이곳에 올랐을 때 마침 대만을 포기했다는 소식을 전해 들었기 때문이다. 『악양루에 올라上岳陽樓』에는 "갑자기 가슴이 답답하구나, 조국의 강산이 침략자에게 찢어지니 원래의 모습을 찾을 수 없네當心忽

"라고 했는데 악양루에 오르다가 당시 서양 세력이 양자강·
堅泰頭日, 晝地難分禹迹州·
호남일대를 영국에 분할시키려 한 일을 떠올리고 분노를 억제할 수 없어 지
었다고 한다. 이 작품들은 모두 황준헌의 깊은 뜻을 담고 있다.

대만시인 구봉갑邱逢甲은 그의 해외시를 '신세계시新世界詩'라고 불렀고 그를
시가 세계에서의 콜럼버스와 같은 인물로 여겼다. 이러한 명칭은 황준헌이 세
계 신대륙의 특색을 알 수 있게 해 주었다는 점을 잘 드러내주고 있다. 『일본
잡사시자서日本雜事詩自序』에서 이러한 시를 쓰는 목적은 중국 사대부 계급들이 '견
문이 좁고 밖에서 일어나는 일을 염두에 두지 않는' 편견을 바로잡기 위함이
라고 밝혔다. '신세계시'들은 19세기 말 중국의 선진적 지식인의 시선으로 세
계를 관찰한 것이었다. '중국적 시선'의 첫째는 외국 사물의 새로움과 기이함
을 잘 표현하였다는 것이다. 예를 들어 『금별리今別離(4수)』에서 증기선·전보·
사진·시차라는 네 가지 새로운 사물에 관해 썼는데 이에 대해 다른 사람들
도 기록한 바 있지만, 황준헌은 현대문명이 가져다주는 속도와 옛것들과 이
별하는 감정을 대조시켰다는 점이 다르다. "옛날에도 산천이 있었고 수레와
배가 있었다. 수레와 배는 이별을 싣고 갔지만 정박할 자유가 있었지. 오늘날
도 배와 차는 이별의 아픔을 만드는구나古亦有山川, 古亦有車舟, 車舟載離別, 行止猶自由. 今日舟與
車, 并力生離愁·", "보내는 사람은 아직 돌아오지 않았는데 그대는 이미 멀리 떠나
버렸네. 그림자마저 갑자기 보이지 않고 연기만 자욱하네送者未及返, 君在天盡頭, 望影倏
不見. 烟波杳悠悠·"와 같이 대조하여 씀으로써 시의 경지가 훨씬 깊어 보인다. 둘째
는 비분의 감정을 토로하는 것이다. 나라가 주권을 상실하고 치욕을 당한 일
들은 받아들이기 어려우니 『비평양悲平壤』·『애려순哀旅順』·『곡위해哭威海』·『축
객편逐客篇』등의 시를 쓰지 않고 어찌 마음을 평정시킬 수 있겠는가? 셋째는 자
신을 위한 것이다. 일본 메이지유신이 가져다 준 기상을 쓰거나 교육 분야의
시를 잇달아 써서 학습의 시급함을 표현했다. 『동구행東溝行』에서는 중국의 갑
오해전 패배를 다루어 "사람들은 배가 튼튼한 것보다 빠른 것이 낫다고 한다.
기계만 있고 사람이 없으면 결국은 적에게 지게 된다人言船堅不如疾, 有器無人終委敵·"는
교훈을 말하고자 하였다. 이러한 사상은 양무파를 훨씬 뛰어넘은 것이다. 넷

째는 원대한 이상을 품은 것이다. 『에펠탑에 올라_{登巴黎鐵塔}』에서 "천하를 보니 온 세상이 손바닥 안에 있는 것 같구나. 제일 높은 곳에 올라서서 바람을 타는 생각을 하네_{覽小天下, 五洲如在掌, 旣登絕頂高, 更作凌風想}"는 그야말로 기구를 타고 하늘을 자유롭게 날고 싶은 과학적 이상을 제시하고 있다. 『기해잡시_{己亥雜詩}』제49수에서는 외교사절로 가던 중 바다 위에서 일출을 보며 "하늘에 붉은 태양이 솟아오르니 푸른 하늘과 바다가 어우러져 무지개가 되었네. 이제부터 황인이 해를 받드니 이는 부상 동해의 동쪽이네_{赫赫紅輪上大空, 搖天海綠化爲虹, 從今要約黃人捧, 此是扶桑東海東}"라며 정치적 이상을 읊었다. 양계초는 『석란도와불_{錫蘭島臥佛}』을 '전례가 없는 특이한 구조'라고 극찬했는데 그 중엔 '인도역사·불교역사·종교정치 관계설·지구종교론' 등 아주 심원한 사상이 담겨있다.

황준헌과 그보다 스무 살 가량 어린 양계초의 우정은 정치·문학의 다방면에 걸친 결합이라 할 수 있다. 본래 황준헌이 외교관의 임무를 마치고 귀국한 것은 양무운동에서 중요한 역할을 맡아 달라는 장지동_{張之洞}의 부름 때문이었다. 그러나 장지동과의 첫 만남에서 황준헌은 외국에서 하던 습관대로 상사 앞에서 고개를 들고 큰 소리로 말을 했고, 이 때문에 그의 노여움을 사게 되어 몇 년간이나 아무런 직무를 맡지 못하게 되었다. 하지만 그 기간 동안 양계초와 우정을 나눌 수 있게 되었다. 그는 1898년 상해에서 양계초를 처음 만났다. 황준헌은 다른 사람들과 자금을 모아 『시무보_{時務報}』를 창간했고 양계초를 주필로 초빙했다. 황준헌이 호남에서 안찰사의 직무를 잠시 맡아 진

■ 황준헌이 살았던 매주(梅州)의 인경려 고거

보잠_{陳寶箴}을 도와 새로운 정치를 펼치는 동안 양계초를 호남으로 불러 시무학당_{時務學堂}을 주관하게 하였다. 그러던 중 변법이 실패로 끝나면서 양계초는 일본으로 망명 갔고 황준헌은 상해에 연금되었다. 일본인 친구가 황준

헌의 탈출을 도우려했지만 거절했고 결국 파직을 당해서 고향에 가게 되었다. 이 때 황준헌은 2년간 연락이 끊어졌던 양계초와 다시 서신 왕래를 하게 되었다. 황준헌은 양계초의 '신문체'를 아주 높이 평가하며 이렇게 말했다.

　　"『청의보』가 『시무보』보다 훨씬 훌륭하고 오늘날 『신민총보』는 『청의보』를 백배나 초월하였다. 문장들이 심금을 울리고 글자 하나하나 천금의 값어치가 있다. 사람들의 마음속에는 있지만 감히 쓰지 못하는 말들을 적어 뜻을 표현하니 목석같은 사람의 마음도 감동하게 된다. 예로부터 오늘날까지 문자의 힘이 이보다 더 클 수는 없을 것이다." [12]

　　양계초가 제안한 '시계혁명'은 중국 고전시가가 현대시가로 전환되는 중요한 개혁 운동이었고 황준헌은 양계초에 의해 '시계혁명'이란 깃발을 높이 들게 되었다. 황준헌이 시를 쓰는 포부는 "옛 사람들의 나쁜 것을 버리고 옛 사상의 구속에서 벗어나는 것"이며 "옛 사람들에게 없던 것, 닿지 못한 경지"를 쓰는 것이었다. "시 밖에 사건이 있고 시 안에 사람이 있도록"하며 "정해진 격식도 문체도 없지만 나의 시라고 부를 수 있게" 하는 것이다. 그는 일찍이 "내 손으로 내 말을 쓰니 옛 사상이 나를 어찌 구속하겠는가"라고 했다. 말년에는 시의 통속화에 힘써 『출군가出軍歌』(8수), 『유치원 등원가幼稚園上學歌』(10수), 『소학교학생화합가小學校學生相和歌』(19수)를 썼고, 『오금언五禽言』(5수), 『산가山歌』(6수) 등의 민가를 썼다.[13] 이런 시에 담긴 정신은 '시계혁명'의 목표와 부합하는 것이었다. 그래서 양계초는 자신이 창간한 간행물에 황준헌의 시를 계속해서 발표하고 칭찬했다. "공도의 시는 독자적인 경지를 개척했으니 20세기 시단에서 탁월하게 출중하다.", "일전에 황공도의 『출군가』 4장을 읽었는데 너무 기뻤고…… 그 웅장하고 활기가 넘쳐흐르는 정신은 말할 필요도 없다. 글의 조합과 수식이 이천 년 동안 한 번도 본 적 없을 만큼 훌륭하다. 그의 시는 시계혁명의 절정이다." 황준헌 시의 성과는 무엇보다도 남보다 일찍 세계적인 안목을 지녔기에 가능한 일이었다. 이러한 점에 있어서 양계초와 뜻이 잘 맞았다.

'소설계 혁명'에 있어서 양계초는 적극적으로 뛰어들었다. 구호를 제출하고 편집·창작·번역 및 이론 설립 등 모든 분야에 참여했다. 그가 1902년 동경에서 창간한 『신소설新小說』은 중국 역사상 최초의 소설전문잡지이자 청말 4대 소설잡지의 포문을 열었다. 그러나 양계초가 신문잡지를 창간한 동기는 오로지 정치를 개혁하고 민중을 계몽시키는 데에 있었고 소설은 단지 도구에 불과했기에 '예술을 위한 예술'이 아니었음을 잊지 말아야 한다. 그가 제창한 것은 정치소설이었다. 일본소설을 번역하면서 선택한 작품은 문학사에서 뛰어난 작품이 아닌 『가인기우佳人奇遇』였다. 번역한 후에는 『정치소설·가인기우·서政治小說·佳人奇遇·序』를 썼고 나중에 『역인정치소설서譯印政治小說序』로 제목을 고쳤는데 이것이 바로 그의 대표적인 논문이 되었다. 논문에

서 그는 "미국·영국·독일·프랑스·오스트리아·이탈리아·일본 각국의 정치는 날로 발전하고 있는데 그 중 정치소설의 공이 가장 크다. 영국의 한 유명 인사는 '소설은 국민의 혼이다'라고 말했다."[14]고 썼다. 이는 소설의 정치적 역할을 극대화한 것이다. 『신소설』 창간호에 실린 『소설과 군치의 관계를 논함論小說與群治之關系』이란 글은 너무 유명해 많은 사람들에게 이미 잘 알려져 있다.

■ 양계초의 『신소설』 창간호
■ 양계초 『신소설』 제2호, 양계초가 '소설계혁명'을 추진하는 지렛대 역할을 했다.

"한 나라의 국민을 새롭게 하고자 한다면 먼저 그 나라의 소설을 새롭게 하지 않으면 안 된다. 그러므로 도덕을 새롭게 하려면 반드시 소설을 새롭게 하여야 하고, 종교를 새롭게 하려면 소설을 새롭게 해야 하며, 정치를 새롭게 하려면 소설을 새롭게 해야 하고, 풍속을 새롭게 하고자 하면 소설을 새롭게 해야 하며, 학문과 예술을 새롭게 하고자 하면 소설을 새롭게 해야 한다. 나아가 사람의 마음을 새롭게 하고

인격을 새롭게 하려면 소설을 새롭게 해야 한다. 왜 그런 것인가? 소설에는 인간의 마음을 움직이는 불가사의한 힘이 있기 때문이다.

　그러므로 군치를 바꾸고자 하는 오늘날, 반드시 소설계혁명으로부터 시작해야 하는 것이니, 국민을 새롭게 하고자 하면 소설을 새롭게 하는 것에서 시작해야 한다.” 15)

　이렇게 소설의 역할을 과장한 것은 만약 '소설이 문학의 최상'16)이라는 관점을 설명할 목적이 아니라면 당연히 병폐가 있다. 심지어 어떤 이는 훗날 성행한 문학이란 무조건적으로 정치에 복종해야한다는 이론이 양계초로부터 시작됐다고 보았는데 이 말은 과장된 것이다. 왜냐하면 '문이재도文以載道'의 전통은 중국에서 이미 수천 년 전부터 내려온 전통이지 양계초 한 사람의 생각은 아니기 때문이다. 양계초는 정치가의 시각으로 문예를 보았고 또 문예를 정치적인 수단으로 삼았기에 편파적이었다. 그러나 소설이 국민정신을 함양시킨다는 역할을 강조했던 점은 틀리지 않았다. 게다가 역사적으로 소설의 지위는 너무 낮게 평가되어서 통속적인 강사講史와 유사했기에 절대로 시문과 동등한 위치에 놓일 수가 없었다. 이러한 소설이 양계초가 힘써 제창해 그 지위를 눈에 띄게 향상시켜 놓았으니, 당시 그러한 상황에서는 양계초만이 말할 수 있고 행동할 수 있었다. 솔직히 말해서 20세기부터 지금까지 소설이 모든 문학 장르 중 선두에 설 수 있었던 것은 당시 그의 열정적인 호소와 무관하다고 말할 수 없는 것이다.

　양계초는 직접 소설을 쓰기도 했다. 『신소설』 창간호에 자신이 쓴 유일한 정치소설 『신중국 미래기新中國未來記』를 실었는데 바로 이 소설을 발표하기 위하여 『신소설』을 창간하였다고 한다. 소설은 '의화단 사건에서 시작해 그로부터 50년 후까지'를 서술한다. 다 완성하지 못하고 5회까지 썼는데 1962년 상해, 유신 50주년을 축하하는 박람회를 배경으로 수십 년 전 유럽여행을 마치고 돌아온 유신당 황극강黃克强과 이거병李去病이 국내에 뜻있는 지사志士들과 연락하며 벌인 논쟁 등을 회상하며 적었다. 이것은 그가 구상했던 소설 전체의 첫 번째 플롯인 "남쪽의 성省 하나가 독립했다. 전국의 호걸들이 합심하여 도

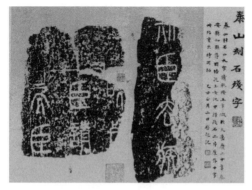

■ 양계초 친필 중 하나인 태산
  각석잔자제(泰山刻石殘字題)
■ 양계초 친필 중 하나

와서 공화입헌을 완벽하게 갖춘 정부를 건설하였다."와는 거리가 꽤 있다.[17]
소설은 정치개량파의 새로운 사상과 새로운 경지를 집중적으로 표현했으며
고전 장회체章回体로 썼다. 연설문 · 신문기사 · 장정 · 논문 · 환상과 허구가 혼
용된 서사방식을 취했으므로 새롭기도 하고 고전적이기도 했기에 양계초가
마음속으로 생각하던 '신소설'의 전형적인 표본이라고 할 수 있다. 양계초는
중국 '설부說部'의 방식처럼 쓰는 것도 새로운 문체라는 것을 모르지 않았다.
소설 2, 3회를 연재한 후 그는 이렇게 말했다.

> "설부 같기도 하고 아닌 것 같기도 하고, 비사(裨史) 같기도 하고 아닌 것 같
> 기도 하고, 논문 같기도 하고 아닌 것 같기도 하니 무슨 문체가 되었는지 알 수
> 없어 스스로 보아도 실소를 금할 수 없다."

그러나 그는 이런 글쓰기 방식을 계속해서 고집했다. 왜냐하면 소설에서 "정
치 견해를 발표하고 국가정책을 논의하려면 그 문체는 일반적인 설부와 좀 달라
야 하기 때문"[18]이다. 닮은 듯 다른 문체의 '정치소설'은 이렇게 의도적으로 만들
어졌다. 그가 문학적 규율에 따라 문학을 다루지 않았기 때문에 『신소설』의 정
치소설은 지속하기 힘들었고 결국엔 그 자리를 오견인吳趼人, 주계생周桂笙 등의 시
민소설가에게 넘겨줄 수밖에 없었다.
이후 백 년 동안의 문학사에서 구舊 문체의 개혁을 통해 새로운 경지 · 지
식 · 이미지를 추구하는 방식이 반복적으로 나타나고 있음을 알 수 있다. 이

것이 바로 양계초가 말한 "옛 풍격에 새로운 경지를 담아낸 것"이었다. 나중에 등장해서 비교적 생명력이 길었던 원앙호접파鴛鴦蝴蝶派도 이러한 문체를 사용했고 '낡은 술병에 새 술을 담았다'던 초기 항전문학도 그랬다. 한편 '5 · 4' 신문학이 연 새로운 국면은 완전히 달랐으며 철저하게 새로운 출발이었다. 양계초가 '5 · 4'의 백화문과 소설, 시가를 위해 얼마나 많은 준비를 하였던 간에 '개혁'이란 문학혁명의 본질은 사실상 피할 수 없었으며 '5 · 4' 문학과 동등하게 평가할 수 없다.

양계초는 나중에 정치 무대에서 퇴장한 후 중국공학中國公學 · 남개대학南開大學 · 청화대학清華大學에서 교편을 잡으며 학문연구에 매진했다. 여기 왕국유王國維 등과 함께 나온 단체사진은 그들이 함께 청화대학 연구원의 지도교수로 있을 당시 찍은 것이다. 그는 8~9년 동안 지도교수로 재직했으며 이 일은 그의 적성에 잘 맞았다. 양계초는 전통 학문에 정통하였고 또 서양으로부터 과학적 사상과 방법을 받아 들였기 때문에 그의 『청대학술개론清代學術概論』 · 『중국삼백년학술사中國近三百年學術史』 · 『중국역사연구법中國歷史研究法』 등은 모두 훌륭한 대작들이며 비판적 경향도 풍부히 가지고 있다. 어떤 이는 학자 양계초의 문학방면에서의 연구가, 정치가 양계초가 초기에 주장했던 소설이란 사회를 개혁하는 수단이라는 인식을 타파해서 문학의 정서적 가치와 예술적 가치를 중시하게 만들었다고 지적했다.[19] 이는 과도기 사상문화계의 큰 인물로서 시대에 따라서

■ 1925년 청화대학 연구원 지도교수 왕국유(왼쪽에서 세 번째), 양계초(왼쪽에서 다섯 번째) 등의 단체 사진. 이 연구원의 학술적 권위는 이후에도 넘어서기 어려웠다.

변하고 역사의 조류에 위배되지 않았던 특성을 충분히 말해준다. 양계초는 평생을 근면 성실하게 지내면서 40권의 『음빙실합집飮冰室合集』을 남겼다. 마지막에 그를 사망으로 이끌었던 병은 '협화協和' 병원 의사의 오진 때문이었는데, 그는 중병에 걸렸어도 "전사는 전쟁터에서 죽고 학자는 강의실에서 죽어야 한다."[20]고 말했다. 그는 고건축학자 양사성梁思成의 부친이며 건축학자 겸 문학가인 임휘인林徽因의 시아버지였다. 그래서 그들 가족이 함께 찍은 귀한 사진이 많이 남겨져 있다. 이런 인연도 그와 현대문학의 끊을 수 없는 연결고리였던 셈이다.

■ 1925년 전후 양계초와 셋째 딸 양사장 (梁思莊) 및 임휘인 (林徽因)과 장성을 유람하는 사진. 임휘인의 서구적 기질이 뚜렷하다.
■ 1924년 양계초와 당시 중국을 방문한 인도 시인 타고르의 사진

각주

1) 양계초(梁啓超), 「삼십자술(三十自述)」, 『양계초선집(梁啓超選集)』, 상해인민출판사(上海人民出版社), 1984년, 375쪽.
2) 양계초(梁啓超), 「청대학술개론(淸代學術槪論)」, 『청대학술개론·유가철학(淸代學術槪論·儒家哲學)』, 천진고적출판사(天津古籍出版社), 2003년, 77쪽.
3) 양계초(梁啓超), 「소년중국설(少年中國說)」, 『양계초선집(梁啓超選集)』, 상해인민출판사(上海人民出版社), 1984년, 122쪽.
4) 양계초(梁啓超), 「소년중국설(少年中國說)」, 『양계초선집(梁啓超選集)』, 상해인민출판社(上海人民出版社), 1984년, 122~123쪽.
5) 「여양계초서(與梁啓超書)」 2, 『엄복집(嚴復集)』 제3권, 516~517쪽.
6) 『신민총보(新民叢報)』 창간호에 양계초(梁啓超)가 엄복(嚴復)이 번역한 『원부(原富)』를 비평하는 글에서.
7) 호적(胡適), 『사십자술(四十自述)』, 아동도서관(亞東圖書館), 1941년, 100쪽.
8) 곽말약(郭沫若), 『소년시대(少年時代)』, 해연서점(海燕書店), 1947년, 126쪽.
9) 미국의 에드가 스노 저, 왕형(汪衡) 역, 『모택동자전(毛澤東自傳)』, 해방군문예출판사(解放軍文藝出版社), 2001년, 26~27쪽.
10) 양계초(梁啓超), 「신민설(新民說)」 제11절 「논진보(論進步)」, 『양계초선집(梁啓超選集)』, 상해인민출판사(上海人民出版社), 1984년, 236쪽.
11) 양계초(梁啓超), 『음빙실시화(飮冰室詩話)』, 인민문학출판사(人民文學出版社), 1959년, 51쪽.
12) 황준헌(黃遵憲), 「치양계초서(구통)·일(致梁啓超書(九通)·一)」 『황준헌집(黃遵憲集)』 하권, 천진인민출판사(天津人民出版社), 2003년, 490쪽.
13) 『황준헌집(黃遵憲集)』 상권, 천진인민출판사(天津人民出版社), 2003년.
14) 양계초(梁啓超), 「역인정치소설서(譯印政治小說序)」, 1898년 『청의보(淸議報)』 제1책.
15) 양계초(梁啓超), 「소설과 군치의 관계를 논함(論小說與群治之關係)」, 『이십세기중국소설이론자료(二十世紀中國小說理論資料)』 제1권, 북경대학출판사(北京大學出版社), 1997년, 50쪽, 53~54쪽.
16) 양계초(梁啓超), 「소설과 군치의 관계를 논함(論小說與群治之關係)」, 『이십세기중국소설이론자료(二十世紀中國小說理論資料)』 제1권, 북경대학출판사(北京大學出版社), 1997년, 51쪽.
17) 「신소설(新小說)」 보사(報社), 『중국유일지문학보(中國唯一之文學報)「신소설(新小說)」』, 『이십세기중국소설이론자료(二十世紀中國小說理論資料)』 제1권, 북경대학출판사(北京大學出版社), 1997년, 61쪽.
18) 양계초(梁啓超), 「「신중국미래기(新中國未來記)」 서언(緖言)」 『이십세기중국소설이론자료(二十世紀中國小說理論資料)』 제1권, 북경대학출판사(北京大學出版社), 1997년, 55쪽.
19) 하효홍(夏曉虹)의 『각세여전세(覺世與傳世)-양계초적문학도로(梁啓超的文學道路)』 제2장 "從'文學救國'到'情感中心'", 상해인민출판사(上海人民出版社), 1991년.
20) 정문강(丁文江), 『양임공선생연보장편초고하(梁任公先生年譜長編初稿下)』, 타이베이세계서국(臺北世界書局), 1972년, 780쪽.

제5절

1903년 문학계 대사건의 판도(축적의 시대)

1903년은 문학계에서 큰 사건이 집중된 시기로 중국 현대문학을 준비하는 단계로서의 특징이 선명하게 드러난다. 갑오전쟁·무술변법·의화단사건 등의 변고를 겪으면서 청 왕조는 만신창이가 되어서 곧 무너질 것 같았고, 사상 문화적인 통제는 과거 그 어느 때보다도 느슨해졌다. 구국과 청 정부를 반대하는 사조 및 문학운동이 서로를 자극했고 문학가들은 계속해서 상해와 일본을 무대로 활동했다. 양계초는 정치적으로 보수와 진보 사이의 중간적 위치에 있었으나 사상과 문학 방면에서 남다른 지위에 있었다. 또 추용_{鄒容}·진천화_{陳天華} 등이 쓴 선전적이고 선동적인 작품들이 국내외에서 발행되는 강렬한 기세를 얕볼 수 없었다. 노신은 아직 학업에 정진하고 있는 단계였지만 자신만의 독특한 견해를 지니고 있었다.

현대간행물의 출판과 유포는 이 해에 우후죽순처럼 생겨나면서 더욱 활기를 띄었다. 개량파와 혁명파의 신문, 유학생들의 간행물은 모두 문학계에 추진 역할을 했다. 만청 백화신문이 연이어 발간되고 소설 정기간행물이 점점 늘어났으며 유명한 4대 사회견책소설도 모두 이 해에 등장했다. 분명

■ 노신이 의학을 배웠던 선태(仙台)의학 전문학교 당시의 정문

한 것은 혁명 민주 문학의 열기와 만청소설의 현대적 변화가 1903년 문학의 양대 이슈였다는 점이다. 청말 문학적 모더니티의 축적은 문체개혁이라는 중요한 흐름도 있었고 현대적 수단을 가미한 전통시민문학의 혁신적 경향이기도 했다. 그리하여 이후 세계문학을 직접 받아들여서 연극을 하거나 번역하는 추세가 형성되었다.

만청문학의 중심은 무엇보다도 상해에 있었다. 상해라는 신흥 상업도시의 등장은 현대출판업을 급속히 발전시켰고 조계지라는 언론의 보호소 역할이 더해지면서 인쇄간행물의 번성과 제1세대의 직업작가, 현대 시민독자단체 등을 잇달아 출현시켰다. 망평가_{望平街}가 정식으로 현대 중국의 신문사 거리로 형성되기 전 사마로_{四馬路}의 혜복리_{惠福里} 일대, 광동로_{廣東路}의 보안리_{寶安里} 화원 근처에는 이미 전국에서 주요한 각 신문사들이 집결되어 있었다.

1903년 문학계 대사건 기록

시간	대 사건 기록
1월 29일	동경 유학생회관 신년(음력)하례에 천여 명 참석. 그 중 청년 주수인(周樹人, 노신)이 있었고 유학생인 추용, 마군무(馬君武) 등이 청 조정의 부패와 매국 행위를 호되게 질책하는 강연 발표. 당시 노신은 홍문학원(弘文學院) 보통과 강남반(江南班)에서 수학했고 같은 학교 학생으로는 하수상(許壽桑), 진천화(陳天華), 황흥(黃興) 등이 있었음.
	동경에서 『호북학생계(湖北學生界)』 창간. 제6기 이후 『한성(漢聲)』이라 개명하고 호북 유학생 유성우(劉成禺) 등이 운영. 재일유학생 간행물 중 가장 빠름.
1월	진비석(陳匪石)이 프랑스 알퐁스 도데의 소설 『마지막 수업』을 번역하여 『호남교육잡지(湖南敎育雜誌)』에 실음.
2월 17일	동경에서 『절강조(浙江潮)』(월간지) 창간. 절강 유학생 손강동(孫江東), 장백리(蔣百里)가 주편을 맡고 5기부터 허수상(許壽裳)이 주편 맡음.
2월 20일	양계초가 일본 요코하마에서 출발하여 북미(캐나다·미국) 여행 시작. 이후 『신대륙여행기(新大陸遊記)』 씀.
3월	마상백(馬相伯)이 상해 서가회 구 천문대 자리에 진단학원(震旦學院) 설립.
	장태염(章太炎)이 상해 애국학사에서 교편 잡음.
	노신이 강남반에서 제일 먼저 변발을 자르고 짧은 머리로 사진을 찍어 국내 지인들에게 부침. 이후 짧은 머리 사진 위에 "조국을 사랑하는 마음은 피할 수 없네"라는 시 한 수를 적어 허수상에게 보냄.
봄	왕국유(王國維)가 통주 사범학교에서 재직하며 철학·심리·윤리 등의 과목을 가르치고 칸트와 쇼펜하우어를 연구함.

4월 8일	엄복(嚴復)의 『아담스미스전(斯密亞丹傳)』이 『노강보(鷺江報)』 제27권에 발표됨.
	호빈하(胡彬夏) 등이 동경에서 공애회(共愛會)를 창립, 이것은 중국 최초로 남녀평등권을 얻어 낸 여성단체.
4월 26일	중경에서 『광익총보(廣益叢報)』(순간(旬刊)) 창간.
4월 27일	동경에서 『강소(江蘇)』(월간) 창간. 강소 향유회(同鄉會) 진육류(秦毓鎏) 등이 주관.
	천진 중서학당(中西學堂)이 북양대학(北洋大學)으로 개명.
4월 29일	일본의 중국유학생들이 러시아가 중국 동북 3성을 넘보는 것에 항의하며 집회를 염. 추용·진천화·소만수 등이 모두 일본 유학생조직 '항러의용대'에 참가.
4월	『세계번화보(世界繁華報)』에 이백원(李伯元)의 『관장현형기(官場現形記)』 연재 시작. 1905년 12월 연재 종료.
5월 6일	중국의 신민(양계초) 소설 『신로마전기(新羅馬傳奇)』를 『광익총보(廣益叢報)』 제3호부터 연재 시작. 1905년(제64호) 연재 종료.
5월 27일	상해에서 이백원이 『수상소설(綉像小說)』(반월간) 창간, 1906년 정간.
	『수상소설(綉像小說)』 창간호에 이백원의 『문명소사(文明小史)』 연재 시작, 1905년 제56기에 연재 종료.
9월 5일	『신민총보』 제37호에 인경려 주인(황준헌)의 시 「축객편(逐客篇)」 발표.
9월 11일	『절강조(浙江潮)』 제7기에 장태염(章太炎)의 시 「옥중증추용(獄中贈鄒容)」·「옥중문심우희견살(獄中聞沈禹希見殺)」·「옥중문상인모피포유감(獄中聞湘人某被捕有感)」 발표.
9월 21일	『수상소설』 제9기부터 제18기에 유악(刘鹗)의 『노잔유기(老殘遊記)』 제1회부터 13회까지 연재.
9월	상해 소림신문사에서 손옥성(孫玉聲)의 『해상번화몽(海上繁華夢)』 제1,2집 출판.
10월 5일	『신소설』 제8호부터 오견인(吳趼人)의 『이십년목도지괴현상(二十年目睹之怪現狀)』 연재됨, 1906년 제24호에 연재 완료.
10월 8일	소만수(蘇曼殊), 진독수(陳獨秀)가 공역한 『참사회(慘社會)』(즉 빅토르 위고의 『비참한 세계』)「국민일보」에 발표.
10월 10일	노신의 「설일(說鈤)」, 「중국지질약론(中國地質略論)」이 『절강조』 제8기에 발표.
10월	노신이 번역한 프랑스 쥘 베른의 과학환상소설 『월계여행(月界旅行)』이 동경 진화서사(進化書社)에서 출판.
가을과 겨울 사이	진천화의 『맹회두(猛回頭)』(탄사)·『경세종(警世鐘)』(설창산문)이 동경에서 연이어 출판됨.
11월 7일	북경 번역관 개관.
11월	『강소(江蘇)』 제8기에 김송잠(金松岑)의 『얼해화(孽海花)』 제1,2회 발표, 제7회부터 증박(曾朴)이 연이어 씀.
	임서(林紓)가 공역한 『셰익스피어 이야기집』 출판
	노신이 허수상 등의 소개로 '절학회(浙學會)' 가입. 이는 반청 '광복회(光復會)'의 전신
	상해에서 『영파백화보(寧波白話報)』(순간) 창간, 상해 영파향우회 발행.
	송강(松江)에서 『각민(覺民)』(월간) 창간. 고욱(高旭)이 주편.

12월 8일	노신 번역의 프랑스 쥘 베른의 과학환상소설 『지구 속 여행(地底旅行)』 제1,2회가 『절강조』 제10기부터 12기에 연재.
12월 15일	채원배(蔡元培) 등이 조직한 대러동지회(對俄同志會)가 상해에서 『아사경문(俄事警聞)』 창간. 왕소서(王小徐)가 주편.
12월 19일	상해에서 『중국백화보』(반월간이었으나 이후 순간으로 바뀜) 창간. 임해(林獬) 주편.
12월 19일	『소보안기사(蘇報案記事)』 계묘대옥기(癸卯大獄記) 출판
12월	유아자(柳亞子)가 중국교육회 참가. 상해 애국학사에서 공부하고 혁명선전활동 참여 시작. 『강소』에 『정성공전(鄭成功傳)』, 『중국입헌문제(中國立憲問題)』, 『대만 삼백년사(臺灣三百年史)』 등 발표.
	동경에서 『신백화보(新白話報)』(월간) 창간. 상해 보익서국 발행.
	황준헌이 광동 가응(嘉應)의 고향 '인경려(人境廬)'에 은거. 사망 1년 전
올해	임서(林紓)가 북경 금태서원(金臺書院), 오성학당(五城學堂)에서 교편 잡음, 동시에 경사대학당(京師大學堂) 번역서국에서 집필.
	냉혈(冷血, 진경한(陳景韓))의 번역서 『정탐담(偵探談)』 제1,2권이 시중서국(時中書局)에서 출판.
	달문사(達文社)에서 셰익스피어의 『해외기담(海外奇談)』 번역 출판. 이것은 란모(쁘姆, Charles Lamb)의 『세익스피어 이야기집』의 최초 중국어 번역판.
	즙익휘(戢翼翬)가 번역한 러시아 푸시킨의 『러시아정사(俄國情史)』가 개명서점(開明書店)에서 출판.
연말	소만수가 광동 혜주(惠洲)에서 출가.

그러다보니 청 말 1902~1904년 사이 상해 일대에서 편집·인쇄·발행되던 간행물은 전국 각지에서 발행되던 양의 거의 절반을 차지했다. 여유롭고 오락적인 성격의 '타블로이드 신문'도 1897년 이백원李伯元의 『유희보游戲報』 창간이 성공한 이래 이 시기까지 십 여종이 생겨났고 전부 상해에서 출판되었다. 이러한 타블로이드 신문은 문예작품을 싣는데 주력하였다. 뒤에 언급하게 될 청말 4대 소설정기간행물 중 『신소설新小說』이 일본에서 창간된 것을 제외하면 나머지 『수상소설繡像小說』·『월월소설月月小說』·『소설림小說林』은 모두 상해에서 창간되었다. 그 외에 『신신소설新新小說』·『신세계소설사보新世界小說社報』·『소설칠일보小說七日報』·『소설시보小說時報』·『십일소十日小

■ 만청시기 채원배가 창간했던 『아사경문(俄事警聞)』 제1기, 중국의 민족적 위기를 전 세계에 알림. 대사기록 12월 15일란 참조.

說』·『소설월보_{小說月報}』 등과 같은 소설잡지도 모두 상해에서 출판되어 전국 각지로 발행되었다. 이 시기 중국 문인들은 상해에 집결했고 대부분은 신문 언론인·출판가·소설가의 신분이었다. 앞서 말한 큰 사건 속 인물들도 개별적인 상황을 제외하고 나머지는 모두 상해와 일본에서 활동했다_{엄복은 의화단 사건 후 상해에서 거의 7년을 은신했다.} 일본의 동경과 동경 부근의 요코하마는 청 말부터 중화민국 전까지 중국문학의 또 하나의 집결지였다. 그 시기 일본의 중국유학생 수는 급증하여 1903년에 이미 수천 명에 달했고 1906년에는 만 명에 이르렀다. 무술변법이 실패한 후 정치적 망명자들이 대거 동쪽으로 피신하면서 진보적인 문화인의 분포가 어느새 재조정된 것이다. 그래서 일본에서 문예 활동에 참여한 중국인들은 대부분 '혁명'적인 성향을 띠고 있었다. 평강불초생_{平江不肖生, 향개연(向愷然)}의 소설 『류동외사_{留東外事}』 속에 묘사된 만여 명의 재일 중국인들처럼, 국비 혹은 자비 유학생이라는 이름으로 돈도 벌지 않고 하루 종일 기생질과 음식 이야기나 하는 한량들도 있었지만 문학과는 아무런 관련이 없었다. 물론 동경의 일본 정부와 청 정부의 관계가 좋다고는 하나 어찌되었건 국외였다. 그 곳에서 추용·진독수_{陳獨秀}와 일부 사람들이 감히 청에서 보낸 일본유학생 감독 요문보_{姚文甫}의 변발을 잘라 공공연히 유학생 회관에 매달아 놓았으니 이로부터 "하늘은 높고 황제는 멀리 있다."는 소식이 퍼져 나갔다. 일본에 조금 늦게 갔던 주작인_{周作人}은 "일본에 간 유학생들이 성_省으로 나누어 잡지를 발행하여 개혁을 고취시킨 것은 이미 오래 전부터 있었던 일이고 호북_{湖北}·호남_{湖南}·강소_{江蘇}·절강_{浙江}의 발행이 가장 이르다."[1]고 말했다. 우리는 양계초가 요코하마에서 편집을 주관했던 『청의보』·『신민총보』·『신소설』이 중국에 끼친 영향을 보더라도 이곳의 중점적인 강세를 알 수 있다. 주작인은 자신과 노신의 재학시절을 회상할 때면 늘 『신소설』의 긍정적인 영향을 많이 받았다고 했는데, 노신에 대해서는 처음엔 "문학의 중요한 역할을 아직 강조하지 않았다. 그저 양계초의 '신소설'을 읽어봤고 그가 쓴 '소설과 군치의 관계를 논함'에서 어느 정도 영향을 받았을 뿐이다."라고 하면서 "내가 남경_{南京}에 있을 때 문학적 영향을 받은 것은 바로 양계초의 '신

소설'에 실렸던 것들뿐이다"[2]라고 말했다. 나중에
말한 '남경에 있을 때'란 강남수사학당_{江南水師學堂}에
서 배우던 시기를 가리키는 말이다. 놀랍게도 요
코하마에서 출판된 『신소설』을 중국에서도 빠짐
없이 보았으니 일본을 중심으로 하는 역량이 얼마
나 컸는지 알 수 있다. 또한 동경·요코하마, 그리
고 상해에서 내는 목소리가 서로 긴밀하게 연결되
어 있어서 대부분의 일본유학생들의 간행물은 상
해에서 편집 완료된 후에 일본에서 인쇄하고 다시
상해로 가져와 판매했다. 당시 상해에서 일본으로
갈 때는 비자도 필요 없이 배표 한 장만 있으면 바
다를 건널 수 있었기 때문에 양국의 자유로운 왕래
는 두 군데의 문학 중심지가 동시에 나타나고 동시
에 존재할 수 있도록 가능성을 열어주었다.

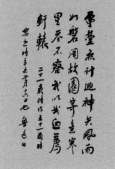

■ 일본 유학시절 1904년 노신의 홍
문(弘文) 학원 졸업 사진
■ 노신이 쓴 시 「자제소상(自題小像)」
마지막 구절의 필적. 청년의 포부를
드러낸 명언이다.

상해든 동경이든 문학의 현대적 전환이라는 관
점에서 가장 중요한 것은 바로 사상 문화적 환경
이었다. 1903년 문학의 중심에 선 중국문인들이
경험할 수 있었던 것은 민간으로부터 간행물에 이르기까지 관료들의 부패를
질책하는 풍기였다. 포천소_{包天笑}가 일화를 하나 들었는데 『20세기 대무대_{二十}
_{世紀大舞臺}』의 편집장이던 친구 진패인_{陳佩忍, 거병(去病)}을 데리고 북경에서 상해에 온
유명 배우 왕소농_{汪笑儂}을 찾아갔다가 방문의 목적을 달성하지 못한 경험을
이야기한 적이 있다.

"패인은 본래 그와 희극개량에 관해 이야기하고 싶었으나 그가 북경의 정치
로 화제를 돌려서 관장을 질책하고 왕공대신들까지 욕하게 되었다." [3]

■ 1896년(광서 22년)에 창간된 『소보』. 초기에는 호장(胡璋, 철매(鐵梅))이 주편이었으나 1898년에 진범(陳范, 몽파(夢坡))이 양도받아서 애국학사의 왕문박(汪文溥), 란고(蘭臯))·장사조(章士釗, 행엄(行嚴)) 등이 주편을 맡았다. 1903년에 「혁명군을 읽다(讀革命軍)」·「혁명군 소개(紹介革命軍)」 등의 문장을 발표함으로써 장병린(章炳麟, 태염(太炎))·추용(鄒容, 위단(慰丹))이 감옥에 들어갔는데 추용은 감옥에서 사망했다. 이를 역사에서 소보안이라고 한다.

북경을 떠나 상해에 가서 감히 '관료를 비판하던' 분위기는 그 시대가 만든 산물이었다. 또한 간행물과 소설은 청조의 '봉건적 예교의 제도를 무너뜨리는ᴿ(禮崩樂壞)' 촉진제가 되었다. 『소보蘇報』 사건은 상해의 간행물이 감히 자희 태후와 대립했던 사례가 된다. 『소보』는 원래 일본의 화교가 창간한 신문이었는데 남사南社의 진범陳范이 인수한 후 1903년 5월에서 7월 채원배蔡元培의 중국교육회와 일본 유학 후 귀국했던 혁명파 학생들의 힘을 빌려 장사조章士釗·장태염章太炎·장계張繼의 문필을 이용해 문학사조를 지지했다. 『석구만釋仇滿』·『수구파들에 대한 경고敬告守舊諸君』·『중국 정권자는 모두 혁명당임을 논함論中國當道者皆革命黨』 등의 급진적인 문장을 발표하여 '나라씨那拉氏, 만주인'을 무너뜨리는 '중앙혁명'을 선동하였다. 추용의 『혁명군革命軍』을 적극 추천한 것이 도화선이 되었는데 추용의 자서와 장태염의 서문을 연속해서 발표하자 결국 청 정부의 반격을 받았다. 노신이 설명한 '견책소설譴責小說' 발생의 원인을 본다면 '관료를 비판하는' 소설이 대량으로 산생된 배경을 분명히 알 수 있다. 노신은 이렇게 말했다.

"무술변법이 실패하고 2년 뒤 경자년에 의화단 사건이 일어나서 군중들은 정부의 무능과 부패를 알게 되어 이를 규탄하려는 의지가 생겼다. 그리하여 소설에서 그 동안 숨겨졌던 것을 적나라하게 폭로하고 폐단을 드러내며, 당시 정치에 대해서 엄하게 규탄하고 더 광범위하게 나아가 풍속까지도 매도했다." [4]

여기의 '규탄하려는 의지'와 '적발하다, 규탄하다'는 뜻을 통해 이 시기 폭로문학이 발생한 대략적인 추세와 작가 및 독자가 모두 정부를 고발하는 사회의 보편적인 심리를 읽어낼 수 있다. 여기에 혁명의 분노와 이상까지 추가한다면 추용의 『혁명군』, 진천화의 『맹회두猛回頭』와 같은 영향력 있는 작품이 나왔던 배경을 이해할 수 있다.

『혁명군』은 선동성이 아주 강한 문예선전 작품으로써 반청 혁명의 이치가 분명하고 간결하며 마치 가시덤불을 헤쳐 나가는 것처럼 통쾌하다. 전체는 7장으로 나뉘어 졌는데 '혁명의 원인, 혁명은 우선 노예근성부터 제거해야 한다, 혁명독립의 대의' 등으로 되어 있다. '혁명'이란 무엇인가를 예를 들어보면 다음과 같다.

> "혁명이란 진화의 법칙이다. 혁명이란 세계적인 진리이고 생사의 기로에 선 과도기의 요체이다. 혁명이란 하늘의 뜻에 순응하고 민심에 호응하는 것이다. 혁명이란 부패를 제거하고 선량함을 추구하는 것이다. 혁명이란 야만에서 문명으로 진보하는 것이며 노예근성을 버리고 주인의식을 갖는 것이다."

이 글에는 정의의 분노가 전체를 관통하고 있다. 이로 인해 노신은 "영향력으로 볼 때 다른 그 어떤 천만 마디의 말도 '혁명군 선봉장 추용'이 쓴 단도직입적인 『혁명군』에 비길 수 없다."[5]고 하면서 그 특징을 언급했다. 추용은 억울하게 2년형을 판결 받아서 1905년 감옥에서 병사했다. 진천화는 일본정부가 공포한 '일본에 있는 청한 유학생 단속규정取締淸韓留日學生規則'에 항의하기 위해 그 해 일본해에 투신하여 자살함으로써 국민들에게 경각심을 불어넣어 주었다. 그가 1903년에 쓴 『맹회두』와 『경세종警世鐘』도 민중을 각성시키는 통속적인 선전적 경향을 띠고 있는데 작품 전체를 관통하는 정서는 바로 격앙과 분노였다.

■ 추용이 지은 『혁명군』 표지

감정이 격앙된 혁명가형 작가와 사회의식을 강렬히 폭로한 시민형 소설가들 이외에 특별히 주의해야 할 것은 신구 대변동의 시기 진퇴양난 속에서 내적 모순이 가득했던 문화인물들이다. 이들의 입지는 크기도 하고 작기도 했으며 사상적으로 매우 복잡했지만 모두가 아주 전형적인 인물이었다. 만약 그들마저도 문화의 과도기적 양상을 표현했다면 그 나머지 사람들은 더 말할 나위도 없다. 그들의 문학적 생명력을 이해하는 것이 바로 시대가 바뀌어 현대문학 축적의 시대로 통하는 주요 첩경인 셈이다. 그들은 임서_(林紓, 금남(琴南)) · 장태염_(병린(炳麟)) · 소만수_(蘇曼殊) · 왕국유이다.

나이로 볼 때 임서가 가장 연장자였고 1903년에 51세였다. 당시에 이미 나이가 상당했으나 72세까지 장수하였다. 이 시기 쯤 임서는 복주_(福洲) · 항주_(杭洲) · 북경에서 학생들을 가르쳤고 과거 급제 후 예부시험에 여러 차례 참가했으나 번번이 미끄러졌다. 그러나 그의 고문 실력은 아주 훌륭하였다. 그는 다른 사람들과 함께 외국문학을 번역하여 『춘희_(巴黎茶花女遺事)』 · 『톰아저씨의 오두막집_(黑奴吁天錄)』 · 『이솝우화_(伊索寓言)』를 출판했는데 크게 유행하였다. 그의 일생동안 가장 큰 업적이었던 일명 '임역소설_(林譯小說)'의 번역 열풍이 막 형성되는 중이었다. 그가 출판했던 처녀작은 『민중신악부_(閩中新樂府)』였다. 호적은 '5·4'운동의 대표적인 인물이었는데 그와 수년간 '대치'한 후에 이 책을 평가하여 말하길, "임선생의 신악부는 그의 문학 관념의 변천을 보여줄 뿐 아니라 5, 6년 전의 반동 지도자들이 30년 전에는 사회개혁을 했다는 것을 알게 해 준다. 우리 세대의 청년들은 수구파의 임금남만 알았지 그 전의 유신당이었던 임금남을 몰랐다. 임금남이 노년에 백화문학을 반대했다고만 들

■ 상해 조계지 심의 공청회를 그린 점석재화보. 어떻게 중국 땅에서 중국인을 심판하는지 보여주는 정경.

■ 바다에 투신하여 국민들을 각성하게 한 진천화 열사

었지 중장년 시기에 많은 통속 백화시를 지었는지 몰랐다."[6]고 했다. 호적의 이 말은 후세 사람들에게 선배들의 '낙후함'을 전면적으로 인식하게 해 주는 대표적인 언급이다. 모든 사람의 사상적 발전에는 각자의 고비가 있는데 임서는 유신에서 개량까지는 괜찮았으나 신해혁명을 뛰어넘지 못했다. 그는 죽을 때까지 청의 거인_{擧人}으로 지내겠다고 말함으로써 '유민'으로 살겠다는 결심을 단호히 밝혔다. 결국엔 이후 신문화운동에 반대하는 대표적인 인물이 되었다.

장태염의 상황은 임서와 달랐다. 그는 변법유신부터 동맹회에 참가했으며 반청사상이 확고한 사람이었다. 일본에 있을 때 짧은 기간이었지만 노신·주작인·전현동에게 『설문해자_{說文解字}』를 가르친 적이 있을 정도로 저명한 학자 겸 혁명가로서 영향력이 아주 큰 인물이었다. 나중에 노신은 "은퇴해 조용히 지내는 학자이며 자신이 직접 만든 벽과 다른 사람이 쌓아놓은 벽으로 시대와 단절했다."[7]고 말했다. 소보 사건이 발생했던 1903년 그는 전국에서 주목받고 있는 언론인이었고 그의 나이 34세였다. 『강유위가 논한 혁명서를 반박하며_{駁康有爲論革命書}』를 발표해 "재첨_{載湉}은 어릿광대, 콩과 보리도 구별 못하네."라며 황제를 직접적으로 비꼬았다. 그는 혁명문학작품인 『혁명군』을 지지하는 데에도 여력을 다하였다. 소보 사건이 발

■ 소만수 출가 후의 모습
■ 전도유망했던 시기, 기모노를 입은 장태염
■ 쇠락했던 만년의 장태염

생한 3년 후 그는 만기 출옥했고 손중산_{孫中山}이 일본에서 『민보_{民報}』의 편집주간을 맡아달라고 하자 양계초의 『신민총보』와 직접적으로 대치하게 되어 '혁명'이냐 '개량'이냐에 관해 크게 논쟁할 때에도 기세가 당당했다. 중화민국 성립 후 송교인_{宋敎仁}이 피살되자 장태염은 원세개_{袁世凱}를 토

■ 왕국유 상. 완연한 학자의
모습

벌하기로 결심했다. 북경에서 원세개가 보낸 대훈장을 부채 장식으로 사용해서 원세개에 대한 극도의 멸시를 표시했고 직접 총통부 입구에 찾아가서 원세개의 음흉한 속내를 큰 소리로 꾸짖었다. 나중에 원세개에 의해 연금 당했지만 매수되지 않았고 원세개가 죽은 이후에야 풀려나게 되었다. 이때까지 장태염의 혁명성은 말할 필요도 없이 아주 강렬했다. 그러나 '5·4' 운동의 관문을 넘지 못하면서 신문화운동을 주장하지 않았고, 공자를 받들며 경전읽기를 제창하니 점차 쇠락할 수밖에 없었다. 말년에는 불교에 빠져 몇 번이나 머리를 깎고 승려가 되고자 했다. 원래는 혁명의 수레를 이끌던 진보주의자였는데 나중엔 역사의 수레를 거꾸로 잡아당기는 보수주의자가 되었다. 하지만 이러한 유형은 그 당시 상당히 보편적이었고 그 중 장태염은 극단까지 갔을 뿐이다.

소만수는 이 해에 겨우 19살이었는데 일본에서 반청 혁명단체에 참여했고 이후에 남사의 주요 시인이 되어서 장태염·진독수 등과 교제를 하며 비교적 이른 시기에 문학작품 번역에 뛰어들었다. 정치사상과 행동 면에서 그는 늘 급진적이었는데 홍콩에서 황제를 옹호하던 강유위를 혼자서 암살하려는 계획을 세우기도 했다. 그의 모순은 문화사상 방면에 있었는데 이것은 1903년부터 쓰기 시작한 6편의 문언소설에서 잘 드러나고 있다. 그는 중일 혼혈 사생아라는 출생의 비밀로 멸시를 받는 것을 괴로워했으며 혁명·사랑·불교 사이에서 고뇌했다. 이러한 갈등은 자전체 소설인 『단홍영안기斷鴻零雁記』 등에서 잘 표현했다. 소설 속 주인공은 속세의 번뇌를 해소할 방법이 없어 불교에 귀의하여 불교의 경지를 추구하면서 해탈하고자 한다. 격정적인 혁명의 시대에 신구교체의 과도기적 인물이며 고뇌 속에서 비극적인 삶을 살았기에 손중산은 그를 '혁명 승려'라는 특수한 신분의 호칭으로 불렀다. 이런 유형도 문인들에게서 자주 볼 수 있는 전형이었다. 혁명에 찬성하다가 결국 격렬한 문화운동에서는 멀어지는 것이다. 비슷한 시기의 이숙동李叔同.

홍일법사(弘一法師)과 그의 제자 풍자개(豐子愷) 거사와 연결 지을 수 있는데 모두 비슷한 경력과 사상을 가지고 있었다. 그들의 낭만주의적 정서는 펼쳐지지 못했지만 재능이 내면화되어 있어 예술의 각 방면에 정통하여 문학적으로 훨씬 큰일을 할 수 있었다.

왕국유는 이때 나이가 26살로 노신보다 겨우 네 살 위였고 순수한 학자로서 문학연구를 막 시작하고 있었다. 그는 만청에서 새로운 세기로 넘어가지 못하고 결국 이화원 곤명호에 투신함으로써 후세에 가장 큰 문화적 미스터리를 남겼다. 그는 서양철학의 원작을 읽는 것에서부터 서양의 진화론과 미학적 개념을 이용해 중국의 문학을 새롭게 고찰하고 전통적인 문학비평체계를 정리하였다. 특히 중국인 최초로 고전소설, 시와 사, 희곡 등을 전면적으로 해석해 내었다. 또한 1903년 칸트와 쇼펜하우어를 연구하면서 그 다음 해에 『홍루몽평론(紅樓夢評論)』을 썼다. 그의 문학사상과 학술사상은 당시 중국이 세계를 향해 뻗어 나가는 기세를 대표한 것으로 몸의 반쪽은 이미 현대라는 시기에 진입한 것 같았다. 그러나 그의 정치사상적 보수성과 문화적 지체와 실의는 남은 반쪽 몸이 영원토록 신해혁명 이전, '5·4' 운동 이전에 머물러 있게 한 듯 했다. 왕국유는 양계초·진인각(陳寅恪)·조원임(趙元任)과 함께 청화국학연구원(淸華國學硏究院)의 대표적인 4인방 교수 중 한 명이었다. 그가 남긴 유언의 첫 마디는 "50년의 세월, 죽음만이 남았네. 이러한 변고를 겪으

■ 왕국유가 지은 『송원희곡사(宋元戲曲史)』
■ 절강 해녕(海寧)의 왕국유 고거
■ 청화원(淸華園) 안 왕국유(靜安) 선생 기념비

니 더 이상 치욕을 견딜 수 없네."였다. 진인각은 『왕관당선생 추도사_{王觀堂先}
_{生挽詞并序}』에서 "한 문화의 가치가 쇠락할 때 그 문화의 영향을 받은 사람들은
심리적으로 고통스럽다. 그 문화를 표현했던 정도가 크면 클수록 고통도 더
욱 심하다."면서 왕국유의 사인에 관해 말했다. 왕국유는 신구문화가 교체
되는 시기에 자신의 한 몸을 바친 것이다. 앞서 언급했던 임서·장태염·소
만수 등과 왕국유는 각자 처한 상황은 달랐지만 한 가지 공통점이 있었다.
그들은 모두 '세기말에서 세기 초'로 시대가 바뀌는 시점에서 모순으로 가득
찬 문인으로 살아갔으며 역사의 기로에 걸쳐져 있었다는 점이다. 이렇게 문
학가들이 처했던 상황에서 본다면 중국문학의 현대적 변화는 끊임없이 요동
치는 험난한 여정이었다.

각주

1) 주작인(周作人), 『지당회상록(知堂回想錄)』, "八一 河南−新生甲編", 홍콩삼육도서공사(香港三六圖
書公司), 1980년, 217쪽.
2) 주작인(周作人), 『지당회상록(知堂回想錄)』, "七三 籌備雜誌", 홍콩삼육도서공사(香港三六圖書公司),
1980년, 195~197쪽.
3) 포천소(包天笑), 『천영루회억록(釧影樓回憶錄)』, "春柳社及其他" 1절, 홍콩대화출판사(香港大華出版
社), 1971년, 399쪽.
4) 노신(魯迅), 『중국소설사략(中國小說史略)』, 『노신전집(魯迅全集)』제9권, 인민문학출판사(人民文學
出版社), 1981년, 282쪽.
5) 노신(魯迅), 『잡억(雜憶)』, 『노신전집(魯迅全集)』제1권, 인민문학출판사(人民文學出版社), 1981년,
221쪽.
6) 호적(胡適), 「임금남선생적백화시(林琴南先生的白話詩)」, 1924년 12월 『신보부간 6주년기념 증간
(晨報副刊六周年紀念增刊)』에 처음 실림.
7) 노신(魯迅), 「관어태염선생이삼사(關於太炎先生二三事)」, 『노신전집(魯迅全集)』제6권, 인민문학출판사
(人民文學出版社), 1981년, 545쪽.

『신소설新小說』과 '소설계혁명' 등이 이룩한 창작성과는 사실 그리 크지 않았다. 그들의 문학적 역할은 주로 일종의 분위기 쇄신에 있었다. 소설을 전통적인 문학 들러리에서 중심의 위치로 옮겨 놓았고, 문학 독자들도 소수의 문인들로부터 신문잡지의 전파를 통해 수많은 시민 속으로 확대발전시켰다. 이렇게 하여 만청소설과 현대도시는 함께 성장하였다. 본래의 스토리는 양주揚州와 소주蘇州 등과 같은 전통 도시에서 생겨났을 뿐 나중에는 상해라는 신흥 상업도시로 점차 옮겨갔다. 상업은 출판과 문화소비 시장의 발전을 촉진하였고, 전문적인 소설 정기 간행물이 도시에서 나타나기 시작했으며 일군의 소설가 집단도 형성되었다. 이들은 모두 중국문학 역사에서 일찍이 존재하지 않았던 새로운 것들이었다.

만청 시기 '재자가인才子佳人' 문학의 변종, 즉 기방과 기녀 및 기방의 손님들을 표현한 시민협사狹邪소설을 예로 들면, 그 작품들은 남녀주인공이 겪는 우여곡절의 사연을 서술하는 동시에 자연스럽게 사회 소식도 드러내곤 하였다. 『품화보감品花寶鑑』 진삼(陳森) 지음은 남성간의 동성연애를 제재로 하여 최초로 협객을 주인공으로 쓰인 장편이다. 『화월흔花月痕』 위수인(魏秀仁) 지음은 자전적 작품으로서, 주인공과 기녀가 교접 후에 벌어지는 '실패窮.'와 '성공達.'이라는 두 갈래 길을 통해 세간의 사정을 암시하였다. 만약 기방에 대한 서술자의 태도에서 살펴본다면 노신魯迅의 말처럼 "아름다움이 넘치거나, 악이 넘치거나, 진실에 가까운" 세 가지 방식이 존재한다『중국소설의 역사적 변천(中國小說的歷史的變遷)』참고. 『청루몽青樓夢』 유달(俞達) 지음은 기녀를 미화하여, 36명에 이르는 기녀들을 하나같이 요조숙녀처럼 재능도 많고 다정다감한 남자를 사랑하는 것으로 그려낸 첫 번째 작품으로서 이는 남성주의의 이상적 산물이다. 『구미귀九尾龜』 장춘범(張春帆) 지음에 등장하는 기녀는 반대로 손님들을 속이는 악질들로서 손님들은 모두 건달이고 기녀와 손님은 서로 다투면서 '흑막'이 드러나는데, 이것이 두 번째 종류이다. 『풍월몽風月夢』 한상몽인(邗上蒙人) 지음과 『해상화열전海上花列傳』 한방경(韓邦慶) 지음이 세 번째 종류로서 기녀와 손님 쌍방이 좋기도 하고 나쁘기도 한 경우를 그려내어 가장 사실에 가깝다.

도시와의 관계에서 살펴보면, 『풍월몽』은 양주를 그려내고, 『청루몽』이야기는 소주에서 생겨났다. 『해상화열전』의 '해상'과 『해상진천영海上塵天影』 추도(鄒弢) 지음과 『해상번화몽海上繁華夢』 손옥성(孫玉聲) 지음의 '해상'은 모두 만청 시기 급격한 변화를 겪고 있던 상해를 가리킨다.

『풍월몽』은 상숙常熟의 육서陸書가 양주에 가서 첩을 사 현지의 원유袁猷 등과 결탁하여 4명이 기녀인 월향月香과 쌍림雙林·봉림鳳林·계림桂林·교운巧雲 등과 벌인 이야기를 그려내고 있다. 작품에서 그려진 양주는 가경嘉慶·도광道光 연간에 중국의 번화한 대도시의 모습을 하고 있었다. 소설은 시작 부분에서 육서가 고모 댁인 '남하하南河下'에서 나와서 '초관문鈔關文'과 '상진도아서常鎭道衙'·'경자대가埂子大街'·'소동문小東門 밖 사거리'를 거쳐 길을 물은 후에 '대유

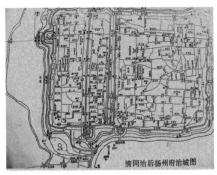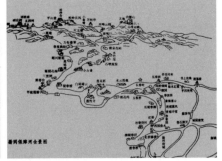

淸同治后揚州府治城圖

- 청나라 동치(同治) 연간 후반기 양주부(揚州府) 치성도(治城圖)로서 번화한 대도시의 모습
- 양주 촉강보장하(蜀岡保障河) 전경도(全景圖). 평산당도지(平山堂圖志)에서 옮겨 실음. 물길을 24개의 다리가 보인다.

방_{大儒坊}'·'남류항_{南柳巷}'을 지나 '북류항_{北柳巷}'의 원유 집에 도착하는 과정을 묘사하고 있다. 이런 지명들은 양주의 옛 지도에서 쉽게 찾을 수 있는 것들이다. 초관문 내의 시장 모습은 변려문체를 써서 묘사하고 있는데, 이런 방법은 '5·4' 전에는 흔하게 볼 수 있다.

> "…… 여관은 등롱을 내걸어 오가는 손님을 부르고 있다. 가게에는 간판을 내걸어 손님들을 부르고 있다. 성을 드나드는 사람들은 왁자지껄 하며 인산인해를 이루고 있다. 등짐을 지고 어깨에 짐을 진 사내들은 땀을 비 오듯 쏟고 있다. 시장의 난초와 육포는 향기가 폴폴 새어나오고 똥오줌통과 하숫물로 냄새가 진동을 한다. 채소와 생선 좌판은 서로 쟁탈전을 벌이고 있고, 우물물과 강물을 파는 좌판 또한 엄청난 무리를 이루고 있다. 땔나무를 파는 이들과 소금을 파는 이들이 서로 어지럽게 무리를 이루고 있다." 1)

전통 도시의 왁자지껄함은 전통 명절 기간에 집중되곤 한다. 작품에서는 육서가 월향의 환심을 사기 위해서 단오절에 큰 배를 빌려 '홍교_{虹橋}'를 나가 용선 경기를 구경하고 자신은 배위에서 살아있는 오리를 물에 떨어뜨려 사람들로 하여금 서로 뺏게 하는 놀이를 하게하고는 그것을 구경하는 것을 그리고 있다. 물가의 모습은 다음과 같이 묘사하고 있다.

> "물가에 놀러 나온 남자와 여자들은 남자아이를 안은 이도 있고, 여자아이를 안은 이도 있다. 그 마을의 여자들은 머리에 창포와 바다쑥, 석류화, 메밀 등을 두르고 있다. 검은색 밀랍과 연백분을 바르고 강 건너편에서 붉은 헝겊을 덧댄 알록달록한 신발을 신고 서로의 이름을 부르면서 밀고 당기면서 뛰어다니고, 뙤약볕 아래에서 검은 땀을 뚝뚝 떨어뜨리고 있다. 또 몇몇 취객들은 이미 술기운이 잔뜩 올라올 정도로 마시고는 여자들 사이에서 이리저리 부딪친다. 각종 잡상인들은 이 틈을 타서 물건을 파는데 꽤나 떠들썩하다."

이 '소금산_{小金山}에서 연화교 일대'까지라는 것은 양주성 밖 서북쪽의 유명한 '십리호광교_{十里湖光橋} 24'의 중심이다. 시골사람으로 도시를 부각시키는 것은 오래된 필법이기도 하다.

　『청루몽』에서는 소주 재자 김읍향$_{金挹香}$이 36명의 기녀와 놀다가 훗날 뿔뿔이 흩어지는 이야기를 그리고 있다. 작가는 이들 남녀를 아름답게 그리고 있으며 봉건사회에서 능히 상상할 수 있는 좋은 일들, 즉 꽃 나라를 노닐고 미인을 보호하며 파슬리를 따고 외과$_{巍科}$를 따며 정사에 관리가 되고 부모님 은혜에 보답하고 친구들을 잘 사귀며 금실을 돈독히 하여 자녀를 잘 키우는 일들을 하나로 모으고 있다. 작품에서는 소주에 관한 풍물, 호구에서 노는 것, 창문을 지나는 것 등이 아주 익숙하고 세세하게 묘사되고 있다. 예를 들어 원소절에 김읍향 등이 거리를 거닐면서 "걸으면서 달과 등을 감상하고 길가에서는 놀이를 구경하며 남녀가 구름같이 모이니 매우 화려하게들 치장을 하고 있어 바라보노라니 꽃이 산을 이룬 듯하다. 네 사람이 열심히 걸어가서 현묘관$_{玄妙關}$ 앞에 이르렀다. 각각의 가게에는 각종 모양을 한 등이 걸려 있고, 각기 다른 멋진 모습을 보이니 남자들에게는 영광스러운 일이 생기게 하고 여자들은 더욱 예뻐지게 한다. 또 흐르는 별과 화포는 이 거리에서 끊이질 않는다. 수사항$_{洙泗巷}$ 입구에 이르니 놀러 나온 이들이 수도 없이 많다."라고 하는 부분이 있는데, 이 묘사에서 소주의 명절 풍경을 알 수가 있다. 『풍월루$_{風月樓}$』의 양주와 비교해보면 풍부성이나 충차성에서 약간 떨어지기는 하지만, 둘의 공통점은 묘사되고 있는 번화함이 모두 전통적인 번화함으로서 도시와 농촌 간에 뚜렷한 구분선이 없다. 또한 청나라 후기로 접어들면서 상해 항구에서 외국과의 통상이 이루어진 뒤에 신속하게 발전하면서 이 현대 도시의 그림자 속에서 전통 도시는 어쩔 수 없이 몰락을 하게 되는 것이다. 『풍월루』에서 양주 북강$_{北岡}$을 유람할 때 사람들이 말하기를 수십 년 전에 "이 일대에 두모궁$_{斗姥宮}$ · 왕원$_{汪園}$ · 소홍원$_{小虹園}$ · 석양홍반루$_{夕陽紅半樓}$ · 권석동$_{拳石洞}$ · 천서원$_{天西園}$ · 곡수$_{曲水}$ · 홍교수계$_{虹橋修禊}$ 등 경치가 좋은 곳이 많이 있었는데, 지금 정자는 모두 허물어지고 황폐한 무덤이 되어 버렸다."고 하자 그 자리에 있던 사람들이 모두 마음 아파하는 장면이 나온다. 『청루몽』의 소주 역시 태평천국 전쟁의 상처로 석양의 노을만 드러내고 있다.

노신 · 호적_{胡適} · 모순_{茅盾} · 장애령_{張愛玲} 등 여러 사람들의 호평을 받은 협사소설 의 고전 『해상화열전』이 그리고 있는 상 해는 유혹이 가득 하고 죄악이 넘치는 도 시이다. 『해상화열전』은 조박재_{趙朴齋} 남 매가 차례로 상해로 들어와 타락해 가는 것을 실마리로 하여 각기 다른 기녀들의 서로 다른 운명을 보여줌으로써 십리양 장 상해에서 유곽에 놀러온 여러 신분의 서로 다른 형상들을 그려내고 있다. 『해

■ 소주(蘇州, 옛 오현(吳縣)) 1913년 지도

상화열전』에서의 상해는 풍부하고 다채롭다. 상해는 이미 명절의 도시생활 처럼 휘황찬란할 필요가 없다. 일상적인 도시생활 장면이 주요한 장면이 된 다. 그 가운데 가장 눈에 띄는 것은 서양의 사물이 상해로 들어오는 것에 관 련된 묘사이다. 일품향_{一品香}에서 서양음식을 먹고 장원안개제_{張園安塏第}를 거닐 고, 경마구경을 하는 등이 그것이다.

말이 끝나기도 전에 공중에서 갑자기 댕댕댕 하는 종소리가 들린다. 소홍이 먼저 듣고는 "누가 이렇게 종을 마구 치는 거지?"라고 하자 연생이 듣고는 유 리창을 열어 아래를 내다보며 소리를 지른다. "종을 함부로 치네!" …… 골목 길 어귀에 외국 순경이 여러 사람들을 이끌고 가죽 끈을 정리하고 있는데, 길게 연결하여 한 줄로 만들어 가로방향으로 땅에 내려놓고는 수도관을 열었다. 가 죽 끈 한쪽 끝을 수도꼭지에 끼웠는데 물소리는 들리지 않고 모르는 사이에 가 죽 끈이 부풀어 올라 단단하게 묶었다. 이렇게 하여 가죽 끈을 따라 가니 오마로 가 가까워질 무렵 순경에게 저지당했다. 연생이 몇 마디 외국말을 하자 놓아주 었다. 그 불은 아주 오래 전에 봤는데, 귓가에는 아직도 괴상한 소리가 어지럽 게 들리고 마치 대포 수천만발 쏘는 것처럼 머리로 불똥이 떨어져 내린다. …… 문에 있던 사람들이 일제히 "좋다! 좋아!"라고 하자 소운도 보러 와서는 말하길 "약수가 왔으니 내려가자!"고 하였다. 과연 그 불길은 낮아지고 점점 보이지 않 게 되었고, 검은 연기도 없어졌다.

이 부분에서 묘사하고 있는 것은 당시로서는 새로운 사물_{상해 최초로 서양에서 들여}_{온 기계}로 불을 끄는 장면이다. 한 통씩 한 통씩 물을 길어다가 뿌려서 불을 끄는 것이 아니라 가죽 관을 수도꼭지에 연결하여 불길을 잡는 것이다. 여기에서 말하는 '약수'는 멸화제를 넣은 소방용 물로서 이미 상당히 선진적이다. 물이 부풀어 오르는 것을 묘사한 단락에서는 매우 자세하게 묘사하고 있는데, 당시 한쪽에 서서 구경하고 있던 사람들이 매우 흥미롭게 매혹되어 있음을 보여주고 있다. 『점석재화보_{點石齋畵報}』_{광서 10년, 즉 1884년 상해에서 창간된 시사 석인본 화}_{간으로 오우여(吳友如) 등이 그림} 갑일 제6폭의 "관화이재_{觀火罹災, 불구경을 하다가 재난을 당하다}"에 그려진 내용은 서양인들이 상해에서 소방차를 동원하여 불을 끄고 중국인들이 하천가 다리위에서 구경하다가 다리 난간이 무너지면서 구경꾼들이 물속으로 떨어지는 장면이다. 불 끄는 것을 구경하는 것은 길거리에서 공연을 감상하는 것과 마찬가지라는 것을 이 그림은 증명하고 있다. 만약 만청소설에서 불 끄는 장면을 쓰는 것이 막 수입된 신식기계와 과학기술 발명 같은 것들을 자랑하기 위해서라면 그것은 너무 좁게 보는 것이다. 『해상화열전』에서 진소운_{陳小雲}은 큰불이 자신의 공관으로 옮겨 붙을 것을 걱정하는 연생_{蓮生}에게 다음과 같이 말한다. "천천히 가세요. 보험이 있는데 뭐가 걱정입니까?" 이로 보아 당시 상해 부자들은 이미 화재보험이 있었고 이런 서양의 사회보장

방법으로 사유재산을 보호하고 있었다는 사실을 알 수 있다. 사실적인 인물묘사, 도시의 동서 문화 교류 묘사, 장편의 구성 배치 등에서 『해상화열전』은 높은 성취를 이루었다.

거의 비슷한 시기에 견책소설이 문학 무대에 등장하여 만청소설의 절정을 이루었다. 출판형식에 있어서 협사소설은 대부분 목판으로 인쇄되었고, 견책소설은 예외

■『점석재화보(點石齋畵報)』에서 묘사한 관화이재(觀火罹災) 뉴스로서 조계에서 불을 끄는 서양사람들의 모습을 구경하다가 다리가 무너져 떨어지는 상해 사람들의 모습을 담고 있다.

없이 신문에 연재된 이후에 기계로 인쇄되어 단행본으로 출판되었다 『해상화열전』은 협사소설보다 다소 늦게 세상에 나오는 바람에 1892년에 작가가 직접 편집한 『해상기서(海上奇書)』에 연재되었다. 이렇던 것이 현대 신문소설 등재방식의 시작으로, 대체로 1990년대가 경계선이 된다. 견책소설을 실은 것은 주로 '만청 4대 소설기간期刊'이다. 양계초의 『신소설』1902 외에 이백원李伯元의 『수상소설繡像小說』1903년 창간, 오견인吳趼人의 『월월소설月月小說』1906년 창간, 황마서黃摩西의 『소설림小說林』1907년 창간 등이 있다. 『신소설』은 제8호부터 오견인의 견책소설 대표작인 『이십년목도지괴현상二十年目睹之怪現狀』을 발표하였다. 이 작품은 '구사일생'이라는 인물의 시각에서 관료 재자 및 사회의 추악함에 대해 가차없이 폭로하였다. 동시에 연재된 작품으로는 그의 『통사痛史』, 『구명기원九命奇冤』 등이 있다. 이백원의 『관장현형기官場現形記』는 비록 초창기 소보인 『번화보繁華報』에 실렸지만 『문명소사文明小史』나 『활지옥活地獄』 같은 그의 또 다른 중요한 작품은 『수상소설』에 오랫동안 연재되었다. 유악 작품 『노잔유기老殘游記』의 일부분도 『수상소설』 제9기부터 제18기까지 연재되었다. 이 소설은 떠돌이 의사 노잔이 북방사회에 대해 서술하는데, 그 가운데 황하에서 얼음을 뜨는 장면이나 백유白妞가 설서說書를 하는 장면은 역대로 사람들에게 사실 필법의 최고봉으로 인정받을 정도로 생동감이 넘친다. 증박曾樸의 『얼해화孽海花』는 김문청金雯青, 홍균과 부채운傅彩雲, 새금화의 고사를 줄거리로 하여 당시의 생활을 폭넓게 묘사하였다. 21회부터는 부분적으로 『소설림』에 연재되었다. 오견

■ 『수상소설(繡像小說)』 1913년 제1기
■ 『월월소설(月月小說)』의 제9호 표지
■ 『소설림(小說林)』 제2기 표지

인의 또 다른 장편소설 『겁여회劫余灰』는 '괴로운 사랑소설'의 이름으로 자신이 주편한 『월월소설』에 연재되었다. 『겁여회』와 『한해恨海』는 모두 오견인의 작품으로 견책소설에 '사랑'을 집어넣어 민국 전후 원앙호접파 소설의 언정言情의 맥을 열어놓았다. 이는 후일담이다.

'4대 견책소설'에서 외탄을 거닌다든가 경마를 구경한다든가 만찬을 즐긴다든가 당구를 친다든가 하는 서양식 절반에 중국식 절반의 생활방식을 묘사한 것은 무수히 많이 등장한다. 재미있는 것은 『이십년목도지괴현상』에서도 『해상화열전』과 마찬가지로 상해에서 불을 끄는 장면이 나온다.

> 말이 끝나기도 전에 갑자기 밖에서 왁자지껄 사람들이 외치는 소리와 함께 소란스러워지고 사람들은 깜짝 놀랐다. 가만히 들어보니 불이라고 말하는 것 같았다. 모두들 밖으로 나가서 보니 골목 입구에 뿌연 연기가 하늘로 솟아오르는 것이었다. 김자안(金子安)이 "어쩌면 좋아! 물을 길러 가야 할 텐데!"…… 뿌연 연기를 보니 삽시간에 펑 하는 소리와 함께 온통 붉어지면서 불똥이 하늘을 뒤덮었다. 사람들은 더욱 시끄러워지고 종소리가 어지럽게 들린다. 잠시 후에 불 끄는 사람들이 도착했다. 네다섯 줄의 물관이 불을 향해 물을 뿜었다. 다행히 밤에 바람이 불지 않고 불길도 그다지 세지 않아 오래지 않아 불은 꺼졌다.

이 부분은 글의 구성방식까지 『해상화열전』과 비슷하다. 게다가 『이십년목도지괴현상』에는 불을 끄는 중에 순경이 물건을 꺼내려는 것을 막는 장면까지 들어가 있어 작중 인물들은 보험문제를 토론하기도 한다.

> 내가 말했다. "불이 나면 순경은 물건 옮기는 것을 불허하는데 이건 너무 심합니다." 자안도 말했다. "예를 들면 첫째, 도둑질 때문이고, 둘째는 옮기는 사람이 너무 많으면 불 끄는 데 방해가 되기 때문이죠. 말은 이치적으로 한다고 하지만 내가 보기에는 보험회사의 생각이 반은 들어가 있는 것 같습니다." 내가 말했다. "그건 또 무슨 말씀이죠?" 자안이 말했다. "당신들이 물건 옮기는 것을 허락하지 않으면 당신들 집집마다 보험을 들라고 할 수 있기 때문이죠."

■ 청나라 말기 상해 학습조계에 세워진 신형 소방대. 사람들은 여전히 변발을 늘어뜨리고 있다.
■ 청나라 말기 상해 사마로(四馬路)의 번화한 모습. 청연각(青蓮閣) 찻집의 높다란 건물과 주변 모습이 매우 당당해 보인다.

'물건 옮기기 불허'라는 상해 화재현장 규칙에서 신생 현대도시가 시민들의 행위표준을 세울 때에 가지고 있는 양면적 성격을 이끌어내고 있다. 그 하나는 화재진압 질서를 통해 도시 규칙의 권위성을 표현하고 있고, 또 다른 하나는 도시 상업의 틈만 있으면 파고드는 기제와 이로부터 초래되는 불공정성과 사기성을 은폐하고 있는 것이다. 현대문명의 발전은 거의 모두 예전 문명의 부침과 새로운 조정을 의미한다. 어떤 문명은 없어지고 어떤 문명은 세워지는 것이다. 견책소설은 이런 발전이 중국에서 싹을 틔우는 시기의 진실한 장면을 보여주고 있다.

상해 시가지에 관련된 서술에서 본다면 당시의 견책소설은 과거 어떤 중국소설에 비해서 세밀하다. 상해의 외탄과 대로는 분명히 중국의 어떤 도시에도 없는 모습을 하고 있다. 훗날 원앙호접파 작가 포천소包天笑가 9세 때 처음 소주에서 상해로 왔을 때, 차를 타고 외탄에 가서 외국 선박을 보고 "그 큰 기선을 보니 집보다도 몇 배는 커서 정말 깜짝 놀랐다. 마차는 남경로·복주로 같은 번화가에서 빙빙 돌았는데, 이것이 바로 마차를 타는 프로그램이었다."고 하였다. 그가 기억하고 있는 것은 만청소설에서 묘사한 것과 조금도 차이가 없다. 예를 들어 『얼해화』에서는 주인공 김문청이 친구와 외탄으로 산책 나가는 장면이 다음과 같이 묘사되고 있다.

문을 나서서 마차에 올랐다. 마부는 말고삐를 툭툭 털었다. 황색 준마는 황포탄을 향해서 날듯이 달려 나갔다. 황포탄을 따라 북쪽으로 달려 나가는데 먼지 하나 일지 않았다. 황포 내의 물결은 거울과 같았고, 돛이 숲을 이루고 있었다. 고개를 들어보니 동상이 우뚝 서 있는 것이 보였다. 더 가보니 석탑이 하나 보이는데 기념비임을 알 수 있었다. 두 사람이 이야기를 나누다 보니 마차가 멈추고, 마차에서 내려 문안으로 들어가니 정자는 매우 넓고 진기한 꽃과 나무가 있었다. 두 사람은 정자에 앉아서 출입하는 중국과 서양의 남녀들이 눈이 부실 정도로 화장을 하고 옷을 차려 입은 것을 구경한다. 그 중에는 짧은 옷에 빳빳한 칼라를 한 이도 있고, 가는 허리에 긴 치마를 입은 이도 있으며 가벼운 셔츠 차림에 둥근 부채를 든 이도 있다. …… 서양이 기울면서 숲을 비추니 두 사람은 느릿느릿 문을 나와 마차를 부른다. 황포탄을 따라 대로로 들어가 사마로를 향해 한 바퀴 돈다. 양쪽에 집이 아직 있는 것을 보고 들어가려다 보선가를 지나다가 문청의 집에 손님을 청하는 표가 붙어있는 것을 본다. "설대인은 나으리를 청하니 일품향 8호 만찬장입니다."

상해의 드라이브 코스는 어린 시절 포천소가 걸었던 곳과 완전히 일치한다. 서양 기선은 아니지만 마차에서 황포강의 배가 보인다. 이홍장 李鴻章 의 태평군 진압을 도와준 고든 장군의 동상이 외탄에 세워져 있다. 석탑 기념비도 외국인을 기념한 것이다. 이 식민주의의 흔적들은 후에 모두 없어졌다. 들어간 공원은 외탄공원이다. 이 공원은 '중국인'과 '개'의 출입을 금지해서 중국인의 감정을 상하게 했는데, 그건 나중의 일이다. 김문청은 '무술 회시'의 장원으로, 외탄공원이 문을 연 1868년의 일이다. 작품에서 두 사람은 당당하게 입장하고 제지하는 사람도 없었으며 공원에 오가는 '중국과 서양의 신사 숙녀'도 많았다고 했는데, 틀리지 않은 기록이다. 최초에 개방할 때에 중국인은 아무런 제지 없이 자유롭게 출입할 수 있었다. 후에 '위생' 측면에서 중국인을 멸시하는 사건이 발생하였던 것이다. 공원을 나와 걷게 되는 두 대로는 모두 동서 방향으로 남북 방향의 도로와 만나게 되는데, 그것이 바로 유명한 '맥가권' 또는 산동로이다. '양편의 집이 아직 있다'는 말은 당시 남경로가 비즈니스 거리로서 복주로보다 낙후되어 있던 현실을 반영한다. 일품향은 상해에서 서양음식을 먹을 수 있는 가장 유명한 식당으로서 사마로에 위치하고 있다. 이 길에서 볼 수 있고, 또 보고 싶어 하는 것은 대부분 동양의 '서양 경치'이다.

상해가 '현대'와 맞닥뜨렸을 때 주류계급·주류문화의 험난한 처지는 견책소설에서 한두 가지 눈에 띈다. 『관장현형기』에서는 한 관리가 상해 외국은행의 손님으로 오는 내용을 절묘하게 그려내고 있다.

은행 앞에 도착하기도 전에 시종이 벌써 명함을 들고 앞문을 통해 뛰어 들어가 계단으로 올라가서 큰 소리로 "손님 오셨습니다."라고 외친다. 다행히 외국인과 맞닥뜨리지는 않고 고용된 중국인을 만났는데, 연신 손을 휘두르며 그에게 나가라고 하였다. 또 그에게 뒷문 쪽으로 가라고 방향을 가리켰다. 계단을 내려가서야 관리도 마차에서 내렸다. 시종이 앞으로 가서 자초지종을 밝혔다. 관리는 기분이 좋지를 않아 혼자 생각했다. "나는 손님으로 그 사람에게 인사를 하러 왔는데, 나더러 후문으로 가라고 하는 거지?" 본래 이 회풍은행에서 중국인과의 거래, 즉 서양 돈 인출·환어음 교환·사무실·카운터 등은 모두 뒤편에 있었기 때문에 고용된 중국인이 그를 뒤편으로 안내한 것이었다. 관리는 어쩔 수 없이 시종을 따라 뒤편으로 가는 수밖에 없었다. 사람들은 그가 붉은 모자를 쓰고 있는 것을 보고는 매우 이상하게 생각하면서 말하길, 그가 만약 은자를 바꾸러 온 사람이라면 의관을 정제할 필요가 없고, 만약 매판에게 인사를 하는 것이라면 평상복을 입을 수 있고 이처럼 공손할 필요가 없을 것이라고들 했다.
…… 막다른 골목에서 걸어 나오는 중국인을 보게 되었는데, 그 역시 은행 안에 아는 사람이 없었다. 관리는 그에게 다가가 자신은 강남의 관리인데 제대 대인의 명을 받들어 심부름을 와서 외국인을 찾아 한마디를 하고 장부를 좀 보려고 한다고 하였다. 그 사람은 관리라는 말을 듣고는 위아래를 훑어보더니 대답하기를 "외국인은 위층에 있고 한창 바쁘지요. 당신이 그 사람을 만나려고 해도 아마 그 사람이 당신 만날 시간이 없을 겁니다."라고 하였다. 그 때 통역이 뒤따라와서 말했다. "서양사람 만날 필요 없이 당신들 매판선생을 만나는 것도 좋을 겁니다." 그 사람이 말했다. "매판도 바빠요. 당신 무슨 일이에요?" 관리가 말했다. "여(余)씨 성을 가진 도대(道臺, 오늘날의 부성장급)가 당신들 은행 은자를 예금해 놓았는데 그것이 제대로 있는지 알아보려고 하는 거요." 그 사람이 말했다. "저희 쪽에는 여씨 성을 가진 도대 분이 없습니다. 모르겠네요. 저

는 일이 있어서 밖으로 나가야 하니 다른 사람에게 물어보시죠." 그리고는 뒷문으로 나갔다.

…… 생각에 잠겨 있다가 통역이 말하는 소리가 들렸다. "아! 벌써 12시 반이네!" 관리가 말했다. "12시 반이 뭐 어떻다는 거요?" 통역이 말했다. "12시 반이 되면 그 사람들은 갈 거예요." 관리가 말했다. "좋지요. 우리 여기에서 그 사람을 기다리지요. 그 사람은 어떻든 나올 테니까. 나오기를 기다렸다가 따라가서 물어보면 결말이 나지 않겠어요?" 말을 하고 있는데, 많은 사람들이 한꺼번에 쏟아져 나와 뒷문으로 나가는 바람에 누가 매판이고 누가 회계원이고 누가 외근자인지를 알 수가 없었다. 한 무리의 사람들이 나가고 나서 외국인이 한 사람도 눈에 띄지 않는다. 어쩌지? 원래 외국인은 모두 정문으로 나갔기 때문에 관리는 한참을 헛되게 기다렸던 것이다. 사람들이 모두 가고 나서야 쥐 죽은 듯이 조용해졌다.

중국의 한 성급 관리가 상해의 영국은행에서 당초에는 관청에서 왔다고 하면서 허세를 부릴 생각이었지만 체면을 구기는 장면이다. 사실상 관리는 외국은행에서의 사람과 사람 관계를 잘 알지 못했고, 자신이 일하는 관청에서의 상하관계와는 확연히 다르다는 사실을 몰랐다. 데리고 간 호방과 통역은 그의 말을 들을 수밖에 없는 사람들이고 그 외에는 그에게 목소리를 낮출 필요가 없는 사람들이다. 따라서 곤경에 처하는 것은 대부분 그가 세상 물정을 몰랐기 때문이다. 상해의 현대 분위기는 이미 새로워졌고 만청 시기의 상해가 식민지화되어 가는 과정에서 얻어진 과장된 현대성이지만, 견책소설이

■ 20세기 초 상해 외탄(外灘) 모습. 외국은행과 클럽이 새롭게 생겨나는 것을 볼 수 있다.
■ 청나라 말기 상해 시민들이 거리에서 서양에서 들어온 사진을 호기심어린 눈으로 구경하고 있다.

우리에게 폭로하는 것은 관리의 책임이 있는 중국의 관리들이 이처럼 어리숙하고 진부하다는 것이다. 이런 사람들의 통치 아래에서는 중국을 세계 강국의 대열로 이끌 수 없다. 기껏해야 유럽의 가장 선진적인 무기를 사게 해서는 북양 해군의 전멸이라는 결과를 얻을 수 있을 뿐이다. 상해의 관리 사회도 이러하고 전국적으로도 더욱 심하다. 만청소설이 남긴 진실한 디테일은 인식 가치와 문학 가치를 잘 갖추고 있다.

 각주 ....

1) 한상몽인, 『풍월몽』 제3회, 북경사범대학출판사, 1992년판, 14쪽

제7절

신구 교체시기의 남사(南社) 엘리트

■ 1909년 남사(南社)의 1차 모임. 유아자(앞줄 왼쪽에서 세 번째)와 진소남(陳巢南, 거병(去病)), 황빈홍(黃濱虹), 제정장(諸貞壯) 등이 소주(蘇州) 호구(虎丘)의 장동양(張東陽) 사당 앞에서 촬영

남사의 중요성은 이 단체가 지어낸 시가에 있지 않다. 비록 남사의 시가 창작은 신해혁명 이전에 '시계혁명'을 계승하여 봉건 만청의 정치를 뒤엎은 힘을 가진 문학으로서 큰 명성을 얻었지만 말이다. 남사의 중요성은 그 사단 규모의 거대함과 역사의 장구함에 있다. 그것은 이전에는 없던 것들이다. 남사는 당시의 모든 진보 인사들을 받아들여 문학을 뛰어넘는 다방면의 활동에 참여하였다. 남사는 도시의 현대 문화가 발전한 이후 그것이 가져다 준 문학에 대한 충격을 회피하지 않고 반대로 적극적으로 받아들여 출판과 신문 및 교육을 포함하는 각종 사업을 적극적으로 시도하였다. 만청 왕조가 붕괴된 후에 남사는 빠르게 쇠락과 분열의 길을 걸었다. 이는 현대 중국의 직업적 지식인과 작가의 형성 및 변화발전 과정, 그리고 신구 교체의 복잡한 성질을 잘 보여주는 것이다.

남사의 명칭은 '북쪽 조정'에 반대한다는 사상적 경향을 암시하고 있다. 남사는 1903년에 태동하여 이후 의기투합하는 사람들의 빈번한 교류를 거처 상해 · 남경 · 오강(吳江) · 금산(金山)에서 온 대략 19명의 청년시인이 1909년 11월 13일(선통(宣統) 원년 기유 10월 초하루), 소주 호구(虎丘)의 명나라 말 열사 장국유(張國維, 동양(東陽))의 사당에 진거병(陳去病) · 고욱(高旭) · 유아자(柳亞子) 등이 모여 정식으로 발기하며 성립되었다. 호구는 명나라 말에 복사가 숭정(崇禎) 5년(1632)에 수천 명이 모이는 대회를 개최한 바 있어 민족주의를 불러일으키기에 좋은 장소였다. 남사의 초창기 성원들 대부분은 동맹회 회원으로서 반청 색채가 강했음은 두말할 나위가 없다. 유아자(1887~1958)는 당시 22세로서 혈기가 방장했으며, 후에 그는 남사의 '영혼'이 되었다. 그는 시종일관 남사의 조직자이자 지도자였다. 남사의 문학 활동 방식은 기본적으로 전통적이었다. 집회를 하게 되면 술을 마시고 시를 읊조리며 글 솜씨를 겨루고 조례에 관해 토론을 한다. 매년 봄가을 두 차례 개최하는 것으로 규정되어 있었지만 제대로 집행되지는 않았다. 10여 년 동안 18차례 집회가 이루어진 것도 쉬운 일은 아니었다. 또 구성원들의 작품을 발표하는 동인지 『남사총각(南社叢刻)』을 총 22집 출판하였다. 남사에 참여한 성원은 연 인원 천

■ 중년의 유아자
■ 신해혁명 전후의 유아자. 남사 창시자 가운데 한 사람이다.
■ 『남사총각(南社叢刻)』

여 명에 이르렀는데, 조직이 느슨하였다. 시인 중에는 창립인 세 사람을 제외하고 마군무(馬君武) · 영조원(寧調元) · 소만수(蘇曼殊) · 고섭(高燮) · 황마서 · 황절(黃節) 등이 있었고, 선전가로는 우우임(于右任) · 소원충(邵元冲) · 엽초창(葉楚傖) · 대계도(戴季陶) · 소력자(邵力子) 등이 있었다. 학자로는 오매(吳梅) · 황간(黃侃) · 마서륜(馬敍倫) 등이 있었고, 정치가로는 황흥(黃興) · 송교인(宋敎仁) · 왕정위(汪精衛) · 진기미(陳其美) · 추로(鄒魯) 등이 있었다. 1911년 1월의 『남사사우(社友) 통신록』의 통계에 따르면 구성원은 193명이었는데, 대부분은 민국 후에 가입한 사람들이다. 반청이라는 목표

가 사라진 뒤에 남사는 반복벽, '반원세개反袁世凱'의 기치 아래에서 다시 한 시기의 응집력을 모으고 있었다. 1912년에 간행된 『남사통신록』에 실린 구성원은 321명이었고, 1913년에 간행된 『남사성씨록』에는 403명의 성원이 등재되어 있었으며, 1916년에 간행된 『중정重訂 남사성씨록』에는 825명으로 늘어난다. 원세개가 죽고 나서 신문학운동까지 점차 발전하다가 구성원의 복잡성으로 인해 남사는 분화되기 시작했다. 후에 유아자가 『남사기략紀略』을 쓰게 되는데, 거기에 첨부된 『남사사원성씨록姓氏錄』에 기록된 회원은 1,170명에 달하지만 이미 혼잡스러운 상태였다. 남사는 또한 약간의 외곽조직을 가지고 있었다. 1911년 봄·여름 사이에 노신이 소흥紹興에 있던 지부인 '월사越社'에 참여하였는데, 발기인 송자패宋紫佩의 청을 받아들여 『월사총간叢刊』 제1집을 펴내고 『월탁일보越鐸日報』 창간에도 가담한 바가 있다. 하지만 노신과 남사의 관계는 어중간한 입장으로서 노신은 남사의 명사입네 하는 태도를 좋아하지 않았다.

이렇듯 방대한 문인 단체에 대하여 그 지리적 분포를 살펴보는 것은 매우 흥미로운 일이다. 우리는 간단한 도식으로 남사 구성원의 본적 분포와 중국 19개 성의 상황을 표시한 바, 넓게 분포되어 있어서 과거 중국에서 지리적 이유로 문인의 왕래가 단절되었던 두터운 장벽을 뛰어넘었다. 이 자체는 현대 상해의 출현과 관계가 있다. 포천소가 말했던 것처럼, 각 성마다 사람이 있고 그들의 기지는 상해이며 많은 사람들이 상해에 둥지를 틀고 늘 상해를 왕래하는 사람들 있기 때문이다. 또한 중국 각 성 출신의 유학생과 피난민의 주요 집결지였던 동경과도 관련이 있다. 남사 구성원들 중 많은 사람들은 일본에서 활동한 적이 있다. 이는 또 다른 측면에서 만청문학의 중심이 상해와 동경 두 곳이었다는 증거가 된다. 또 다른 점은 인원의 상대적 집중이 사람들에게 깊은 인상을 남겼다는 것이다. 강소상해 포함·절강·광동·호남·안휘·복건·사천 등 7개 성의 남사 회원 숫자는 1,053명에 이를 정도로 많았는데 이 숫자는 나머지 12개 성의 회원 숫자의 10여 배를 넘었다. 이런 상황은 발기인의 출신성과 연관이 있기는 하지만 인재의 불균등성은 중국의 남북 경제, 문화의 불균등으로 인해 초래된 것으로서 하루아침에 벌어진 일은 아니다. 만약 송명 이래 청대, 민국의 신문학 발흥에 이르기까지의 문인_작가_의 흐름을 찬찬히 정리하여 남사의 인재 분포를 그 안에 놓아 보면 학문의 쉼 없는 전승의 필연성을 어렵지 않게 발견할 수 있다. 남사의 성원들은 강절_江浙_로부터 사천_四川_에 이르는 장강 유역과 영남문화구역 내에 집중되어 있는데 이는 후에 신문학 시기에 노신, 모순_절강 출신_과

■ 남사의 또 다른 창시자 진거병

파금, 곽말약_사천 출신_이 출현하는 것과 관계가 깊다고 할 수 있다. 이는 북경 시기의 노신이 어떤 이가 자신에 대해 어디 출신인가를 따지는 바람에 쓰게 된 『나의 '적_籍_'과 '계_系_'』를 떠올리게 한다. 당시 논전을 벌였던 쌍방의 구체적인 상황은 논외로 하더라도 북경대학 국문'계'의 절강_浙江_'적' 인재가 계속 나왔던 것은 사실이다. 1930년대의 좌익 · 경파_京派_ · 해파_海派_ · 시민문학가 중에는 절강 출신 문인이 많았다. 이는 아마도 중국 현대 도시문학이 약해빠진 데로 치우친 원인이기도 할 것이다. 그것은 현대 향토문학과도 달라서 강절호상파_江浙湖湘派_의 정교하게 깎고 다듬는 맛도 있고 동북작가군의 원시적이고 광대함도 있다. 남사 시문의 피눈물을 흘리는 노래는 나라의 백성을 걱정하는 시대적 비애감으로 충만하여 남인들의 흔적을 남겨 놓았다.

남사의 시가는 문학으로 국민들의 지혜를 개발하고 부르주아 혁명을 소리 높여 선전하였다. 말하자면 '시계혁명'을 직접적으로 계승한 것이다. 하지만 구성원들의 사상은 처음부터 이민족 통치 반대, 명말 복사의 풍류 계승으로부터 복벽 반대, 공화 찬성으로 이어져 양계초의 '개량파' 주장보다 진보적이었다. 하지만 여기까지였다. 남사의 작품 중에는 역사 서정시가 많았고, 신해혁명 전에는 송나라 명나라 시기의 악비_岳飛_ · 하완순_夏完淳_ · 장황언_張煌言_ · 사가법_史可法_ · 정성공_鄭成功_ 등을 추모하는 형식을 빌려 현실에서 체험한 분노와 비감을 표현하였다. 황절의 『악분_岳墳_』처럼 침울하면서도 힘 있는 표현도 보인다.

"중원에서 10년 전 사당에 인사를 올리니, 서호에 이르지 않았는데 산은 더욱 푸르고, 한족의 크나큰 위엄이 끊어지려 하니 수많은 병사들의 기세가 여기에 잠들었도다. 저녁이 되어 서하령의 두 무덤에 귀뚜라미 울고, 묘 앞의 찻집에서는 악왕에 대한 이야기 끊이질 않네. 오직 평범한 백성들만 조문을 가니, 예로부터 충성과 분노는 사람을 상하게 하는구나."

신해혁명이라는 거대한 변혁의 물결로 인해 남사 시인들은 기쁨으로 일시에 들뗘, 고욱_{高旭} 같은 이는 다음과 같이 노래하였다.

"술을 마시고 미친 듯이 노래하니 그 소리가 격앙되기 그지없고, 누대에서 모임을 가지고 그 기세가 호방하고 웅장하다(『해상희우태일즉증(海上喜遇太一卽贈)』)."

신해혁명 이후의 퇴보적 현상으로 시인들은 실망하고 당혹해 하였다. 진거병_{陳去病} 같은 이는 "말하기 어려운 일이 있으니 오직 술만 마실 뿐이요, 이 몸 맡길 데가 없으니 홀로 근심만 삼키누나."라는 시를 남겼다 『추감(秋感)』·유아자_{柳亞子}는 젊은 시절에 자신을 '아시아의 루소'라 하였고, 이름을 '인권'으로 자를 '아루'라 할 정도로 젊은이의 기상과 호기를 담아냈다. 『방가_{放歌}』는 정치선언 스타일의 5언시로서 400언에 이른다. 1905년에 『곡위단열사_{哭威丹烈士}』를 지었는데, 그 내용은 다음과 같다.

"흰 무지개가 해를 가리고 영웅은 죽어 이 강산은 인재를 잃고 말았네. 군가(軍歌)가 아닌 만가(輓歌)를 노래하니, 오랑캐의 노래와 춤에 한족 백성들은 슬퍼하네."

1907년에는 『조감호추여사_{弔鑒湖秋女士}』 4수를 지었는데 그 가운데 "강직한 기개로 온몸을 바치니, 그 꽃다운 이름 만방에 떨쳤도다. 숭고한 희생을 조국에 바치니 성난 물결은 오열하며 전당_{錢塘}을 원망하네."의 내용은 추념의 정이 가득하고 복받쳐 오르는 감정이 그려져 있다. 유아자는 남사에서 종당시의 대표적 유파로서 시풍의 화려함을 강조하였다. 그는 또한 신기질_辛棄疾의 사를 높이 받들었고, 그 때문에 이름도 기질로 바꿀 정도였다. 이렇듯 시풍은 화려함과 호방함을 겸비하였다. 남사 내에서 당송시_唐宋詩 논쟁은 그 유래가 오래 되었다. 제1차 호구_虎丘 대회 당시에 당시를 높이 받들던 유아자_柳亞子는 강서시파_江西詩派에 기울어 있던 채수_蔡守 등과 논쟁을 벌였다. 유아자는 말을 더듬는 편이었는데, 논쟁이 격화될수록 말이 나오지 않아 화가 난 나머지 울음을 터뜨리고 말았다. 유아자는 당시를 존중하였는데, 그의 시는 애절하면서도 기세가 보통을 넘었다. 원세개의 복벽을 반대하는 유명한 시 『고분_孤憤』은 그의 풍격을 대표한다.

> 분노는 극에 달아 지축이 무너지고, 깨어있는 눈으로 저 영혼 없는 인간들을 차마 볼 수 있는가
> 신나라를 찬미하기 위해 양웅의 노래를 보이고, 나아가길 권하니 완적의 사가 전해지네
> 어찌 원숭이가 황제가 될 수 있단 말인가? 뜻밖에 썩어빠진 쥐가 시기를 타는구나
> 밤에 갑자기 진이 망하는 꿈을 꾸니, 북벌의 함성 속에 출사를 맹세하네.

남사는 시를 통해 동지들을 모아 혁명의 정서를 불러일으켰고, 또한 가장 큰 특징으로 꼽을 수 있는 것은 구성원 중 많은 사람이 저널리스트였다는 점이다. 당초 그들은 혁명을 선전하기 위해 여론의 도구를 장악할 필요가 있었고, 이에 의해 신문과 정기간행물을 창간하였다. 좋은 기회에 현대 중국의 정기간행물이 발전의 전기를 마련할 무렵에 역사는 그들에게 무대를 제공해 주었다. 학자들에 따르면 정기간행물 사업에 참여한 남사의 인원은 128명이고, 취급한 정기간행물은 40여 종에 이른다. 이는 분명 보수적 숫자이다. 이른바 정기간행물을 꾸린다는 것은 개

■ 유아자의 필적

념상 주편·주필·사장·운영자를 가리키는 것인가, 아니면 그 안에 편집이나 중요한 필진도 포함되어 있는 것일까? 만약 후자라면 훨씬 더 많은 사람들이 추가되어야 한다. 게다가 많은 정기간행물들이 담당자 변동이 빈번했었기 때문에 통계를 정확히 내기에는 어려움이 있다. 몇 가지 자료를 가지고 남사 구성원이 운영한 정기간행물을 도표로 그려보았는데, 다룬 정기간행물만 70종 내외에 이르렀다. 예를 들어 『소보蘇報』의 경우에 본래는 격조가 낮은 일반 신문이었는데, 창간된 지 2년이 지난 1898년에 남사의 주력 회원인 진범陳范이 이어받아 운영하게 되었고 왕문부汪文溥와 유아자가 사설을 맡기로 하였다. 이 신문은 남사 회원들이 활약하고 있던 중국교육회와 애국학사와 서로 의기투합하여 학생운동을 지지하고 반청 언론을 공개적으로 발표하는 등 그 면목을 일신하였다. 1903년에 『소보』는 장병린과 채원배를 투고인으로 초빙하여 일세를 풍미했던 추용鄒容의 『혁명군』과 강유위康有爲를 반박하고 혁명을 고취하는 장병린章炳麟의 글을 실었다. 청 정부는 상해 조계의 공부국工部局과 결탁하여 장병린을 체포하였고, 추용은 자진 출두하여 두 사람은 투옥되었으며 『소보』는 정간되었다. 이것이 근대사에서 널리 알려진 '소보 사건'이다. 도표에서는 또 『강소江蘇』 등 일본 동경에서 창간한 12종의 유학생 정기간행물을 볼 수 있는데, 이 간행물들은 동경에서 출판된 것으로 되어 있지만 사실은 상해에서 편집하여 동경으로 보내 인쇄한 뒤에 국내외에서 발행한 것이었다. 이로부터 남사의 회원들이 일본 유학계에서 어떻게 활약했는가 하는 것을 미루어 볼 수 있다. 섬서 출신의 회원 우우임이 창간한 『신주일보神州日報』와 약칭 '수삼민竪三民'으로 불리는, 즉 신문 앞부분에 '민'자를 수직으로 쓴 세 장의 연관되는 신문의 경력은 만청시대 지식인들이 청 정부를 향해 민족독립 쟁취·언론독립 쟁취를 외치는 축소판이 되었다. 『민호일보民呼日報』는 백성의 간절한 바람을 바탕으로 섬서성과 감숙성의 총독이 해당 지역에서 사람이 서로 잡아먹는 참극을 3년간 보고하지 않은 사실을 세상에 알렸다. 이에 대한 보복으로 우우임은 조계당국에 체포되었고, 출간된 지 100일도 되지 않아 신문은 발행이 정지되었다. 한 달여가 지나서 우우임은 『민우일보民吁日報』를 다시 꾸렸다. '호'를 '우'로 바꾼 것에 대해 후에 많은 설명이 붙었다. 두 눈두 점이 사람들에게 먹힌 것이라는 설이 있고, 인민들이 큰 소리로 외치지를 못하여 흐느낄 뿐이라는 해석이다. 이 당시에 일본은 만주 병탄에 박차를 가하고 있었다. 수상 이등박문은 하얼빈에서 조선의 지사 안중근에게 암살되어 모든 사람들이 기뻐하고 있었다. 하지만 상해의 모든 신문은 일본의 위압에 겁을 먹어 아무 소리도 내지를 못하였다. 오직 『민우일보』만이 평론을 실어 크게 보도하였다. 이렇게 하여 출간된 지 48일 만에 다시 발행 금지되었다. 몇 달이 지나서 다시 『민립보民立報』를 출간했을 때에 판매량이 빠른 시간에 2만 부에 이르러 상해에서 가장 환영받는 신문이 되었다. 이는 남사의 신문 운영 역사상 자랑스러운 한 페이지이다. 이러한 분위기에서 남사의 동인들이 운영하는 신문은 날이 갈수록 많아졌고, 유아자가 사람들 앞에서 다음과 같이 외치기까지에 이르게 되었다. "오늘날 중국은 남사의 천하로다!"

이 밖에 남사 성원들은 신문 운영 등의 새로운 직업을 통하여, 또 스스로 새로운 시대의 직업 지식인으로 변하기 위하여 광활한 미래를 개척하였다. 청 정부가 어쩔 수 없이 과거제도 철폐를 선포한 것이 1905년이다. 몇 년 뒤에 남사의 회원인 문인들은 본래 공명을 혐오하던 이들이었는데, 이제 그들은 더욱 굳건한 결심으로 과거를 통한 관리가 되는 길을 완전히 벗어나 상해에 모여들어 정기간행물 사업에 뛰어들고 책방을 열었으며 학교를 열고 사업을 시작하고 당을 만들었다. 구체적으로는 편집인·기자·교원·투고인·투자자·정치가가 되어 새로운 생계수단을 만들어낸 것이다. 비록 이 중에는 새로운 사회경제 관계의 속박을 받는 이도 있었다. 하지만 과거와 비교해 보면 그들 인격의 독립적 지위는 대대적으로 증진되었고, 그들의 사상언론은 크게 넓어졌다. 정기간행물이 주로 기댄 곳은 시장, 즉 시민대중이었기 때문에 우우임이 운영했던 성공의 경험을 보고 어떻게 해야 독립적인 발언의 힘을 강화시킬 수 있는가를 알 수 있고, 그리고 그가 이루어낸 업적을 보면 남사의 회원들이 신문을 운영했던 여러 측면에서의 의미를 느낄 수 있다.

- 남사 회원이자 경보(京報)의 유명한 저널리스트 소표평(邵飄萍). 1926년 봉천(奉天) 군벌에 의해 총살당함.
- 경보관(京報館) 정문. 스스로를 지키는 듯하다.
- 1928년 북경 하사가(下斜街)의 전절회관(全浙會館)에서 피살당한 소표평과 임백수를 위한 추도회를 거행하고 있다.

이렇게 남사가 일류 신문인들을 끊임없이 배출해낸 것은 조금도 이상한 일이 아니다. 그들 중에는 우우임을 제외하고 엽초창 · 소력자 · 임백수林白水 · 소표평邵飄萍 · 성사아成舍我 등이 있다. 소표평과 임백수는 1926년을 전후로 신문 보도의 자유를 견지하다가 봉계奉系 군벌에게 살해되었다. 그들이 죽음을 당한 지 3개월이 지나 당시 사람들이 그들을 추도하는 글을 지었는데, 그 중에 "청평백수백일봉青萍白水百日逢"[1]이라는 침통한 구절이 있다.

　　남사 회원 중에는 이후에 '원앙호접파'로 불리는 많은 작가들이 있다. 이는 이 문학단체의 정치성 외에도 매우 강한 시장 민감성과 관련이 있다. 신문운영의 경험은 이 문인들로 하여금 도시 시민의 독서 수요와 감상 취미를 알게 하였다. 소설이 현대 정기간행물에서 나름대로의 특별한 위치를 차지한 후 그들은 신구 문학 교체의 시대에 장회소설을 아래로 뻗어나가는 창작의 책략으로 선택하였다. 민국 이후에는 이 유파 문학의 전성기를 이루게 된다. 남사의 원앙호접파 작가 가운데 비교적 이른 시기에 가입한 사람으로서 포천소包天笑는 104호, 주수견周瘦鵑은 508호, 주계생周桂笙은 965호였다. 그 밖에 유명한 사람으로는 서침아徐枕亞 · 왕서신王西神 · 왕둔근王鈍根 · 범연교范烟橋 · 엽초창 · 조초광趙苕狂 등이 있다. 원앙호접파의 이들 중견 작가들은 동시에 현대 정기 간행물 또는 신문의 문학부간의 편집인들이기도 했는데, 이 방면의 선구자들이었다.

남사는 1923년에 『남사총각』이 마지막 호를 낸 후에 해체되었다. 표면상 내부적 분쟁에서 비롯되었다고는 하지만 실제로는 신구문학의 중간에 처하여 신구문학이 교체하는 시대에 대부분의 회원들이 변혁을 따라가지 못하는 바람에 도태되는 수밖에 없었다. 황제 제도를 철저하게 반대했다는 측면에서 보면 남사는 혁명적이다. 예를 들어 5·4 시각에서 살펴보면 시종일관 구문학의 입장을 지켜왔다. 유아자와 주원추朱鴛雛는 당송시에 관한 논쟁을 벌였고, 그 화는 주원추의 관점에 찬성한 성사아에게까지 미쳤다. 유아자는 구파 가운데의 다른 시론조차도 용인할 수가 없어 가부장식으로 주원추와 성사아 두 사람을 모두 내보냈고, 남사 내의 대격동을 일으켰다. 후에 유아자는 깊이 자책하였지만 이미 엎질러진 물이었다. 남사에는 구미유학의 경험이 있는 새로운 지식인이자 공자 비판의 선봉장 오우吳虞 같은 인물도 있었으나 많은 문인들은 여전히 구식 테두리 내에서 생활하고 있었고, 신문화운동과 갈등을 빚고 있었다. 발기인 가운데 한 사람인 고욱은 신해혁명 후에 원세개에 대한 반대가 비교적 강력했지만 조곤曹錕의 뇌물공세를 받은 이후에 '돼지의원'이 되어 이름을 더럽혔다. 남사에는 이런 '돼지의원'이 10여 명에 이르렀다. 어떤 회원은 '동광체同光體' 시인으로 후퇴하여 남사 내의 분열을 일으키기도 하였다. 이후에 유아자 등은 퇴락하는 형세를 되돌리기 위하여 '신新 남사' 건립을 추진하여 선언을 발표하고, 조례를 제정하는 등 몸부림을 쳤지만

■ 1912년 남사의 북경 모임. 황극강(黃克强, 흥(興)), 진영사(陳英士), 엽초륜(葉楚倫), 진도유(陳陶遺) 등이 참가.
■ 남사의 장사(長沙) 모임. 1916년 촬영.

남사를 계승하기에는 역부족이었다. '5·4'현대문화운동은 감별에 있어서 엄격한 척도가 되었다. 빠른 속도로 달리는 열차가 급회전할 때 떨어지는 나오는 사람이 나올 수밖에 없는 것처럼 말이다. 이러한 엄격성은 비록 오늘날 재인식할 수는 있지만 결국 역사적 사실이다.

남사의 간행물

발행인	명칭	연도	장소
진범(陳范)	소보(蘇報)	1898	상해
등추매(鄧秋枚), 황절(黃節)	정예통보(政藝通報)	1902	상해
진거병	강서(江蘇)	1903	동경
유성우(劉成禺)	호북학생계(湖北學生界)	1903	동경
황흥(黃興)	유학역편(游學譯編)	1903	동경
임백수	중국백화보(中國白話報)	1903	상해
진거병, 소만수	국민일일보(國民日日報)	1903	상해
고욱	각민(覺民)	1903	송강
임해, 유사배	경종일보(警鐘日報)	1904	상해
진거병	20세기 대무대	1904	상해
포천소, 소표평	시보(時報)	1904	상해
고욱, 진거병	성사(醒獅)	1905	동경
황절, 등추매	국수학보(國粹學報)	1905	상해
왕정위	민보	1905	동경
유아자	자치보	1906	동경
이근원(李根源), 여지이(呂志伊)	운남(雲南)	1906	동경
진가정(陳家鼎), 영조원(寧調元)	동정파(洞庭波)	1906	동경
뇌철애(雷鐵崖)	견성(鵑聲)	1906	동경
포천소	『시보(時報)』와 부간	1906	상해
부부(傅專)	경업순보(競業旬報)	1906	상해
경정성(景定成), 경요월(景耀月)	진승(晉乘)	1907	동경
우우임	신주일보(神州日報)	1907	상해
조세옥(趙世鈺)	하성(夏聲)	1908	동경

여지이	광화일보(光華日報)	1908	앙광
왕정위, 뇌철애	광화일보(光華日報)		페낭
우우임	민호일보	1909	
우우임, 경요월	민우일보	1909	상해
영조원	제국일보	1909	상해
뇌철애	월보(越報)	1909	북경
포천소	소설시보	1909	상해
우우임	민립보	1910	상해
진거병, 유아자	남사총각	1910	상해
왕온장	소설월보	1910	상해
진기미, 뇌철애	민성총보(民聲叢報)	1910	상해
진기미, 진거병	중국공보(中國公報)	1910	상해
이숙동, 대계도	천탁보(天鐸報)	1910	상해
이계직(李季直)	극복학보(克復學報)	1911	상해
당군영(唐群英)(여)	유일여학회잡지(留日女學會雜誌)	1911	동경
경정성, 전동(田桐)	국풍일보(國風日報)	1911	북경
전동, 경정성	국광신문(國光新聞)	1911	북경
소표평	한민일보(漢民日報)	1911	항주
주수견, 왕둔근	신보 『자유담』	1911	상해
경정성, 경요월	진양백화보(晉陽白話報)		태원
노악생(盧諤生), 심후자(沈厚慈)	군보(群報)		광주
사영백(謝英伯)	시사화보(時事畵報)		광주
사영백	동방보(東方報)		광주
사영백	토원보(討袁報)		광주
서랑서(徐郎西)	생활일보		
진거병, 송자패(宋紫佩)	월사총간(越社叢刊)	1912	소흥
엽초륜, 요우평(姚雨平)	태평양보(太平洋報)	1912	상해
등가언(鄧家彦)	중화민보	1912	상해
대계도	민권보	1912	상해
왕욱초(汪旭初)	대공화일보	1912	상해
소원충(邵元冲), 진천경(陳泉卿)	민국신문	1912	상해

송교인(宋敎仁)	아동신보(亞東新報)		
구량(仇亮)	민주보		
부부	장사일보(長沙日報)		장사
서침아	소설총보	1914	상해
왕둔근, 주수견	예배륙	1914	상해
요원추	칠양(七襄)	1914	상해
포천소	소설대관(小說大觀)	1915	상해
소력자, 엽초륜	민국일보	1916	상해
요원추	춘성(春聲)	1916	상해

 각주 ●●●●●●●●●●●●●●●●●●●●●●●●●●●●●●●●●●●●●●●

1) 청평은 소표평을 말하고 백수는 임백수를 말한다. 두 사람 모두 '적화 선전'의 죄목으로 봉계군벌에게
   살해당했다. 소표평이 1926년 4월 24일에 죽고, 임백수가 같은 해 8월 6일에 죽음을 당해 결과적으로
   100일 간격으로 살해당하였는데, 시 구절에서의 '100일'은 이를 말한다.(역자의 주)

제8절

소주 양주에서 상해로: 원앙호접파 문학

원앙호접파 문학이 최초로 생겨난 것은 만청과 민국의 교체시기이고 발생 장소는 상해이다. 하지만 초기의 구성원들은 대부분 본적이 소주, 양주 또는 부근의 강남 지역이거나 오래 전에 상해로 옮겨와 살던 문인들이다. 만약 원 앙호접파 작가들의 본적과 정착지와 대표작에서 다루어진 도시의 지도를 거론해 보면 다음과 같은 점을 실증할 수 있을 것이다. 서침아(徐枕亞)는 상숙(常熟) 사람인데, 그의 작품이자 원앙호접파의 최초 작품이라 일컬어지는 『옥리혼(玉梨魂)』에서 그려낸 것은 무석(無錫)의 이야기이다. 오쌍열(吳雙熱)도 상숙 출신인데, 그는 『얼원경(孽冤鏡)』에서 상숙과 함께 소주를 그려냈다. 이정이(李定夷)는 본적이 상주(常州)인데, 『운옥원(霣玉怨)』에 등장하는 사람과 이야기는 주로 상해와 소주 중심으로 이루어진다. 이함추(李涵秋)는 양주 사람인데, 백만 자 편폭의 『광릉조(廣陵潮)』는 30년간에 걸친 양주의 역사적 변고를 다루고 있다. 필의홍(畢倚虹)의 본적은 남경 부근의 의징(儀徵)인데, 어려서 아버지를 따라 항주에서 성장하였다. 그가 쓴 『인간지옥』에서는 상해 기원이 그려지고 있다. 주수국(朱瘦菊)은 어려서부터 상해에서 성장하였는데, 『헐포조(歇浦潮)』에서 묘사한 것은 상해의 흑막 비사이다. 주수견은 본적이 오현(吳縣)으로 소

- 서침아의 『옥리혼』 1915년 판본
- 이함추(李涵秋)의 『광릉조(廣陵潮)』 제1집 표지는 유구한 역사를 가진 중국의 상업도시 양주(揚州)를 묘사하였다.

주 사람이나 마찬가지인데, 상해에서 태어났다. 그는 처음에는 번역에 치중하여 그가 펴낸 『구미명가名家단편소설총각叢刻』 3권본은 노신의 칭찬과 함께 통속교육연구회의 명의로 교육부에 추천을 받기도 하였다. 포천소 역시 본적이 오현인데, 그의 장편소설 『상해춘추』 · 『보과補過』는 모두 그에게 익숙한 상해를 그리고 있다. 이 당시의 상해에서 문화 소비를 이끄는 광동로廣東路와 복주로福州路 일대는 이미 협사소설의 '작은 소주'로 나아간 시기이다. 뚜렷한 현대적 특징을 가진 시민사회가 상해에서 형성되었고, 소주는 점차 '작은 상해'로 바뀌고 있었다. 상해 기녀는 반드시 소동파와 백거이 시를 읊을 줄 알아야 한다는 시대는 이미 지나가 버리고 말았다. 소주와 양주는 흘러서 지나가고 있는 고전 도시에 대한 상해의 기억이 되고 말았다. 소주와 양주에서 옮겨 심은 원앙호접파는 상해에서 뿌리를 내렸고, 커다란 우세 속에 상해의 시민 독서시장을 차지하였다. 이것은 원앙호접파를 이해하는 주요 포인트이다. 강남문화의 부드러움과 정교함은 감정 표현에 적당하고 그것이 상해 근대문화의 상업성과 소비성 및 현대성과 시민의 일상적인 세속의식과 만나게 되면 원앙호접파의 품질이 결정되는 것이다.

'원앙호접파'라는 호칭은 『화월흔』 · 『구미귀』 · 『운옥원』 등의 책에서 보인다. 이른바 "서른여섯 쌍의 원앙은 생사를 같이 하고, 한 쌍의 나비는 가련한 벌레로다三十六鴛鴦同命鳥, 一雙蝴蝶可憐蟲."라는 한 구절의 시로 재자가인 사이의 구구절절한 사연들을 그려낸다. 비교적 이르게 '원앙호접'을 써서 원앙이 울고 나비가 나는 이러한 언정言情문학파를 부른 것은 5 · 4전야의 신문학 작가들이었다. 주작인은 1918년 이런 종류의 소설을 '원앙호접체'라 하였고 전현동은 '원앙호접체 소설'이라 하였으며, 이후로는 보편적으로 받아들여졌다. 하지만 이 유파 작가들의 대부분은 불복하거나 제대로 이해하지를 못했다. 이 유파의 작품들은 나중에 사회에서 간단하게 '음란함을 가르친다'라든가 '지나친 사랑'이니 하는 말들로 매도되었고, 이로 인해 많은 원앙호접파 문인들의 반역 심리가 만들어졌던 것이다. 만약 당시에 '구파 시민문학'이라 이름 붙였다면 훨씬 더 많이 받아들여졌을 것이다.

하지만 이 유파가 청말 문학의 무대에 등장했을 때에는 옛것이라 말하기는 어려웠다. 심지어 어느 정도의 새것이라고 말할 수 있을 정도였다. 원앙호접파는 향토를 그리지 않았다. 그들이 그려낸 것은 몰락하고 있지만 여전히 화려함을 누리고 있는, 그러면서도 충격을 받기 시작한 전통 도시와 날로 달라지는 현대 대도시였다. 소주와 양주의 이야기와 상해의 이야기는 이 당시에 번갈아가며 존재하였다. 원앙호접파는 진정으로 현대 제1기 도시문학이었다. 이 유파의 작품은 모두 현대적 대중매체에 발표되었다. 각종 신문과 잡지, 게다가 대부분은 원앙호접파 작가 자신이 편집하는 새로운 형태의 정기 간행물들이 그것이었다. 가장 의미가 있는 것은 이들 문인들이 결코 완고하지 않았다는 사실이다. 전통적인 가치관은 이미 그들 속에서 해체되기 시작했고, 비록 새로운 관념이 그들 입장에서 낯설기는 하였지만 그들은 최선을 다해서 이해하려고 노력했다. 『광릉조』가 처음 한구漢口의 『공론신보公論新報』에 매일 연재될 당시 원래 제목은 『과도경過渡鏡』이었는데, 이것은 매우 재미있는 제목이다. 원앙호접파 문인들이 자신들이 처한 시대가 신구 과도의 시대라는 것을 이해했고, 자신들이 이 과도기를 지나고 있는 당사자라는 것을 알고 있었다는 뜻이다.

기생을 끼고 술을 마시고 신문을 편집하고 발행하는 동시에 몇몇 간행물에 소설을 연재하며, 바쁠 때에는 인쇄소에서 번갯불에 콩 볶아 먹듯이 글을 써내기도 하는 것이 원앙호접파 작가들의 생활방식이자 작업태도이다. '혁명화상和尚' 소만수도 예외는 아니었다. 그래서 어떤 사람이 소만수의 소설은 원앙호접파 슬픈 사랑 소설의 원류라고 했던 것도 허무맹랑한 이야기는 아니다 진독수는 소만수가 신문학의 기초를 놓았다고 했는데, 이 또한 문학사가들이 주목해야 할 말이다. 아래 인용한 『인간지옥』에 나오는 묘사는 사실 작가인 필의홍의 자전적 이야기로서 작품에 등장하는 가련손_{柯蓮孫}의 원형이 필의홍이고, 소현만_{蘇玄曼}의 원형이 소만수이다. 소만수는 화류계에 막 입문한 필의홍에게 상해 삼마로_{三馬路}의 어린 기생 악제_{樂第}를 소개해준 바가 있다. 악제는 작품에서 기녀 추파_{秋波}의 원형이다.

> 서오와 연손이 현만의 말을 듣고 밖을 보니 정말 열 서넛 된 얌전하고 아리따운 여자아이가 보였는데, 얼굴에는 미소를 머금고 있었다. 그 미소에는 도도함과 부끄러움이 묻은 채로 걸어왔다. 맑고 영롱한 눈빛으로 좌중을 한번 둘러보더니 사뿐사뿐 걸음을 옮겨 현만 곁에 앉으면서 소로라고 불렀다. 현만이 웃으면서 말했다. "너는 어찌 하여 나를 소로라고 부르는 게냐?" 추파가 급하게 미소를 지으며 말했다. "제가 또 잊었네요. 화…상." 현만도 웃으면서 대답했다. …… 말하면서 건너편에 앉아있는 가련손을 가리키며 말했다. "추파야 보거라. 가련손처럼 이렇게 멋진 사람들은 즐겁게 놀아야지 우리같이 스님처럼 딱딱하게 굴어서는 안 되느니라." 추파가 소현만의 이 말을 듣고는 가련손을 뚫어져라 쳐다본다. 그 때 가련손도 눈길을 피하지 않고 추파의 모습을 살펴본다. 눈길이 서로 마주치자 가련손은 갑자기 추파가 너무 아름다워 사람들이 똑바로 쳐다볼 수 없을 정도라고 느낀다. 추파 또한 가련손이 독보적일 정도로 준수한 사람임을 알게 된다. 추파는 자신도 모르게 얼굴이 붉어지며 소현만의 어깨를 가볍게 치면서 말했다. "나으리는 스님이면서 다른 사람 일에 참견하시는데, 나으리가 어찌 다른 사람 생각을 아신단 말이세요?" 소현만이 급하게 말했다. "아, 정말 이상도 하지. 너와 가련손은 아무런 인연도 없는 마당에, 가련손이 아무 말도 하지 않는데 어째서 너는 이렇게 그 사람 편을 드는 건지 알 수가 없구나." 가련손이 말을 가로채며 "그걸 일컬어 불평이 있으면 말을 한다고 하는 게지."라고 하였다.

인용을 통해 원앙호접파 작가들이 남녀 간의 사랑이야기를 써나가는 창작 풍격을 확인할 수 있고, 아울러 당시 기생들을 끼고 술을 마시는 문인들의 모습을 간략하게나마 알 수 있다. 소주와 양주 인근의 강남 도시들은 물질생활과 문화생활이 송대로부터 청대에 이르기까지 발달하여, 주점 · 찻집 · 희원 · 책방에서의 소비가 이미 활발하게 이루어지고 있었다. 부자들의 소비는 훨씬 더 고급스러웠고, 평민들은 그 아래 머물 정도였지만 소비를 안 한 것은 아니다. 이것이 강남의 문화전통이다. 현재 상해의 발전은 더 큰 규모의 상해 시민계층의 문화수요에 의해 이루어지고 있다. 시민들은 한담이 필요하고 한가롭게 책을 보려 하며 보다 많은 공공 사교장소를 원한다. 일찍이 백성의 지력을 개발하고 유신번법에 복무한다 높이 떠받들어졌던 소설이 좌절의 길을 걷자, 상해 사마로에 있던 개조된

■ 사마로에서 기생을 끼고 술을 마시는 것은 청나라 말기 상해라는 소비 공간에서 가장 흔하게 볼 수 있는 사교방식이었다.

전통찻집 청련각과 흥청망청하는 분위기 속에서 성장했던 서양식당 일품향은 신구 혼합의 문화조류를 선도하였다. 원앙호접파 문인들은 유행을 선도해 나갔고, 화류계에서 질탕하게 노는가 하면 시정잡배나 온갖 종류의 사람들에 대해서 잘 알기도 하였다. 그런가 하면 공개적으로 경세치국이나 문이재도의 문학 도리를 버리고 문학의 소비와 유희목적을 기치로 내걸었다. 이것이 바로 훗날 크게 명성을 얻게 되는 원앙호접파의 간행물이자 신해혁명 전후 100기를 출판한 『토요일』이다. 『토요일』의 편집자 겸 소설가인 왕둔근은 「『토요일』 출판선언」에서 질문에 답하는 형식으로 당당하게 말하고 있다.

어떤 사람은 또 이렇게 말한다. "토요일 오후에 즐거운 일이 많은데, 어찌 연극 보러 극장을 가거나 술 마시러 술집에 가거나 유흥가에 가고 싶지 않겠는가. 그 누가 혼자 심심하게 당신의 소설을 사서 읽겠는가!" 나는 말한다. "그렇지 않다! 유흥가에 가려면 돈이 들고, 술을 마시면 위생에 좋지 않으며 연극 구경은 소란스럽기 이를 데가 없으니 소설을 읽는 것만큼 절약하고 안락한 것이 없다. 또 유흥가에 가고 술을 마시고 연극을 보고 하는 것은 그 즐거움이 순식간에 사라져 버려서 내일 아침까지 이어지지를 않는다. 소설을 읽으면 잔돈푼을 가지고도 신기한 소설 수십 편을 바꿀 수 있고, 놀다 지쳐 서재에 돌아와서 등을 밝히고 책을 펴면 때로는 친한 벗과 평론도 하고 때로는 사랑하는 부인과 어깨동무하고 읽으면 재미가 이루 말할 수 없으니 그 나머지는 두었다가 내일 읽어도 좋을 것이다. 빛이 창에 비추고 꽃향기가 스며들어오며 손에 한 권 들고 있

으면 온갖 근심을 잊을 수 있으니 한 주간의 피로가 가시고 하루를 편안하게 보낼 수 있으니 이 얼마나 즐거운 일이 아닌가! 옛사람 중에는 유흥가 출입을 좋아하지 않고 술을 좋아하지 않고 연극보기를 좋아하지 않는 이가 있었지만 소설 읽기를 좋아하지 않는 이는 없었다. 하물며 소설의 간편함과 재미가 『토요일』을 따라올 것이 있겠는가?"

"손에 한 권 들고 있으면 온갖 근심을 잊을 수 있으니 한 주간의 피로가 가시고 하루를 편안하게 보낼 수 있으니 이 얼마나 즐거운 일이 아닌가!"라는 말은 원앙호접파 소설의 오락 소비의 기능을 정확하게 지적해낸 말이다. 이 선언에서 정기간행물과 문학이 인연을 맺는 원앙호접파 작가들의 자각적인 인식을 볼 수 있다. '절약하고 안락하며, 간편함과 재미'는 거침없이 지속되어 '토요일소설'을 읽는 것이 다른 오락을 하는 것보다 훨씬 더 좋다는 사실을 지적해낸 말이다. 이런 장점은 정기간행물을 매개로 하여 이루어졌다. 청말민초에 특수한 조건으로 인해 정기간행물에 기대는 원앙호접파 소설이 유행하였다. 어떤 사람의 회고에 따르면, "당시 정기간행물을 운영하는 것은 매우 쉬웠는데, 첫째, 등록이 필요 없고, 둘째, 종이 값이 저렴했으며, 셋째, 우편이 편리해서 전국으로 뻗어갈 수 있었고, 넷째, 원고 구하기도 어렵지 않아 원고료도 매우 쌌던 관계로 정말이지 출판계의 황금시대였다."고 한다.

원앙호접파 소설이 실린 정기간행물의 전파 범위는 매우 넓었다. 전문적인 소설 간행물로는 다음과 같은 것들이 있다. 진경한陳景韓과 포천소의 『소설시보小說時報』 1909, 왕온장王蘊章·운철초惲鐵樵의 전기『소설월보』 1910, 유철랭劉鐵泠·장저초蔣箸超의 『민권소民權素』 1914, 서침아·오쌍열의 『소설총보小說叢報』 1914, 고검화高劍華의

- 『토요일』 100기 표지
- 『토요일』 창간호에 실린 왕둔근의 출판췌언
- 『토요일』 편집자 왕둔근 부부

『미어眉語』1914, 왕둔근·주수견의 『토요일』1914, 이정이의 『소설신보』1915, 포천소의 『소설대관小說大觀』1915, 포천소의 『소설화보小說畵報』1917, 서침아의 『소설계보小說季報』1918 등이 그것이다. 이 정기간행물들은 모두 이름을 크게 날린 문학의 대본부로서 많은 유명 소설가들을 불러 모았는데, 모두 30여종에 이르렀다. 도시의 소규모 신문 또한 이 무렵 생겨났다. 많은 발행부수를 자랑하던 상해소보는 견책소설가들이 창간하여 운영하다가 원앙호접파 소설가들이 뒤를 이었다. 공인된 최초의 소보는 이백원의 『유희보遊戲報』와 『세계번화보』가 있고, 후에 손옥성의 『채풍보采風報』와 『소림보笑林報』·서침아의 『소설일보小說日報』·주수견의 『선시낙원일보先施樂園日報』가 생겨났으며, 5·4 전야에 이르러 여대웅余大雄과 포천소가 창간하여 운영한 『정보晶報』 등이 이름을 알렸다. 이 간행물들에 실린 작품들은 기본적으로 원앙호접파 작가들의 작품이었다. 다만 소보小報는 제멋대로 나왔다가 없어지곤 하여 후세 사람들은 그 진면목을 알기가 어려울 뿐이다. 하지만 당시 시민 독자들에게 있어서 이 간행물들은 간식처럼 소화하기 쉬운 읽을거리였다. 그리고 대보大報 역시 그 지위가 뚜렷하고 발행역사가 오래 되어 그 문화적 영향력을 무시할 수 없다. 원앙호접파의 역량 또한 감당하기에 충분했다. 『신보申報』 '자유담'은 20년간 왕둔근·오각미吳覺迷·진접선陳蝶仙·진경한·주수견의 수중에 있었다. 엄독학嚴獨鶴은 『신문보新聞報』 '쾌활림快活林'을 담당했고, 포천소가 편집한 『시보時報』의 '여흥餘興'은 널리 알려졌다. 원앙호접파가 장악한 간행물을 보면 그들의 독자가 얼마나 많은지를 알 수 있다. 간행물은 원앙호접파의 소설을 전파하였고, 이 소설들

- 최초의 원앙호접파 간행물 『민권소(民權素)』 창간호
- 포천소가 운영한 소설잡지 『소설대관(小說大觀)』. 1915년 상해에서 창간
- 이백원이 1897년 6월에 창간한 『유희보(游戲報)』 제12호
- 『유희보』에 비해 조금 늦게 고태치(高太痴)가 펴낸 『소한보(消閑報)』 제1호

은 간행물 독자들의 문화적 심미수요에 영합하기 위해서 필연적으로 이야기의 도덕적 함의와 서술의 우여곡절, 그리고 시민의 취미 측면에서 갖가지 조정을 할 수 밖에 없었다.

이 시기의 원앙호접파 소설에는 주로 애정·사회·탐정 등의 세 가지 종류가 있다. 탐정소설은 청말민초에 영국의 '셜록홈즈 탐정소설집'을 번역하는 단계에 머물러 있다가 정소청程小靑의 '곽상霍桑 탐소설집'의 시리즈 작품이 1919년에야 발표되었다. 이런 종류의 소설과 옛날 공안소설과의 구별은 명확하다. 예를 들어 공안소설이 봉건적 틀에서의 미신과 인과응보를 선전했다면, 탐정소설은 과학적으로 증거를 취하여 의혹을 없앤다. 상대적으로 잘 만들어진 중국식 탐정 스토리와 탐정의 이미지는 무협소설에 등장하는 그럴듯한 협객의 이미지와 마찬가지로 1920년대 중반에 가서야 출현한다. 따라서 이 당시의 원앙호접파를 언급하게 되면 애정과 사회소설을 대상으로 하게 된다. 애정소설의 대표작으로는 『옥리혼』·『얼원경』·『운옥원』이 있고, 사회소설의 대표작으로는 『광릉조』·『혈포조』·『인간지옥』, 그리고 평강불초생平江不肖生의 『유동외사留東外史』 등이 있다. 두 종류의 소설은 청 말의 협사소설과 견책소설의 폭로를 이어받아 개조 발전시킨 것이다.

서침아의 『옥리혼』은 슬픈 사랑의 선례를 남겨 놓았다. 1912년에 상해의 『민권보』에 연재되기 시작『민권소』는 부간으로 후에 독립함했는데, 그 명성이 자자하여 당시 단행본으로서는 천문학적 숫자인 수십만 권을 발행하였다. 스토리는 소주의 재자 하몽하가 무석에서 글을 가르치다가 얼마 전 과부가 된 숙소 주인의 며느리 백리영과 사랑에 빠지지만 사회와 자기 자신의 예법관념의 속박으로 말미암아 두 사람 모두 목숨을 잃게 되는 비극을 그리고 있다. 작품에는 진부한 도덕적 가르침이 많이 등장한다. 이른바 '정으로 시작하여 예의에서 그친다'는 것이 이 남녀의 애정을 압살한 것이다. 하지만 전체 스토리는 젊은 남자와 과부 간에 발생한 미묘한 사랑의 감정을 동정하는 입장에 서서 유한한 자유의식을 가지고, 애정의 가치에 대해 인정한 것은 모두 원앙호접파 소설의 진보적 요소와 낙후성이 병존하고 있음을 보여준다. 그 밖의 원앙호접파 애정소설은 모두 이를 계승하여 이 작품은 하나의 모델이 되었다. 이 밖에 비교적 특이한 것은 『옥리혼』이 사륙변려문체로 쓰여 당시의 문인 독자들 입장에서는 입맛에 맞았다는 점이다(신식학교 교육을 통해 길러진 1세대 시민독자들은 이 당시 아직 적은 수에 불과하였다). 하지만 읽기가 어렵지 않았고, 전고를 적게 사용하여 비교적 유창하게 읽혔다. 백리영이 자신의 심정을 토로하는 부분을 보자.

> "지금 독수공방하면서 스스로 슬퍼하니 거울을 보고도 눈썹손질조차 하지 않고, 베개를 어루만져도 꿈에서도 오지를 않네. 창문 아래에서 눈썹을 그리니 앵무새는 말이 없고, 못가에 그림자 비치니 원앙이 나를 속였구나. 이 안에서 재미를 찾으니 실로 난감하도다."

이 글은 당시 반문반백의 조류에 부합하여 매우 부드럽게 읽을 수 있었다. 더욱 중요한 것은 『옥리혼』의 원래 이야기에는 작가 자신의 감정 체험과 생활경험이 담겨 있다는 것이다. 서침아는 하몽하와 거의 비슷한 경험을 하였다. 자신과 자신이 가르치던 학생의 홀어머니는 시가 적힌 편지를 통해 애정을 표현했지만 결국에는 이 여인의 제안대로 학생의 고모와 결혼하였다. 결혼 뒤에 부부 사이는 좋았지만 서침아의 모친이 며느리를 학대하는 바람에 어쩔 수 없이 이혼을 했다가 다시 비밀리에 동거를 하였다. 이렇게 서침아의 부인은 우울한 심정 속에 살다가 세상을 떠났고, 서침아는 세상을 떠난 처를 그리며 『읍주사_{泣珠詞}』 100수를 지어 애도하였다. 『옥리혼』과 이 작품이 훗날 청 말 최후의 장원 유춘림_{劉春霖}의 딸 유원영_{劉沅潁}을 감동시킬 줄은 누구도 예상하지 못했다. 유원영은 아버지의 반대를 무릅쓰고 자신보다 10여 살이 더 많은 서침아와 결혼하겠다고 고집을 부렸고, 이는 『옥리혼』의 후속 스토리가 되었다. 원앙호접파 작가 가운데 비극적 애정을 쓴 또 한 사람의 작가는 주수견으로, 그는 청년시절 상해의 무본_{務本} 여자학교 학생과 사랑에 빠진 적이 있다. 하지만 여학생의 부모의 반대로 헤어지게 되었는데, 이 경험은 후에 주수견이 평생 동안 창작을 하는 데 있어서 잠재적인 요인이 되었다. 그는 연인 주음평을 기념하기 위해 그녀의 영어 이름 'violet' 즉 자라난_紫羅蘭_을 자신이 편집하는 간행물이나 창작하는 소설의 제목으로 썼다. 이를 통해 원앙호접파의 애정소설 중에 훌륭한 작품은 병 없이 신음만 한 것이 아니라는 사실을 알 수 있다. 사실 기록을 기초로 하여 개인의 감정체험을 녹여 넣는 것은 이 애정 스토리들이 써지고 ,써진 후에 사람들에게 감동을 주는 원인 가운데 하나이다. 물론 그렇다고 독자시장의 수요로 말미암아 수없이 많은 애정류 소설의 잡다한 작품들의 단점들이 덮어지는 것은 아니다.

사회소설의 대표작은 '조류_조. 潮_' 글자로 이루어진 두 작품이다. 이함추의 『광릉조』와 주수국_朱瘦菊_의 『헐포조』가 그것이다. 상당한 편폭의 장회소설 중에서 『광릉조』는 인물과 구성이 탄탄한 작품이다. 작품은 양주를 배경으로 하여 운린_雲麟_·숙의_淑儀_·홍주_紅珠_ 세 사람의 애정과 결혼에 얽힌 갈등을 실마리로, 영국군이 진강_鎭江_을 점령하는 것으로부터 민국의 각종 흑막이 드러나기까지의 과정을 그려내고 있다. 인물에는 탐관오리·유림의 악당들·시정의 건달들이 포함되어 있고, 그 중에 부르주아계급의 혁명당원 부옥만이 비교적 생동감 넘치게 그려지고 있다. 주인공을 통해 작가의 자서전적 색채가 짙게 드러나는데, 개인의 신세와 도시의 변화, 그리고 역사 속의 소문과 숨은 이야기들이 긴밀하게 결합되어 있다. 제57회 1절에서 신해혁명 정극 가운데 익살극에서는 망구자_網狗子, 별명 황천패(黃天覇)_라 불리는 건달이 어떻게 양주를 되찾는가 하는 장면이 나오는데 매우 생동감 넘친다.

이 날이 마침 9월 17일, 아직 날은 밝지 않았고, 어떤 이가 진강의 혁명당 소식을 전하는데, 양주를 해방시키려고 사람을 보냈다는 거야. 진상을 파악하지 않고 군중심리로 따라한다는 말이 있거든. 25개 지구의 지역장들이 각 구의 사람들을 불러 모아 도열시켜 놓고 혁명당의 행차를 공손하게 맞이하라고 했다는 것이야 ……

한창 무료하던 차에 큰길에서 몇 사람이 날듯이 뛰어오더니 손에 든 등롱을 사람들에게 하나씩 내밀고는 크게 소리를 지르는 거야. "환영합니다! 환영합니다! 혁명군이 남문성 밖에서 성안으로 들어왔어요!" 그다지 대단한 말은 아니었지만 그 구역 사람들을 놀라고도 기쁘게 만들었고, 이 말이 정확하지 않으면 어쩌나 걱정하였다. 사람들은 이 몇 사람을 둘러싸고 질문을 던졌다. 이 몇 사람은 숨을 헐떡거리며 대답했다. "거짓말이면 내가 당신 자식이오. 우리가 두 눈으로 똑똑히 그 군대를 보았소. 모두 소매 위에 흰 형겊조각을 둘렀고, 한 우두머리는 몸에 흰 비단을 걸치고는 당당하게 성안으로 들어왔소." 사람들은 그제야 믿었고 이 소식은 삽시간에 전체 성으로 퍼졌다. 말대로 한 보병 부대가 어깨에 서양 총을 메고 무슨 글자인지 분명하지는 않지만 글자가 새겨진 군복을 입었는데, 그 흰색 형겊은 매우 단정해 보였다. 앞에 선 체구가 왜소한 사내는 우렁찬 목소리로 소리 질렀다. "나는 혁명 대도독이다! 오늘 단독으로 이 양주성을 얻었으니 죽어도 여한이 없다!"

…… 바로 이 순간에 가게주인이나 주민들 모두 약속이나 한 것처럼 문에 백색 형겊을 내걸었다. 백색 형겊을 살 돈이 없으면 동전 세 개를 가지고 백지 한 장을 사서 문에 걸었다. 그것이 바로 혁명당의 성공인 셈이었다. 양주성은 완전히 해방을 맞이한 것이다.

이 장면은 『아Q정전』에서 아Q가 심야에 조나으리 집에서 상자와 가재도구와 수재 마누라의 영파寧波 침대를 들어내는 흰색 투구와 흰색 갑옷을 입은 혁명당이 왔다고 말한 것을 떠올리게 한다.

원앙호접파 소설은 엄청난 수가 출판되었는데 현재 명확한 숫자는 알 수 없다. 한 연구자의 통계에 따르면 1912년에 원앙호접파 소설은 상해 162개 간행물에 445종이 실렸다고 한다. 한 해에 머물지 않고 전체를 계산했을 때 "불완전한 통계에 따르면 장편애정소설과 사회소설이 949부, 무협과 탐정소설이 818부에 이르는데, 만약 이 유파의 작가들이 쓴 역사·관청·골계소설 및 민간전설을 개편한 작품을 모두 계산에 넣게 되면 총 숫자는 2천 부 이상이다."라고 한다. 여기에는 많은 간행물에서 간간히 보이는 단편소설을 포함시키지 않은 것이다.

■ 『반월(半月)』, 1911년 12월 20일 창간
■ 『홍매괴(紅玫瑰)』 발간사

■ 정정추가 개편한 유성 영화 『옥리혼』. 1924년 상해에서 처음 상영.

그리고 원앙호접파의 공헌 가운데 하나는 사람들이 잘 알고 있는 장회 장편소설 방식으로 시민대중의 독서 입맛에 영합했다는 것이고, 또 사람들이 잘 알지 못하는 외국소설 수법의 단편소설을 잘 믹스하여 새로운 독서습관을 갖게 함으로써 알게 모르게 5·4 문학의 준비 역할을 했다는 것이다. 이러한 준비는 비교적 양호한 원앙호접파의 장·단편 작품이 통속적이고 스토리가 있으며 아이와 여성들의 정조가 풍부하여 초기 화극과 희곡으로 개편되었다는 측면에서 이루어졌다. 『옥리혼』은 상해의 민흥사가 화극으로 개편했는가 하면 후에는 명성공자 정정추가 영화로 개편하기도 하였다. 『얼원경』 또한 상해 민명사가 1916년에 개편하여 공연한 바가 있다. 포천소의 단편 『일루마縷麻』는 경극과 월극越劇 등의 다양한 극종으로 개편되기도 하였다. 원앙호접파 작가들은 연극무대에서 활약하기도 하였다. 후에 골계소설로 유명해진 서탁보徐卓呆는 원래 일본 유학생이었는데, 그는 포천소·진냉혈·주수견 등과 함께 모두 극본 편역의 대가로서 현대문학 발생의 추동 작용을 하였다. 원앙호접파 문학의 과도적 성격은 한 차례 오해가 있기도 했지만 사실상 이 과도기는 상당히 길게 이어져 1940년대 시민문학의 번성으로까지 이어졌다. 물론 그 자체는 이미 현대문학의 발걸음에 따라 많은 변화를 겪었다. 진정한 현대적 성격의 문학은 화극의 도입과 백화 번역의 대량 출현 및 문학계몽운동에 따른 관념의 철저한 변혁에 따라 도래하게 되었다.

5
.
4

계
몽

제2장

제9절

화극 도입 후 최초의 극장 공연

■ 일본 동경에서 춘류사 『열혈(熱血)』의 공연 장면
■ 1907년 2월 춘류사가 일본에서 공연한 『차화녀』의 한 장면

현대 화극은 외국에서 들어온 문예장르로서 두 곳으로부터 동시에 들어와 중국에 전해졌다. 1907년에 두 곳의 문학중심이었던 일본의 동경과 상해에서 『엉클톰스 캐빈』이 중국인 연출 하에 무대에 올랐다. 본래 이 작품은 미국의 스토우 부인이 쓴 흑인 스토리 『엉클톰스 캐빈』으로 중국에 들어올 때 임서의 번역본에서 쓴 이름을 사용하였다. 두 차례 공연된 개편본은 두 사람의 손을 거쳤다. 이 작품은 중국의 초기 화극의 탄생을 알렸는데, 일종의 신문학의 탄생과 관련된 발생학이다.

처음으로 『엉클톰스 캐빈』을 공연한 것은 일본 유학생으로 조직된 춘류사_{春柳社}였다. 춘류사는 동경미술학교에서 서양화를 공부하던 세 명의 중국 유학생, 증효곡_{曾孝谷}·이숙동_{李叔同, 훗날 홍일법사(弘一法師)}·황이난_{黃二難}으로부터 시작되었다. 1906년 말 그들은 일본의 신파극을 보고 자극을 받아 춘류사 문예연

구회를 조직하였다_{일본 신파극은 유럽 낭만파 연극의 영향을 받았다. 이렇게 여}
_{러 곳으로부터 영향을 받은 예는 중국 현대문학 전체 발전과정에서 줄곧 찾아볼 수 있다.} 춘
류사는 미술 · 문학 · 음악 · 연극 등 4부로 나뉘었는데,
이듬해 2월 연극부는 막 지어진 동경의 중화 YMCA 회
관에서 국내의 재해 구호기금 마련을 위해 프랑스 뒤마
의 『차화녀_{茶花女}』를 공연하였다. 1막은 아망의 부친 두
폴이 비올레타에게 자신의 아들과 헤어져 줄 것을 권하
려고 차화녀를 찾아오는데, 1막에서 비올레타는 숨을
거둔다. 증효곡은 두폴로 분장했고, 이숙동은 비올레타
로 분장했다. 여자 역할을 남자가 한 것은 초창기 화극
에서 여성들의 참여가 불가능했던 역사의 흔적이다. 차
화녀 역할을 하기 위해서 이숙동은 애지중지 길러왔던
수염을 깎았고, 예쁘게 여장을 하였으며 몸매를 날씬하
게 보이기 위해서 몇 끼를 굶기도 하였다. 『차화녀』공
연은 큰 반향을 불러일으켰다. 중국 유학생뿐만 아니라
일본의 유명한 신파극 배우 후지사와 극작가 겸 평론
가인 마쓰기요 등이 모두 무대 뒤로 달려와 축하해 주었
다. 후에 마쓰기요는 글을 써서 이숙동의 연기를 칭찬
하였다. 같은 해 6월에 춘류사 동인이 동경의 대극장에서
『엉클톰스 캐빈』을 공연하기도 하였다. 춘류사의 『엉클
톰스 캐빈』 5막극은 증효곡이 개편한 것으로, 내용은 당
시 날로 고양되고 있던 민족혁명의 분위기를 담고 있다.
회고에 따르면, "이 연극은 잘 갖춰진 극본이 있고, 대
화는 모두 고정적이며, 전체 연극에서 구어 대화를 사
용하고 낭송이 없으며 노래도 없고 독백이나 방백도 없
이 순수한 화극 형식을 취하고 있다."고 한다. '순수'라
는 이 두 글자는 매우 중요하다. 왜냐하면 이 두 글자는

■ 1907년 춘류사가 일본에서 공연한 『차화
녀』의 주인공 이숙동이 여장을 하고 증
효곡과 촬영한 사진
■ 이숙동이 1907년 『차화녀』에서 마가렛
연기를 하고 있다. 그는 허리를 가늘게 하
기 위해 굶기까지 했다.
■ 청년 시절의 이숙동
■ 1907년 6월 1일 춘류사가 일본 동경의 본
향좌에서 공연한 『엉클톰스 캐빈』의 포
스터. 그 대단한 기세를 느낄 수 있다.

중국 화극역사가 시작부터 존재해 왔던 '춘류파'의 전통을 나타내 주기 때문이다. 그것은 바로 상업적인 희생을 어느 정도 감수하고라도 일본을 거쳐 들어온 서양 화극의 진면목을 최대한 유지하자는 것이었다. 이는 초창기 중국화극이 '문명희_{文明戲}'나 '문명신희_{文明新戲}'로 불렸던 것처럼 대부분 전통희곡과 최대한 비슷한 연출방식으로 되돌아가려는 노력_{물론 관중의 요구를 만족시키기 위해서였다}과는 다른 것이었다.

『엉클톰스 캐빈』극본은 애석하게도 전해지지 않는다. 일본 와세다대학 연극박물관에 당시 공연된 설명서가 소장되어 있는데, 다음과 같이 쓰여 있다.

> 연예라는 것은 문명과 매우 깊은 관계가 있다. 따라서 우리 춘류사 창립을 시작으로 전속 부서를 두어 신구 희곡을 연구하고, 우리나라 예술계 개량의 선도가 되기를 바란다. …… 이에 6월 초하루와 초이틀에 본 장소에서 연예 대회를 거행할 것이고, 매일 오후 1시에 『엉클톰스 캐빈』5막을 공연한다. 모든 내용의 줄거리와 각 막의 인물들은 왼쪽에 기재해 놓았다. 신사 여러분께 가르침을 청하는 바이다.

프로그램_{무대장치 포함}은 이숙동이 디자인했는데, 오늘날 우리는 이 연극 각 막의 표제와 줄거리 및 역할의 분배를 분명하게 알 수 있다. 극장은 매우 넓고 배우는 매우 많아서 증효곡과 이숙동·장운석_{莊雲石}·오아준_{吳我尊}·구양여천_{歐陽}_{子倩}·사항백_{謝抗白}·이도흔_{李濤痕} 등은 대부분 동시에 두 가지 이상의 역할을 해야 했다. 공연이 시작되던 날 혼고자_{本鄕座}의 1,500좌석은 꽉 들어찼다. "좌석은 사람들로 가득 차서 입추의 여지가 없었다."나 "두 번째 날 공연은 3천 명의 관객이 오기로 되어 있었지만 3천 명이 넘어서 복도까지 인산인해를 이룰 정도였다." 등이 이를 증명한다. 공연은 박수소리와 환호로 중단되기 일쑤였다. 일본과 중국의 신문에 연이어 보도되었고, 호평이 이어졌다. 일본 기자는 공연 수준에 대해 "우리나라 아마추어 연극은 비교할 수도 없고, 다까다·후지사와·이시이·가와가쯔 등의 신파극 공연과 비교해서 볼 때 볼만한 가치가 있을 뿐만 아니라 그 기세 또한 그들을 훨씬 뛰어넘는다."고 하였다. 이 평가는 약간 과장된 면도 있다. 관련 기록에 따르면 동경 용도관에서 이루어진 3개월간의 리허설 기간 동안 일본 신파극의 유명 배우 후지사와의 현장 지도가 20여 차례 있었다. 본향좌와 같은 이런 커다란 극장을 싼 가격에 이름도 없는 중국 유학생 아마추어 극단에게 빌려줄 수 있었다는 것은 후지사와의 사심

■ 1907년 9월 춘류사가 상해에서 『엉클톰스 캐빈』 의 공연을 마치고 전체 단원의 단체 사진을 촬영하였다.

없는 도움이 없었다면 상상할 수 없는 일이다. 요컨대, 이와 같은 공연 효과에 이를 수 있었던 것은 중국화극의 첫 페이지로서 상당히 볼만 하다고 하겠다.

이로부터 몇 개월 후에 왕종성王鍾聲이 조직한 춘양사春陽社가 상해 조계의 난심蘭心 극장에서 『엉클톰스 캐빈』을 공연하였다. 편극은 허소천許嘯天이 맡았다. 춘양사가 이 연극을 공연한 것이 춘류사의 영향을 받았는가의 여부를 판단하기에는 직접적인 증거가 부족하다. 하지만 왕종성은 독일과 일본에 유학경험이 있어서 서양연극을 잘 알고 있었다. 춘류사 공연 소식은 국내외 신문에 크게 보도되었고, 당시 마상백馬相伯과 심중례沈仲禮를 채용하여 상해에서 첫 번째 연극학교痛鑑學校를 세운 사람이 바로 왕종성이라는 사실을 감안하면 그가 모를 리가 없는 것이다. 이번에 무대에 올린 『엉클톰스 캐빈』은 바로 통감학교 3개월의 교육 성과였다. 현장에서 공연을 직접 본 서반매徐半梅, 골계소설을 쓴 서탁보는 다음과 같이 기억하고 있다.

> "연극은 막이 나뉘어져 있었다. 끊임없이 이어지는 경극과는 완전히 달랐다. 무대는 세트를 배치했고, 게다가 난심극장의 조명은 매우 좋아서 관객들도 경탄해 마지않았다."

재미있는 것은 이 학생배우들은 대부분 단기훈련을 막 거쳐서 화극이 뭔지도 모르는 상태였다는 사실이다. 흑인 노예를 연기하는 배우가 얼굴을 검

게 칠하지 않으려고 해서 무대에는 온통 하얀 피부의 흑인노예였다. 또 경극의 바탕이 좀 남아 있어 새로운 연극과 다를 바가 없었고, 징과 북을 쓰기도 하고 노래를 부르기도 하며 배우가 등장할 때 인자 등의 옛날 방식을 사용하기도 하였다고 한다. 가장 우스꽝스러운 것은 채찍을 들고 등장하는 사람도 있었다는 것이다. 우리는 지금 '문명희' 명칭을 최초로 사용한 출처를 찾을 방법이 없다. 만약 그것이 '초기화극'을 통칭해서 부른 것이라면 '순수화극'과 '비순수 화극'으로 나누어야 할 필요가 있다. 하지만 실제로 나누는 것이 그리 간단하지는 않다. 춘양사는 춘류사에 비교적 가깝기 때문에 춘양사의 최초 공연은 더 이상 논할 바가 없다. 후에 자칭 '춘류'에 가입했다고 하는 임천지는 '춘양'에 참여하여 왕종성과 합작으로 『가인소전迦茵小傳』 공연을 준비함으로써 비로소 희곡의 범주에서 벗어났다. 서반매 또한 『가인소전』을 보고 "화극의 윤곽을 갖추게 하였다."고 평가하였다.

하지만 춘양사처럼 중국식과 서양식이 혼합된 공연 형태는 이미 그 원류가 존재하였다. 거슬러 올라가 보면, 외국의 화극이 중국에 출현한 것은 1907년 훨씬 이전이다. 서양세력이 중국과의 무역을 통해 상륙함에 따라 1850년 상해 영국 조계에는 외국 교민의 첫 번째 아마추어 극단이 설립되었다. 그들은 지금의 북경로와 광동로에 있던 화물 창고를 개조하여 시설이 누추한 극장을 만들었다. 좌석은 등받이가 없었고 처음에는 '신극장'이라 부르다가, 나중에는 '제국帝國 극장'으로 바꿔 불렀다. 여기에서는 1850년 12월 12일부터 『이첩공첩以鉆攻鉆』, 『양상군자梁上君子』, 『합법계승合法繼承』, 『애정』, 『법률과 약품』, 『계단 아래의 고급스런 생활』 등의 서양 작품을 연속해서 공연하였다. 1866년에 상해에 살던 서양인들의 '낭자극사浪子劇社'와 '호한好漢 극사'가 합병하여 '애미愛美 극사'로 만들고 ADC극단으로 줄여 불렀다. 이 극단은 상해의 첫

■ 신민사가 공연한 『흑적원혼』 제 20장 공연 장면. 춘류사, 춘양사가 공연한 『엉클톰스 캐빈』의 맥을 잇는다고 할 수 있다.

번째 현대식 극장을 지었는데, 그것이 바로 난심극장이다. '난심'은 '난전모蘭佃姆'라고도 불렀는데, 원명원로에 세워진 목조건축물이다. '난심'은 1867년에 첫 공연을 하였으나, 1871년에 극장은 큰 화재로 불에 타고 말았다. 하여 1874년에 영국 영사관 근처에 또 다른 '난심'을 지었다. 좌석은 위아래 층으로 나뉘었으며 무대는 매우 넓었다. 춘양사가 빌려서 『엉클톰스 캐빈』을 공연하던 바로 그 곳이다

■ 두 차례 부지를 옮겨 세 번째로 건립된 난심(蘭心)극장. 외국 교민들은 이곳에서의 공연을 통하여, 중국으로 하여금 새로운 문예형식을 받아들이도록 하였다.

1929년에 난심극장은 175,000은 원의 가격으로 중국인에게 매각하였다. 같은 해 12월 '애미극사'가 프랑스 조계의 부르조로(路)와 마르세이유로(路)에 콘크리트 건물로 세 번째 '난심'을 지었고, 지금까지 보존되어 있다. 당시 난심극장은 외교 구락부 성격을 띠고 있어서 중국인들은 들어갈 수 없었다. 하지만 서반매나 정정추, 포천소 등 몇몇 사람들은 들어가 그 곳에서 처음으로 진정한 서양화극을 구경하였다. 또한 일본 교민이 상해 홍구虹口에 '동경석東京席'이라는 이름의 소극장을 세운 적이 있다. 200여 좌석으로 신파극만 무대에 올렸는데, 서반매도 늘 구경하러 가곤 했다. 이것은 모두 중국인의 눈앞에서 공연된 것으로서, 중국인들에게 매일 화극이 어떤 것이라는 것을 알려주는 것과 같았다. 중국인 최초의 실천은 상해에 있는 각 교회학교의 중국 학생들이 벌인 연극 활동이었다. 지금 찾을 수 있는 최초의 것으로는 1898년 성 요한 서원의 "기해己亥년 겨울 11월에"와 "서양의 유익한 말과 고상한 행위를 골라 취하여 분장을 한다."는 기록이다. 그 밖에 남양공학과 서회공학 등은 모두 유사한 공연을 한 바가 있다. 공연은 서양 작품에서 많이 취하였고, 외국어 학습의 성격도 띠고 있었다. 거론할 만한 것은 1899년 성탄절에 성 요한 서원의 학생들이 직접 개편하여 공연한 『관장축사官場丑史』로서, 이 작품은 외래 화극에 중국의 현실생활을 삽입한 선례가 되었다. 초기 화극 예술가 왕우유는 바로 중학 시절에 『관장축사』를 보고

나서 캠퍼스에서의 공연을 조직한 후 화극의 길을 걷게 되었다.

　이러한 모방식 연극 활동은 상해 구연극의 개량을 촉진시켰고 그 결과 해파 경극이 등장하게 되었다. 해파 경극은 경극의 상해화로 설명할 수 있는데, 부분적인 유행화·서구화가 특징이었다. 시사신희時事新戲·시장희時裝戲는 모두 19세기 후반기 상해탄에서 유행하였다. 1893년 천선天仙 찻집에서 공연한 『철공계鐵公鷄』는 막바지 단계에 있던 태평천국사건에서 소재를 취하였다. 12개의 꽃등으로 이루어진 화려한 무대에 진짜 칼과 총이 등장하여 시민관중을 매료시켰다. 희극가 왕소농汪笑儂은 이 당시 희곡개량의 대표적 인물이었다. 그는 신극을 만들었고, 새로운 노래를 작곡하였으며 백년간 이어져온 경극의 분장을 변화시켜 배우들로 하여금 전통복장과 서양의상을 입고 무대에 오르게 하였다해파(海派) 경극은 현대 경극의 선구였다. 그는 1904년에 자본을 출자하여 중국 최초의 연극잡지 『20세기 대무대』를 창간하였고, 진거병과 유아자에게 편집을 맡겼다. 왕소농의 이러한 신희 개량 노력 덕에, 상해에는 그를 지지하는 사람들이 많았다. 춘양사가 공연한 초창기 화극이 경극의 색채를 많이 띠고 있었던 것도 이런 점과 관련이 있다. 춘류사의 일본 유학생들이 중국으로 돌아오면서 막 시작되고 있던 화극의 이식사업이 계속 진행되었고, 그들이 맞닥뜨린 문화 환경에는 여러 가지 어려움이 내재하고 있었다.

　1908년에 시장경극 공연으로 이름을 날리고 있던 하월산夏月珊·하월윤夏月潤 형제와 반월초潘月樵 등이 상해 남시南市 16포로鋪老 태평太平 부두에 '신무대'를 만들었다후에 옛 성안에 다시 세움. '신무대'는 중국 전통무대 개혁의 시발점이다. '신무대'는 기둥이 세 개인 무대를 현대적 액자식 무대로 바꿨고, 회전무대를 만들었다. 일본에서 기사와 목수를 초빙하여 무대장치를 만들고 조명을 사용하였으며, 2천 개의 좌석을 조성하여 상당히 보기가 좋았다. 그들은 『흑적원혼黑籍寃魂』과 『신新 차화녀』·『폴란드 망국의 슬픔』과 같은 시장 경극을 공연했는데, 중주운中州韻에 소주 방언을 더하여 새로운 연극은 비록 북과 징을 사용하지만 노래보다는 대사에 치중하였다. 또 표를 사서 연극을 관람하는 새로운 시스템을 도입하였다. 또한 극장 내에서 차를 끓여 마시고 군것질을 하고 수건을 던지는 등의 낡은 관습은 폐지하였다. '신무대'는 후에 옛극을 새롭게 해석하여 공연하고 새극을 옛 방식으로 공연하는 메카가 되었다. 이 '신'자는 실로 의미가 심장하다 하겠다.

춘류사 회원들은 신해혁명 전야에 귀국하여, 특수한 사회분위기에 편승해 문명신희를 주창하는 단체를 속속 만들었다. 당시 상해에는 이러한 문명신희 극단이 가장 많았는데, 진화단進化團·신극동지회·상해연극연합회·사회교육단 등 20여 개에 이르렀다. 북경에 용민사贍民社가 있었고, 소주에 소주 신극진행사新劇行進社, 무호蕪湖에는 적지군迪智群 신극단 등이 있었다. 그 가운데 천진天津 남개南開 학교의 교장 장백령長伯苓이 캠퍼스 화극의 분위기를 선도하여, 북방과 전국에 걸쳐 영향을 미치게 되었다. 장백령의 친동생 장팽춘張彭春은 1910년 미국 유학 당시에 연극 연출을 공부하였는데, 그는 후에 남개 화극운동의 핵심이 되었다. 그는 북방의 초창기 화극이 유럽과 미국의 직수입 통로가 되도록 만드는 데 결정적인 기여를 하였다. 당시 춘류파는 이미 육경약陸鏡若·구양여천이 핵심인물로 자리 잡고 있었다. 두 사람은 일본에서 '신유회申酉會' 명의로 『전술기담電術奇談』·『뜨거운 눈물』 등을 합작 공연하였다. 육경약은 상해로 돌아와 춘양사와 힘을 합쳐 '문예신극장'의 명의로 장원張園에서 『맹회두猛回頭』·

『사회종社會鍾』을 공연하였다. 신해혁명 후에는 구양여천·오아존·마항사춘류사우와 함께 '신극동지회'를 조직하여 장원에서 『가정은원기家庭恩怨記』와 『불여귀不如歸』 등을 공연하였다. 또한 부두로 달려 나가 '춘류극장'이라는 간판을 내걸기도 하였다. 춘류파는 완성된 극본을 갖춘 『가정은원기』를 제외하고는 대부분 '막표幕表'를 이용하여 공연하였다. 하지만 그 '막표'는 비교적 디테일하고 막으로 나뉘어 있으며 각 막의 개요와 중요한 대사 등을 자세하게 기술하고 있다. 막

■ 춘류사 4인방. 왼쪽부터 구양여천, 오아존, 마항사, 육경약. 육경약은 죽을 때까지 '춘류극장'을 어렵게 지지하였다.

표는 막을 적게 나누고 막 밖의 연극을 사용하지 않았고, 연설구호를 쓰지 않아 우스갯소리나 잡기 등을 어지러이 덧붙이지 않았다. 그 엄숙함과 비교적 순수한 연극 풍격은 초창기 중국 화극이 서양 연극의 공연 스타일을 빌렸다 하더라도 기본적인 수준을 유지할 수 있도록 해주었다.

1910년에 임천지任天知가 상해에서 진화단을 설립하였다. 진화단은 중국 최초의 직업 신극단체로서, 단원으로는 왕우유汪優游 · 육경화陳鏡花 · 진대비陳大悲 등이 있었다. 『공화만세共和萬歲』 · 『황학루黃鶴樓』 · 『동아풍운東亞風雲』의 공연이 성공을 거둔 후, 극장 문 앞에 '천지파신극'이 적힌 큰 깃발을 내걸어 일세를 풍미하였다. 진화단이 정치선전연극의 장점을 이용한 것은 천지파 연극의 상업 공연을 유지하기 위한 책략이었다. 정치적 형세가 변하면 계속 이어갈 수가 없는 것이다. 이 파의 연극은 막을 많이 나누었으며, 그들 공연의 특징은 극 중 인물이 극의 상황에서 벗어나 즉흥연설을 할 수 있다는 것이었다. 또한 인물이 등장하거나 퇴장할 때, 중요한 포인트에서 북과 징을 치고 노래를 부를 수 있었다. 이렇듯 분장을 하고 격앙되어 혁명을 크게 이야기하는 것이 의외의 호응을 얻었다. 배우들의 역할은 이에 따라 '언론파 노생老生'과 '언론파 소생小生' · '언론파 정단正旦' 등으로 나뉘었다. 이는 또한 유형적으로 배역을 나누는 구극의 특징으로 돌아간 것이기도 하다. 한 번은 구양여천이 임천

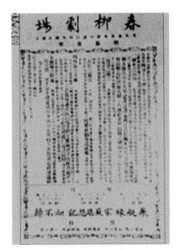

■ 1914년 춘류극장의 포스터. 상해 모득리(謀得利) 극장에서 공연된 극의 제목은 『불여귀(不如歸)』, 『비정연(飛艇緣)』, 『가정은원기(家庭恩怨記)』 등이다.

지와 함께 공연을 하게 되었는데, 왕우유 · 사천영査天影이 우스꽝스러운 분장을 하고서는 사랑을 속삭이는 임천지의 말을 한두 차례 중단시켰다. 그러자 임천지가 벌떡 일어나서는 스틱을 빼앗아 들고 구양여천에게 "아가씨, 당신 집에 개가 몇 마리나 되오? 내가 우선 개를 두들겨 패고 나서 당신과 말을 해야겠소."라고 하였다. '말'과 '우스꽝스러운' 배역은 마음대로 극정을 파괴할 수 있었는데 그것이 바로 이 정도였다.

춘류사와 새롭게 일어난 문명신희 단체들은 모두 독립된 부지가 없었다. 이것은 화극이 아직 독립되지 못했다는 것을 말해주는 것이기도 하다. '문예신극장'은 자기들의 극장이 없었고, 이름만 걸고 있을 뿐이었다. 신무대 또는 신무대를 모방한 경극 극장, 예를 들면 대무대·소무대 등은 문명신희가 기대는 장소가 되었던 적도 있었다. 어떤 극장에서는 저녁공연 때 문명희를 앞에 배치하고 경극을 끝에서 두 번째에 배치시키는 것을 허락하기도 했다. 하지만 문명희가 마음대로 시간을 늘리자 경극계의 불만이 야기되었다. 이렇게 극장을 혼용하는 방법은 구극이 신파에 가까워지고 있다는 것을 보여주는 동시에, 초창기 화극이 개량희극과 타협의 단계에 들어가고 있음을 보여주는 것이기도 하다. 예를 들어 『혈루비血淚碑』와 『살자보殺子報』 등은 희곡에서 화극으로 바뀌어 공연된 작품이고, 『나폴레옹 이야기』·『희생』 등의 화극 번역본은 시장경극으로 바뀐 것이다. 많은 문명신희가 경극으로 돌아가기 시작했고, 내리막길을 걸었다. 화극 역사상 이른바 '갑인중흥甲寅中興'의 대표 정정추鄭正秋는 가정극을 공연할 때 '신극에 노래를 덧붙일 것'을 제창하였다. 이로써 문명희의 흥행을 돕자는 것이었다. 이는 어떤 문명희 극단이 하는 것처럼 여색이나 뱀놀이를 내세워 상해시민들을 불러 모아 타락시키는 것과는 달랐기에 괜찮은 시도라고 할 수 있다.

이 당시 남경로 근처 외탄에 가까운 모득리謀得利 극장은 점차 초창기 화극 전문극장의 모습을 갖춰가기 시작했다. 상해의 오락장은 본래 복주로와 복건로 및 한구로 일대에 집중되어 있었다. 모득리 극장은 북경로 모득리 레코드 회사 창고건물에 있었는데 좌석은 500~600개 정도였고, 시작할 당시에는 아는 사람이 많지 않았으며 비만 오면 엉망진창이 되어 버렸다. 1914년 육경약이 '신극동지회' 사람들

■ 옛 간판을 내건 상해의 경극장(京劇場)들은 당시에 '왕소농(汪笑儂)'의 개량 해파(海派) 경극을 끼워 넣어 문명희와 서로 스며들게 하였다.

을 이끌고 외지에서 상해로 돌아와 '춘류극장' 간판을 내걸고 4월 15일에 모득리 극장에서 첫 공연을 하였다. 『신보』에 등재된 「춘류극장 개막 선언」에 따르면 춘류는 일본에서 공연한 이후 지금까지 "10년간 동지들의 의지가 시들지 않은 것은 세속의 명리에 개의치 않았기 때문이었다."고 하였다. 개막 전단에서는 '극본의 고상함'과 '무대배경의 아름다움'·'의상과 분장의 적절함'·'예술의 노련함'·'극장의 정결함' 등의 원칙을 견지하였고, 가치 없는 탄사_{彈詞} 소설을 막지 않음으로써 중인계급 이하 사람들의 즐거움을 도모하였다. 이것은 춘류사 동인들의 이상이었다. 하지만 실제로 이상을 지키는 것과 공연의 어려움은 분명한 대조를 이루고 있었다. 개막공연은 비록 이름을 보고 달려온 관중들의 칭찬이 이어지기는 했지만, 전체적으로 극이 너무 엄숙하고 수준이 높으며, 노래가 너무 적다는 반응이었다. 시장의 요구로 그들은 극의 제목을 바꾸어 통속소설을 개편한 『천우화_{天雨花}』·『봉쌍비_{鳳雙飛}』 등의 작품을 무대에 올렸다. 1년 동안 춘류극장은 2, 3일에 한 번씩 바꿔가며 근 100여 작품을 공연하였다. 그들은 『노라』·『살로메』·『부활』 등의 작품을 공연하고 싶었지만 결국 꿈으로 끝나고 말았다. 보수가 없었던 그들은 몇 십 명이 나무로 만든 평상에서 비좁게 잠을 잤고, 한 달에 4원짜리 식사를 했다. 그나마 그것도 육경약이 빚을 내어 운영해 나가는 실정이었다. 어느 비오는 밤에 『차화녀』를 공연하게 되었는데, 무대 아래에는 세 명의 관객만이 그들을 찾았을 정도였다. 그 후 모든 것을 지탱해 가고 있던 육경약이 갑작스럽게 세상을 떠났고, 후기 춘

■ 정정추. 문명희 시절 '가정극' 열풍을 일으킨 후, 무성영화의 선구인 '명성(明星)' 공사의 창시자 가운데 한 사람이 되었다.
■ 정정추(선미 오른쪽)가 『춘수정파(春水情波)』 감독을 할 당시에 주연 호접(胡蝶) 등과 함께 현지 로케 중 촬영한 사진

류파도 지주를 잃고는 풍비박산이 나고 말았다.

정정추의 신민사新民社는 1913년에 모득리 극장에서 『나쁜 가정』을 공연
하였다. 원래는 2차례 공연을 준비했었는데 뜻밖에 반응이 좋아 10여 차례
를 이어갔고, 결국 '가정극' 열풍을 일으켰다. 하지만 결국에는 몰락의 길을
걷고 말았다. 정정추는 코미디 무대의 실패를 겪고 나서 극단에서 나가 「신
극을 이탈한 정정추의 고백」을 발표하여 불편한 심기로 다음과 같이 말했다.

> "흉악하기 그지없는 강도연극과 정리에 맞지 않는 떠들썩한 연극과 대단원
> 의 탄사연극, 소도구와 무대장치를 팔아먹는 연속극을 보면 2년 전에 비해 성행
> 하고 있는데, 내가 어떻게 더 참을 수 있단 말인가!"

그는 문명희의 쇠락을 만회할 힘이 없었고, 또 화극이 중국의 도시에 들
어가기 위해서는 관중을 배양하고 관중과 타협하는 두 측면에서 인내심을
보여야 하며 극본의 이치를 받아들일 수 있는 중국 관객이 있어야 한다는 것
을 명확히 알지 못했다. 그런 까닭에 탄식과 슬픈 목소리만 냈던 것이다. 이
를 통해 아직은 화극이 독립할만한 시간이 도래하지 않았다는 사실을 알 수
있다. 동시에 주목할 만한 것은 북방의 화극 발전이 남방보다 낙후되어 있
었다는 사실이다. 이는 만청 북방 정치의 고압성과 구극 세력의 강대함 때
문이다. 춘양사의 왕종성은 상해에서 공연했었던 작품을 가지고 북경과 천
진으로 왔는데, 곧바로 공연 금지되고 말았다. 1911년에 왕종성은 만청 전
복운동에 가담한 이유로 천진에서 암살되고 말았다. 1912년에 북경에서 설
립된 용민사 사장은 공연 관계로 이듬해 체포되었다. 이렇듯 열악한 문화 환
경은 북방 화극의 발전을 막았다. 1912년 6월에 노신은 그의 교육부 사회
교육처 동료 제종이齊宗頤와 함께 천진으로 신극을 고찰하러 갔다. 11일에 광
화루에서 공연된 『강북수재기江北水災記』를 관람하고 나서 일기에 기록하고 아
울러 "과감함은 훌륭하나 식견과 기술이 모두 부족하다."는 평가를 덧붙였
다. 이는 예측가능한 상황이다. 즉, 문명희는 진흥시킬 방법이 없는 종결단
계로서, 장차 5·4 이후 현대화극의 새로운 1막을 맞이할 것이라는 점이다.

제10절

세계문학으로 통하는 다리를 놓다

중국에서 번역은 한나라와 당나라의 불경 번역으로부터 시작되었다. 불경에 존재하는 문학적 요소는 중국 고전문학 발생에 적지 않은 영향을 미쳤다. 하지만 불경을 들여온 것은 원래 문학을 위한 것은 아니었다. 만청에 이르러 외국문학을 번역 소개하는 움직임이 크게 일어났다. 비록 나라의 대문이 제국주의 열강의 함포 소리로 인해 열린 것과 관계가 있기는 했지만 부국강병과 유신변법을 구성하는 한 요소가 되기도 하였고, 계몽사상과도 밀접한 관계가 있었다. 게다가 폭도 매우 넓었고, 돌파의 힘도 커서 사상으로부터 문체와 언어에 이르기까지 모두 중국현대문학의 '창신' 과정 속으로 깊이 들어가게 되었다.

이 기간의 번역은 문명을 창도하고 민중을 각성시키며 세계와 소통하는

■ 경사대학당(京師大學堂) 옛 동문관(同文館, 역학관(譯學館)) 정문
■ 1868년 증국번의 주청으로 문을 연 강남제조국(江南制造局) 번역관(飜譯館). 기세가 범상치 않은 저명한 학자 서수(徐壽), 화형방(華衡芳), 서건인(徐建寅)(오른쪽부터)

일종의 수단이었다. 처음 번역 소개된 것은 모두 외국의 과학기술 · 경제 · 군사 등의 이른바 '격치_{格致}' 서적이었다. 기구로는 1860년에 조정에 주청하여 건립된 '동문관_{同文館}'이 있는데, 그 안에는 영어 · 프랑스어 · 러시아어 · 일본어 등의 4개관이 있었다. 동문관은 후에 경사대학당_{京師大學堂}과 합쳐져 '역학관_{譯學館}'으로 바뀌었다. 상해 쪽에서는 1863년에 이홍장이 '광방언관_{廣方言館}'을 세웠는데, 훗날 관비유학생으로 유명한 엔지니어 첨천우_{詹天佑}가 바로 이 기관 학생이었다. 1866년에는 복건에 '선정학당_{船政學堂}'이 세워졌는데, 엄복_{嚴復}이 바로 이 학교를 졸업한 뒤에 해군학을 공부하기

■ 노신이 번역한 프랑스 소설가 베른의 공상과학소설 『월계여행(月界旅行)』 표지에는 '과학소설'이라는 글자가 있다.

위해 영국으로 건너간 학생이었다. 1867년에는 상해 강남제조국_{江南制造局}에서 또 번역관을 설립하였다. 이 기관들은 정치 · 철학 · 역사 관련 서적들을 조직적으로 번역해 나가다가 나중에는 문학을 번역하기에 이르렀다. 노신의 당초 문학번역 활동 역시 이런 흔적을 보이고 있다. 소설 번역은 과학 · 역사 · 순수문학의 세 길을 따라 진행되었다. 과학소설은 『달나라 여행』 · 『지하여행』이 있고, 역사소설은 『스파르타의 혼』이 있으며 후에 주작인과 『역외소설집_{域外小說集}』을 내기도 하였다. 당시 번역이 얼마나 활발하게 이루어졌는가에 대해서는, 후세 사람들로서는 상상하기 힘들 정도였다. 아영_{阿英}의 『만청희곡소설목_{晚清戲曲小說目}』에 제시된 통계에 따르면, 광서_{光緒} 원년부터 신해혁명까지 대략 40년간 출판된 번역소설은 600여 부에 이르는데, 같은 시기 창작된 전체 소설 가운데 70%를 차지한다. 서념자_{徐念慈}가 발표한 『정미년 소설계 발행서목 조사표』에서는 1907년 한 해에 발표된 번역소설이 80종에 달한다고 밝히고 있다. 어떤 이는 이 숫자를 126종으로 고치기도 하였다. 하지만 당시 발행되던 소설잡지에 매월 실린 많은 번역 작품들이 포함되지 않았기 때문에 이 숫자들은 정확하지 않을 수도 있다.

선구적인 번역가로는 양계초와 엄복 등을 수 있다. 양계초의 공로는 가장

■ 엄복이 번역한 『천연론』의 광서
신축년(辛丑年)의 판본

이른 시기에 번역을 창도하고 직접 실천에 옮겼다는 점이다. 1896년에 양계초는 자신이 주편을 맡은 『시무보時務報』에 『논역서論譯書』를 발표하였다. 1898년에는 망명 후에 『청의보淸議報』를 창간하여 『역인정치소설서譯印政治小說序』와 자신이 번역한 정치소설 『가인기우佳人奇遇』, 『경국미담經國美談』을 발표하였다. 1902년에는 『신소설』을 창간하면서 『세계말일기世界末日記』를 번역하고, 『신소설』에 번역소설을 실었다. 양계초는 자신의 명성을 이용하여 외국 정치소설을 들여옴으로써 중국의 정치소설 창작에 참고가 될 수 있도록 하였고그 자신이 미완성본 『신중국미래기』 창작, 번역 소개 작업의 참뜻을 알려 후인들에게 깊은 계시를 주고자 하였다. 엄복은 『천연론』을 번역하였다. 이 책은 영국 헉슬리의 『진화와 윤리』를 번역한 책으로 1897년에 출판되었는데, 당시에는 이 책이 사상이론적인 면에서 중국문학에 엄청난 영향을 미칠 것이라는 사실을 누구도 예상하지 못했다. 엄복의 또 다른 업적은 번역의 이론을 확립했다는 것이다. 『천연론』이 출판된 같은 해에 그는 『국문보國聞報』에 하증우夏曾佑와 연명으로 발표한 『본관부인설부연기本館附印說部緣起』에서 다음과 같이 선언한다. "유럽과 미국 및 일본에 대해 들어보니 그 나라들이 개화할 당시에 왕왕 소설의 도움을 받았다고 한다. ……" 문학 번역과 국민의 지혜 개발과의 관계에서 외국소설을 번역하는 목적을 밝히는 논리의 기초를 놓았다고 할 수 있다. 엄복이 가장 유명해진 것은 번역의 기준으로 '신달아信達雅' 세 가지를 제기한 것 때문이었다. 「『천연론』 번역의 예」에서 그는 "번역을 하는 데에는 세 가지 어려움이 있다. 그것은 바로 신, 달, 아이다."라고 밝히고 있다. 이 세 글자는 후에 반복해서 토론하는 화두가 되었다. 비록 이해의 수준은 줄곧 차이를 보여 왔지만 대체적으로 볼 때, '신'은 원작에 충실한 정도를 말하고, '달'은 원작의 내용을 막힘없이 전달하는 것이며, '아'는 아름답고 규범적인 문장으로 '신'과 '달'이라는 목표를 추구해 나간다는 의미이다.

'신달아'에 대한 끊임없는 연구와 토론은 100여 년에 이르는 중국인들의 번역 작업 수준을 높여준 것이다.

그러나 진정으로 많은 독자를 갖고 있는 문학 번역은 바로 '임역소설_{林譯小說}'이다. 이는 비교적 이해하기 힘든 현상이다. 이미 양계춘의 손에서 문언이 백화로 변해가는 시대에, 고문가인 임서가 본인은 전혀 외국어를 모르는 상태에서 문언으로 100부 이상의 외국소설을 번역한 것이다. 그것이 미친 영향은 이후 대작가들이 세계문학을 접하게 된 상황을 회고할 때, 이구동성으로 어린 시절 임서가 번역한 소설의 영향을 깊게 받았다고 하는 데에서 확인할 수 있다. 주작인은 자신이 노신과 일본에 있던 시절에 "임서가 번역한 소설에 매우 열광적이어서 출판된 책이 동경으로 오면 즉시 간다_{神田}에 있는 중국 서점으로 달려가 사가지고 왔다."고 하였다. 곽말약_{郭沫若}은 "임서가 번역한 소설은 당시에 매우 인기가 있었고 내가 제일 좋아하는 읽을거리였다. 내가 처음 읽은 것은 허가드_{Hagard}의 『가인소전_{迦茵小傳}』이었다. 이 작품은 아마 내가 읽은 첫 번째 서양소설일 것이다."라고 하였다. 엽성도_{葉聖陶}는 14세때부터 임서의 번역소설을 읽기 시작했다. 60여 년이 지난 후 그는 "임서가 번역한 『십자군영웅기』를 처음 읽었다. 이 작품이 나로서는 처음 접한 임서 번역소설이었다."고 회고하였다. 앞에서 거론한 몇 사람보다 10여 년 뒤에 태어난 전종서_{錢鍾書}는 '임서 번역소설'을 통해 처음으로 외국어와 세계를 접했던 역사적 사실을 생동감 넘치게 설명하고 있다. "나는 그의 번역을 읽으면서 외국어 학습에 흥미를 붙여 나갔다. 상무인서관에서 발행된 두 질의 『임역소설총서』는 11~12세의 대단한 발견이었다. 이 총서는 나를 『수호전_{水滸傳}』, 『서유기_{西遊記}』, 『요재지이_{聊齋志異}』를 넘어서는 새로운 세상으로 데려다 주었다."라는 말이 그것이다. 이 말은 모두 임서의 번역이 당시 중국인들이 세상을 얼마나 깊이, 또 얼마나 넓게 이해할 수 있게 해주었는지를 증명해 준다.

■ 임서

■ 임서가 번역한 소설 『차화녀유사』 등 5종
■ 임서가 번역한 『아이반호』
■ 노신 형제가 번역한 『역외소설집』 판본

　　임서 번역소설의 첫 번째 작품은 『차화녀유사』이다. 이 작품은 1897년
에 임서의 부인이 세상을 떠나자 우울한 마음을 달래기 위해 임서가 프랑스
어에 능통했던 친구인 왕수창_{王壽昌}의 건의를 받아들여, 그와 공역의 형태로
프랑스 작가 뒤마의 소설을 번역한 것이다. 이 소설의 정조는 당시 임서의
심경과 딱 맞았다. 번역의 방법은, 왕수창이 번역을 구술하면 외국어를 몰
랐던 임서가 문언으로 받아 적는 형태였다. 1899년에 출판된 이 소설은 큰
인기를 얻었다. 이때부터 임서는 영어와 프랑스어로 나누어 위이_{魏易}·진가
린_{陳家麟}·증종공_{曾宗鞏}·이세중_{李世中} 등과 합작하여 한 부 한 부 번역해 나갔다.
말이 빠를 때에는 4시간에 6,000자까지 번역할 수 있을 정도였고, 20여 년간
180여 종을 번역하였다. 그 중에 40여 종은 스토우 부인의 『엉클톰스 캐빈』·
『이솝우화』, 디포우의 『로빈슨 표류기』, 스캇의 『아이반호』, 스위프트의
『걸리버 여행기』, 디킨즈의 『데이빗 카퍼필드』와 같은 세계명작 및 세익스
피어와 세르반테스·위고·톨스토이·뒤마·오웬·코난 도일 등 대작가의
작품이 포함되었다. 그 밖의 외국 2, 3류 작가의 작품이 75%를 차지하였는
데, 만청이라는 당시의 배경에서는 세계문학에 대한 이해가 막 시작된 까닭
에 아직은 그 정도 수준이었다는 것이다. 예를 들어 영국 허가드의 통속작품
은 임서와 그의 공역자가 상당히 많이 선택하여 2류 작가 중에서는 특색이
있었다고 할 수 있다. 1905년에 임서는 허가드의 『가인소전』 전체를 번역했
는데, 1901년에 양자린_{楊紫麟}과 포천소가 『여학역편_{勵學譯編}』에 발표한 발췌역

과는 다른 것이어서 보수주의자인 김송잠金松岑과 인반생寅半生 등의 비판을 받기도 했다. 원래는 이전에 번역한 사람들이 책 전체를 구하지 못했다고 거짓말을 하고 고의로 가인이 사생아를 낳은 부분을 없애버렸는데, 이것은 몇몇 사람의 생각과 합치되는 것이었다. 만청은 '의역'의 시대로서, 외국 원작의 내용을 마음대로 빼는 것은 이상한 일이 아니었다. 그러나 임서가 이 소설을 번역 소개할 때에는 원작을 존중하고 원작 소설 인물의 도덕적 프라이버시를 감추지 않았는데, 이는 의미 있는 일이었다.

물론 임서나 노신 등의 최초의 번역이 시작부터 당시의 의역 분위기에서 완전히 벗어난 것은 아니었다. 노신 형제가 러시아와 북유럽 및 폴란드 등의 피압박민족의 소설을 번역하고 1909년에 동경에서 『역외소설집』을 출판할 때쯤이 되어서야 성실하게 직역을 하기 시작했고, 의역과는 담을 쌓게 되었다. 당시에는 누락번역과 살붙이기 번역·오역·번역문장에 번역자의 의견 붙이기 등이 횡행했고, 번역자가 임의로 내용을 바꾸거나 하는 것은 흔히 볼 수 있는 모습이었다. 임서 『엉클톰스 캐빈』의 종교부분을 마음껏 삭제하였다. 『골계외사』「니콜라스 니클비」를 번역하면서 디킨스를 대신해 갖가지 양념을 넣어 개작을 하였는데, 옷가게 여점장이 자신에게 손님이 '노인네'라고 말하는 것을 듣고는 젊고 아름다운 여자를 질투하여 울면서 하소연하는 장면을 배꼽 잡는 말로 번역해 놓기도 하였다.

> 처음에는 웃다가 나중에는 우는데, 울음소리가 찬양하는 소리 같다. 이르기를 "아이고! 내 50평생 사람들마다 날더러 꽃처럼 예쁘다고들 했는데" 노래를 부르면서 갑자기 왼발을 구르면서 이르기를 "세상에!" 또 다시 오른발을 구르면서 "세상에! 15년 동안 사람들한테 멸시를 당한 적이 없었는데. 결국 시끄러운 여우 한 마리가 내 앞으로 와서는 내 간장을 다 뒤집어놓네!"

이것은 임서 번역의 특징이기도 하다. 그런 까닭에 호적은 "고문에 익살스러운 맛이 있다. 임서는 고문을 이용해서 유럽의 문장과 디킨스의 작품을 번역하였다."고 말했다. 정진탁은 모순이 비공식적으로 한 말을 인용하여 "아

■ 임서가 번역한 셰익스피어 고
사집 『음변연어(吟邊燕語)』
■ 임서 필적

이반호는 몇 군데 소소한 잘못을 제외하고는 원문의 정조를 보존하고 있다.”고 임서를 칭찬하였다. 전종서의 연구에 따르면 용어 상 임서의 번역에서 사용된 것은 그가 산문을 쓸 때나 5·4 당시에 그가 백화문에 필사적으로 반대하면서 지니고 있던 ‘고문’이 아니다. 임서는 ‘고문’으로 소설을 번역한 것이 아니고 또 ‘고문’을 써서 소설을 번역할 수도 없다. 이 발견의 의미는 만청 시대의 번역문자와 5·4 백화문 사이에 새로운 관계를 세우는 것이고, 문언으로 된 번역어 또한 5·4백화와 대치되지 않는 면이 있다는 사실이다. 전종서는 임서의 번역문체를 분석하면서 다음과 같이 말하고 있다.

임서가 번역에서 사용한 문체는 비교적 통속적이고 내키는 대로이며 탄력성이 풍부한 문언이었다. 그것은 비록 약간의 ‘고문’ 성분을 가지고 있지만 ‘고문’에 비해서 훨씬 더 자유롭다. 단어와 구법에서 규범이 엄격하지 않고 용량이 매우 크다. 따라서 ‘고문’에서는 절대로 허용되지 않는 문언의 ‘양상군자’라든가 ‘등대풀(五朵雲), 무덤(土饅頭), 기생(夜度娘)’ 등과 같은 ‘세련된 말(雋語)’이나 ‘경박한 말(佻巧語)’들이 나타나게 되었다. 아끼는 사람(小寶貝)이나 ‘아빠’ 등의 구어도 늘 끼어들어온다. 유행하는 외래어들(임서 자신이 말한바 글을 읽다가 운에 맞지 않는다고 생각되는 ‘일본의 새로운 명사’), 예를 들어 ‘보통, 정도, 열도, 행복, 사회, 개인, 단체, 뇌근육, 뇌, 화, 반발력, 달콤한 꿈, 활발한 정신’ 등과 같은 단어들도 필요에 따라 생겨나게 되었다. 또 당시 음역 습관에 물들어 ‘마담, 미스터, 엔젤, 쿠리, 구락부’ 같은 단어들은 말할 것도 없고, 심지어 아무런 필요도 없는 ‘레이디’나 또는 “이른바 ‘덕무망(德武忙)’일 뿐(중국어로 친구를 위해 최선을 다하다)이다.”를 쓰기도 한다. 생각지 못했던 것은 번역문 안에 ‘유럽화’ 성분이 많이 포함되어 있다는 것이다.

전종서의 이 논술은 임서 번역문의 단어들을 대상으로 그 출처를 일일이 밝힌 것이다. 그는 이 논술을 통해 많은 예를 들어 가며 임서의 번역에서 사용된 문언이 의식적으로나 무의식적으로 '경박한 말, 구어, 외래어'를 흡수하여 유럽화 성분을 띠고 있는 느슨한 문언이라는 사실을 반박할 수 없게 증명하고 있다. 임서가 번역한 소설이 엄청나게 많은 독자를 확보함과 동시에 다른 사람과 힘을 합쳐 5·4 백화가 유럽화의 길로 나아가게 하는 데 영향을 미쳤다는 사실은 임서 자신도 예상하지 못했을 것이다.

보다 철저하게 세계문학을 소개하고 새로운 풍조를 수입하며 아울러 5·4 백화를 위해 준비를 한 것은 만청 백화 번역문학이었다. 비교적 이른 시기의 백화 번역가들로는 소만수와 주계생 등이 있는데, 이 두 사람에게서는 과도기적 성격을 분명하게 확인할 수 있다. 소만수는 민국 전후 시기의 중요한 문언소설가였는데, 위고의 『비참한 세계』를 1903년에 백화문으로 번역하여 『비참한 사회』라는 제목으로 『국민일보』에 발표하였다. 이듬해 단행본으로 출판할 때에는 진유기_{陳由己, 진독수}의 이름을 추가하여 공역의 형태를 취하였다. 『비참한 사회』 또한 의역의 형태를 띠고 있다. 이 작품에는 중국문화를 이해하는 프랑스 협객 낭드가 등장하여 세상을 놀라게 할 만한 공자 비판을 쏟아내고 있다.

"그 지나국 공자의 노예교훈은 그 나라의 천한 종자들만 금과옥조로 떠받들고 있는데, 설마 우리 소중한 프랑스 사람들까지 그런 개소리를 들어야 하는 것은 아니겠지?"

소만수는 또 다른 사람의 입을 통해 중국의 전통 문화를 비판하고 있다.

"아이고, 예전에 어떤 사람이 말하는 것을 들어보니, 동양 어느 곳에 지나라고 하는 곳이 있는데, 그 지나의 풍속은 지극히 야만적이고 사람들이 모두 엄청난 은전을 써 향지를 많이 불살라서는 진흙과 나무토막으로 만든 보살들을 숭배한다는 거야. 더 웃기는 건 여자들인데, 멀쩡한 발을 흰 천으로 꽁꽁 싸매서 돼지

■ 오광건이 번역한 『협은기』(상)

족발처럼 가늘게 만들어서는 제대로 걸을 수도 없게 만든다는 거지. 정말 우습지 않은가!"

이렇듯 생동감 넘치는 표현을 통해 우리는 당시 번역소설에서 백화를 어떻게 운용하는지 그 수준을 엿볼 수 있다. 주계생은 초창기 원앙호접파 번역가들 사이에 주로 문언을 사용하는 데에 영향을 미친 번역가이다. 원앙호접파는 창작 유파이기도 하고 또한 최초의 번역 유파이기도 하다. 그 가운데 많은 소설가들이 창작도 하면서 동시에 번역도 하였다. 말하자면 문언 번역과 백화 번역 두 시기를 걸친 것이다. 주계생은 영어와 프랑스어에 능하여 『월월소설』의 번역 편집을 담당했다. 일찍이 그는 '플로베르 탐정소설'을 번역하여 이름을 알렸다. '탐정소설'이라는 말은 그가 처음 제기한 것이라고 한다. 1903년에 그는 백화 번역 작품 『독사권毒蛇圈』을 『신소설』 제8호에 발표하여 많은 사람들의 주목을 받았다.

'의역' 시대, 진정한 의미에서 백화 번역의 선구자라 할 수 있는 사람은 오광건伍光建이다. 1907년에 출판된 『협은기俠隱記』는 큰 인기를 얻었는데, 이 작품은 뒤마의 대표작 『삼총사』를 번역한 것이었다. 5·4 시대에 이르러 이 번역 작품은 『신청년』 동인들의 찬사를 받았고, 그의 '간결하고 명쾌한' 백화로 임서를 매섭게 비판하기도 하였다. 1934년에 모순은 원문대조 형식으로 오광건의 백화 번역문을 평가하였다. 모순은 오광건의 『협은기』 제1장 「객점실서客店失書」의 내용을 예로 들었다.

"각설하고 1625년 4월 어느 날, 프랑스 마르세유 지방이 갑자기 소란스러워졌다. 여자들이 대로변을 뛰어다니고 어린 아이들은 문에서 소리를 지르며 남자들은 갑옷을 입고 총을 들고 미로점으로 뛰어갔다 …… "

모순의 대조에 따르면 오광건은 원문의 '4월의 첫 번째 일요일'을 '4월 1일'로 번역했고, '프랑스 몽성' 이하에서 '『장미 이야기』 작가가 태어나서 자란 곳'이라는 문장을 고의로 누락시켰으며, '갑자기 소란스러워졌다' 아래에서 '예수교도들이 쳐들어온 것처럼 이 지방을 로세디얼로 바꿔놓고 말았다'를 일부러 누락시켰다고 하였다. 게다가 '여자들이 대로변을 뛰어다니다'와 '아이들이 문에서 소리를 질렀다' 두 문장은 본래 '여자들이 자신들의 아이들을 돌보지 않고 문에서 울며 소리 질렀고, 재빨리 큰길로 뛰어나갔다'는 한 문장이었음을 지적하였다. 만청 시기 백화번역에서 많은 누락과 함께 유럽화 된 문법을 변화시키려는 고심이 있었음을 알 수 있다. 이것은 원래 의미를 살리려는 비교적 현명한 번역 방법이었다. 만청 시기 '의역' 분위기의 영향으로 온당치 않게 누락시키는 예도 물론 있었다. 모순은 잘된 것은 인정하고 잘못된 것은 오광건을 위해서 하나하나 지적해 주었다.

　　원앙호접파의 초기 백화 번역은 성과가 있었다. 진냉혈이 번역한 모파상의 단편 『의용군』은 일찍이 노신의 칭찬을 듣기도 한 주수견의 『구미명가단편소설총간歐美名家短篇小說叢刊』에 포함되기도 하였는데, 이 총간에는 작가 47명의 작품 50편이 번역되어 실렸다. 노신은 교육부에 근무하던 시절, 이 전집을 발견하고 나서 '인적이 드문 산골짜기에서 듣는 사람의 발소리'라고 하였다. 그는 주작인과 함께 『평어評語』를 적어 이 번역의 장점이 '그 중에는 이탈리아·스페인·스웨덴·네덜란드·세르비아가 포함되어 있는데, 중국에서는 모두 처음 보는 것들이고 고른 작품들도 모두 훌륭하다'고 칭찬하면서 '어두운 밤의 희미한 불빛이요, 군계일학'이라고 높게 평가하였다. 다만 주수견은 자신에게 상을 준 것이 누구로부터 비롯된 것인지를 오랫동안 알지를 못했고, 노신이 세상을 떠나고 나서도 한참이 지나서야 알았다. 이 또한 재미있는 이야기라 할 수 있다.

임서의 번역소설이 섭렵한 세계문학

작품	작가	작가 국적	구술자	출판연도	출판사	비고
춘희	뒤마	프랑스	왕수창 (王壽昌)	1899	외려장판 (畏廬藏版)	
엉클톰스캐빈	스토우 부인	미국	위이(魏易)	1901	무림외씨장판 (武林魏氏藏版)	
이솝우화	이솝	그리스	엄배남 (嚴培南) 등	1903	상무인서관	
세익스피어문집	랭무 남매	영국	위이	1904	상무인서관	
가인소전	허가드	영국	위이	1905	상무인서관	
아이반호	스캇	영국	위이	1905	상무인서관	
로빈슨표류기	데포우	영국	증종공 (曾宗鞏)	1905	상무인서관	
걸리버여행기	스위프트	영국	증종공	1906	상무인서관	
비틀리스	허가드	영국	위이	1906	상무인서관	
견문잡기	워싱턴 어빙	미국	위이	1907	상무인서관	
십자군영웅기	스캇	영국	위이	1907	상무인서관	
마틴 헤이튼기사	모리슨	영국	위이	1907	상무인서관	
마크 클락	코난 도일	영국	증종공	1907	상무인서관	
아람브라 이야기	워싱턴 어빙	미국	위이	1907	상무인서관	
여행자 이야기	워싱턴 어빙	미국	위이	1907	상무인서관	
니콜라스 니클비	디킨스	영국	위이	1907	상무인서관	
미혼처	디킨스	영국	위이	1907	상무인서관	
골동품가게	디킨스	영국	위이	1907	상무인서관	
데이비드 카퍼필드	디킨스	영국	위이	1908	상무인서관	
주홍색연구	코난도일	영국	위이	1908	상무인서관	
버나크 삼촌	코난도일	영국	위이	1908	상무인서관	
도망자	코난도일	영국	위이	1908	상무인서관	
올리버 트위스트	디킨스	영국	위이	1908	상무인서관	
신천방야담	스티븐스와 부인	영국	종종공	1908	상무인서관	
라포스	코난도일	영국	위이	1908	상무인서관	
솔로몬왕의 보물	허가드	영국	종종공	1908	상무인서관	
성밖	코난도일	영국	위이	1908	상무인서관	
불여귀	덕부	일본	위이	1908	상무인서관	
홍옥기사	뒤마	프랑스	이세중 (李世中)	1909	상무인서관	

돔베이와 아들	디킨스	영국	위이	1909	상무인서관	
홍옥기사(후편)	뒤마	프랑스	위이	1909	상무인서관	
지에스	허가드	영국	진가린 (陳家麟)	1909	상무인서관	
흑태자남정록	코난도일	영국	위이	1909	상무인서관	
아름다운마가렛	허가드	영국	진가린	1910. 7 시작	소설월보	
그녀	허가드	영국	증종공	1910	상무인서관	1915년 출간
제니다	허가드	영국	진가린	1912	광익서국 (廣益書局)	
폴과 제니	생삐에르	프랑스	왕경기 (王慶驥)	1913	상무인서관	
단편소설집	톨스토이	러시아	진가린	1914. 7 시작	동방잡지	
단편소설집	발자크	프랑스	진가린	1914.10 시작	소설월보	1915년 출간
섭정왕의 딸	뒤마	프랑스	왕경통 (王慶通)	1915	상무인서관	1915년 출간
얼음섬의 어부	뽈 러티	프랑스	왕경통	1915	상무인서관	
페르시아인의 편지	몽테스키외	프랑스	왕경기		동방잡지	
매둥지의 비둘기	샬롯브론테	영국	진가린	1916.1 시작	소설해(小說海)	1917년 연재 끝
리차드2세	세익스피어	영국	진가린	1916.1	소설월보	1916년 출판
헨리4세	세익스피어	영국	진가린	1916.2	소설월보	
헨리6세	세익스피어	영국	진가린	1916	상무인서관	
안토니오	뒤마	프랑스	왕경통	1916	상무인서관	
크리스마스 캐럴	세익스피어	영국	진가린	1916.5 시작	소설월보	
크림슨의 사업	뒤마	프랑스	왕경통	1916. 8 시작	소설월보	
조스고사집 2편	찰리 클락	영국	진가린	1916 12	소설월보	
조스고사집1편	찰리 클락	영국	진가린	1917.2	소설월보	
조스고사집1편	찰리 클락	영국	진가린	1917.3	소설월보	
귀신왕	허가드	영국	진가린	1917	상무인서관	
연화마	허가드	영국	진가린	1917	상무인서관	
지주의 아침	톨스토이	러시아	진가린	1917	상무인서관	
류삼	톨스토이	러시아	진가린	1917.5	소설월보	
이반일리치의 죽음	톨스토이	러시아	진가린	1917.7	소설월보	

크로이체르 소나타	톨스토이	러시아	진가린	1918.1	소설월보	
네 여인과 앵무새의 만남	뒤마	프랑스	왕경통	1918	상무인서관	
유년 소년 청년	톨스토이	러시아	진가린	1918	상무인서관	
무당의 머리	허가드	영국	진가린	1919	상무인서관	
임오덕의 기사	샤러디	영국	진가린	1919.10 시작	동방잡지	
메이와의 복수	허가드	영국	진가린	1919.11 시작	소설월보	
은합	뒤마	프랑스	왕경통	1920.1 시작	소설월보	
당구장 기록원의 기록	톨스토이	러시아	진가린	1920.3 시작	소설월보	
아르바이트	톨스토이	러시아	진가린	1920.4 시작	소설월보	
카자흐 사람들	톨스토이	러시아	진가린	1920.5	소설월보	
시바여왕의 반지	허가드	영국	진가린	1921	상무인서관	
저승여행기	페르틴	영국	진가린	1921	상무인서관	
구삼년	위고	프랑스	모문종 (毛文鍾)	1921	상무인서관	
신비의 섬	버밍햄	영국	모문종	1921	상무인서관	
귀신	입센	노르웨이	모문종	1921	상무인서관	
돈키호테	세르반테스	스페인	진가린	1922	상무인서관	

제11절
국내외 문학혁명 태동의 움직임

1917년에 호적 · 진독수가 『신청년』에 「문학개량추의」와 「문학혁명론」을 연이어 발표한 것, 1918년 『신청년』에 두 번에 걸쳐 노신의 백화소설 『광인일기』와 호적 · 심윤묵_{沈尹黙} · 유반농_{劉半農}의 백화 신시가 발표된 것, 또한 1919년 5 · 4운동에서 '신문화운동'이 발발한 것 등 이러한 일련의 일들은 신문학 출발의 상징적 사건이었다. 하지만 '5 · 4문학혁명'은 난데없이 이루어진 결과물이 아니었다. 좀 멀리 돌이켜 보면 그 준비는 모두 만청 시기에 이루어졌다. 문언의 해체에 있어서는 "속어, 운어 및 외국어법을 적절하게 섞어 쓰고 붓 가는대로 자유롭게 써서 쉽게 전달할 것"을 주장했던 양계초의 '신문체'가 있었다. 백화의 제창에 있어서는 국어운동이 있었고, 200여종의 백화 신문 창간과 유행이 있었다. 또한 소설의 지위가 높아지는 데에는 양계초의 신소설 제창과 『신소설』을 포함한 4대 소설잡지의 도움이 있었다. 시와 산문은 중국문학의 형태 전환에 있어서 가장 어려운 장르였는데, 이 또한 '詩界_{시계}혁명'과 '문계_{文界}혁명'이 있었고, 아울러 황준헌_{黃遵憲}의 "나의 손은 내가 말하는 것을 쓴다."는 주장이 있었다. 또한 화극이 도입되었고, 게다가 반문반백_{半文半白}과 만청 시기 백화의 번역도 널리 유행하였다. 그리고 직접적인 추동력은 중국문학의 신세기를 맞이하는 국내외 사람들의 갖가지 노력이었다. 여기에는 일본 유학생 노신 · 전현동_{錢玄同} · 주작인_{周作人} · 곽말약 · 욱달부_{郁達夫} · 성방오_{成仿吾} 등이 있었고, 미국 유학생 호적 · 매광적_{梅光迪} 등이 있었으며, 국내의 채원배_{蔡元培} · 진독수 등이 있었다.

분명한 것은 중국의 유학생들은 외국에서 먼저 세계 현대문명의 조류를 접했기 때문에, 이들이 새로운 사상문화의 선봉이 되었던 것은 조금도 이상한 일이 아니라는 사실이다. 시간적으로 볼 때, 관에서 파견한 미국 유학은 일본으로의 유학보다 빨랐다. 하지만 1872년에 시작해 4차례에 걸쳐 미국에 파견한 유학생은 모두 어린이들이었고, 중도에 폐지되었다. 청 정부가 경자년_{更子年}의 배상금으로 미국에 47명의 유학생을 보낸 것이 1909년이었다. 호적 · 조원임_{趙元任} · 축가정_{竺可楨} 등은 1910년에 2차로 보낸 70명 중에 포함되어 있었다. 1924년이 되자 미국 유학생의 전체 숫자는 689명에 이르렀다. 일본으로 관비 유학생 13명을 보낸 것은 1896년이었다. 노신이 일본에 간 것이 1902년이니 호적이 미국에 갔던 것보다 8년이 빠르다. 당시 일본의 중국학생은 이미 1,000여 명에 달했고, 3~4년 후에는 10,000명이 넘었다. 그리고 1906년과 1907년에는 한 해에 10,000명이 넘을 정도였다. 호적이 상해를 출발하여 미국으로 떠날 때 노신은 그 1년 전에 이미 귀국하였다.

일본 유학생들의 숫자가 이처럼 많아지다 보니 자연히 그들의 유형도 다양할 수밖에 없었다. 유흥업소로 달려가는 도련님 외에도 두 가지 부류가 있었다. 첫째 부류는 전문적으로 정치에 몸을 담고 혁명에 종사하며 만청 정부를 뒤엎으려 모여드는 의사들이고, 둘째 부류는 현대지식을 배워서 부국강병에 목표를 두고 있는 학자들이었다. 이 두 부류는 경우에 따라 구분하기 어려웠다. 예를 들어 본래는 학자인데 특수한 분위기에서 배움의 길을 걷지 못하고 혁명의 기수가 되는 경우가 있었다. 노신과 같은 애국 청년은 명치유신 이후 일본의 발전에 관한 내용을 듣고 본래 서방의학을 공부하여 자신의 부친처럼 잘못된 의술로 병이 위중해지는 상황을 막고 약소국의 백성을 치료하며 전쟁이 발발하면 군의관이 될 수 있겠다는 생각에서 의학을 공부하기로 한다. 그의 일

■ 1903년 23세의 노신. 동경 유학 시기 머리를 잘랐다.

본에서의 생활은 일반 학생들과 별 차이가 없었다. 노신은 일본어 공부를 하면서 전문학교 진학을 준비하였고, 회관과 서점을 가기도 하며 집회에 가서 강연을 듣기도 하였다. 이른바 '집회'나 '강연'은 장태염_{章太炎}·손중산·추근_{秋瑾}·도성장_{陶成章} 등의 몇몇 혁명가들과 급진 청년들의 활동에 참여한 것이다. 노신이 공부를 하던 시기에 일어났던 정치적 사건들은 다음과 같은 것들이 있다. '지나 망국 242년 기념회' 거행, 러시아 반대 운동, 절강의 혁명지사가 조직한 '광복회', 보황파_{保皇派}의 『신민총보_{新民叢報}』와 혁명파의 『민보_{民報}』 간에 벌인 논쟁, 일본 문부성이 발표한 『청국 유학생 규칙 체결』에 반대하여 일어나 동맹휴업, 진천화_{陳天華}가 울분 끝에 바다에 투신자살한 사건, 서석린_{徐錫麟}과 추근이 중국에서 피살당한 사건 등이 그것이다. 센다이 의학전문학교 2학년 세균학 시간에 보게 된 러일전쟁 관련 슬

■ 한 중국인이 러시아의 스파이라는 이유로 참수를 당하고, 그 광경을 멀리서 구경하는 민중의 모습. 1905년 중국 동북의 개원성(開原城) 외곽에서 촬영. 이 사진은 당시에 노신이 보았던 것을 상상하는 데 도움을 준다.
■ 러일전쟁 슬라이드. 노신 슬라이드 사건의 진실성과 정확성에 대해 외국학자들이 의문을 가지기도 한다. 그 이유는 노신이 보았던 바로 그 사진을 찾지 못했기 때문이다. 하지만 이것은 노신의 서술이며 전혀 근거가 없는 것은 아니다.

라이드에서 중국인 스파이가 처형을 당하는 장면을 보게 되는데, 죽음을 당하는 이의 마비된 정신과 주위에 서서 구경하는 중국인들의 마비된 모습을 보면서 엄청난 충격을 받은 노신은 국민의 사상이 깨어나지 않으면 체격이 아무리 건장해도 조리돌림의 재료나 우매한 관객이 될 수밖에 없음을 깨닫게 된다. 결국 그는 의학의 길을 접고 문학의 길로 나아간다. 노신의 경험은 절대 개별적인 것이 아니다. 과학을 공부하겠다는 동기를 가지고 최초로 일

본으로 유학을 간 학생이 문학으로 방향을 전환하게 되는 과정은 대체로 이러하였다. 1914년에 일본으로 유학을 간 곽말약의 경우에도 졸업한 뒤에는 의학에서 문학으로 방향을 바꾸었다. 1913년에 일본에 유학을 간 욱달부도 먼저 의학을 공부한 후에 법학으로 바꾸려 하였다가 최종적으로 동경제국대학에서 공부한 것은 경제학이었다. 1913년에 일본유학을 간 장자평과 1910년에 일본유학을 간 성방오는 모두 동경제국대학 학생이었고, 장자평張資平은 지질학을, 성방오는 군사학을 공부하였다. 앞에서 언급한 4명은 모두 자신의 전공을 바꾸어 문학으로 방향을 전환하였다. 하지만 당시의 분위기는 과학을 배워 사업을 하는 것을 중시하고 문과를 무시하는 경향이 있었다. 곽말약은 다음과 같이 회고하고 있다.

"조금이라도 뜻이 있는 사람은 누구라도 실제 학문을 공부하여 나라를 부강하게 하고자 하였다. 그렇기 때문에 문학에 대해서는 보편적으로 싫어하는 경향이 있었다."

바로 이런 상황이기 때문에 일단 방향을 바꾸게 되면 되돌아볼 수 없는 상황이었다.

공학이나 의학 계통에서 방향 전환을 한 관계로 초반기 글쓰기는 노신처럼 과학 관련 글들이 중심이었다. 예를 들어 「중국지질약론中國地質略論」이나 「과학사교편科學史敎篇」, 역사소설 「스파르타의 혼」, 과학소설 「월계여행」·「지하여행」 등이 그것이고, 문예 논문 「마라시력설摩羅詩力說」·「문예편지론文藝偏至論」 발표, 문예잡지 『신생新生』 운영, 주작인과 공역으로 『역외소설집』 등을 출판하였다. 이 저작들 가운데 상당수는 서방의 과학·문예·철학사상을 간접적으로 받아들인 후의 산물로서노신은 일본어와 독일어를 볼 줄 알았다, 훗날 유럽과 미국 유학생들이 원작을 직접 읽거나 원작자의 문하에서 수업을 받고 문과 계통을 다루는 것과는 다르다. 하지만 노신은 일본이라는 창을 통해 현대사상을 충분히 보고 이해하고 있었다. 전반기의 중요한 이론 문장 『문화편지론』에서 그는 "물질을 풍부하게 하고 정신을 신장시키는 것은 개인에게 맡기는 것이고 다수를 배제하는 것이다. 먼저 사람을 세워야 한다. 사람이 서고 나서 모든 일이 이루어지는 법이다. 만약 방법이 있다면 개성을 존중해야 하고 정신을 펼쳐야 한다. 개성이 펼쳐지면 모래와 같은 나라도 사람의 나라로 바뀌고 사람의 나라가 세워지면 비로소 당당하게 나아가 세상에 우뚝 서서 볼 수 있게 된다."라고 했는데, 이 말들을 지금 읽어보면 현실적인 문화 의의가 여전히 사라지지 않고 있으면서 얼마나 사람의 마음을 격동시키는지 모른다!

일본 유학생들은 청나라 왕조를 뒤엎고 봉건체제를 끝내기 위해서 사상과 인재 두 측면에서 준비를 하였다. 신해혁명 이후에는 신문화와 신문학의 시대를 열기 위하여 준비를 하였다. 일본 사상계의 좌경화와 러시아 10월 혁명 성공의 영향으로 말미암아 사회과학의 좌익세력은 강대해졌고, 일본 유학생들은 나름대로 역사 진화론자에서 혁명론자로 바뀌면서 급진적이고 실천적인 인재들이 속속 등장하였다. 유럽과 미국의 유학생들이 현대 학문을 철저하게 공부하고 귀국한 뒤 전문적인 학술분야에 종사하면서 저명한 학자나 교수가 되어 신사의 신분을 유지하거나 전문적 지식을 가진 관리의 길을 걸었던 것과는 달리 많은 일본 유학생들은 학위 받는 것을 중요시하지 않았다. 진독수는 1901년부터 4차례 일본에 갔는데, 고등사범학교의 책을 읽지 않았다. 그는 사상 선전 사업에 치중했던 것이다. 그러면서 자신은 일본 유학생이라기보다는 『국민일보』의 편집인이자 『안휘속화보_{安徽俗畫報}』 운영자 겸 '애국사_{愛國社}'와 '악왕회_{岳王會}' 등의 단체 조직자이며 원세개 타도투쟁에 직접적으로 참가하는 혁명가라고 하였다. 원세개 타도가 실패한 뒤에 진독수는 일본에 망명하여 장사교_{張士釗}의 『갑인』 잡지 운영을 도우면서, 자신이 『청년잡지』_{『신청년』의 전신}를 창간하기 전 그의 정치·문화적 포부가 가장 잘 표현된 격렬한 언론을 발표하기도 하였다. 그는 자신이 아직 끝내지 못한 학업을 마칠 생각이 조금도 없었다. 진독수의 일본 유학 상황은 매우 전형적이다.

중국 국내의 지식인들은 신문화와 신문학 태동의 중견인물로서 몇 세대에 걸친 인물들로 구성되어 있다. 양계초·장태염·왕국유_{王國維}의 사상은 모

■ 청나라 말기 진사로서 한림을 지낸 장원제. 세계일주 여행을 하기 전 1910년에 촬영. 현대 중국교육과 출판의 지도자이다.
■ 1920년 채원배가 북경대학 총장을 지내던 때의 사진. 시작할 당시 '모든 것을 받아들이는' 그의 학교 운영 방침은 지금까지도 사람들을 매료시키고 있다.
■ 채원배의 청년시절

두 신구 과도적 성격을 띠고 있어 '5·4'쪽으로 곧바로 다다를 수는 없었다. 장원제張元濟는 진사 한림 출신으로 가장 먼저 현대 출판계에 뛰어든 인물이며, 상무인서관의 원로 가운데 한 사람이 되었다. 물론 그 또한 과도적 인물로서, 유신파 입헌사상의 영향으로 인해 너무 멀리 벗어나지는 않았다. 하지만 역사적으로 그는 최초로 기계로 책을 찍어내는 시대의 대표적 인물이다. 그가 건립한 현대 출판업과 현대문학은 떼려야 뗄 수 없는 관계에 있다. 물론 장원제와 손을 잡고 '상무인서관'의 소학 교과서를 편집하고 그보다 먼저 상무인서관 편역소 소장을 맡았던 채원배는 사상적으로 훨씬 더 발전해 있었다. 채원배도 진사 한림 출신이었지만 중국교육회·애국학사를 창립하였고, 광복회를 조직하였으며 동맹회에 가담하여 공화제를 옹호하다가 마침내 청나라 조정의 '반역자'가 되었다. 39세 때인 1907년 독일 유학 시절에는 다른 청년 유학생들과는 달리 이미 사회저명인사가 되어 있었다. 채원배는 외국에서 점차 현대적 교육사상과 미학사상의 체계를 형성하고 있었는데, 이는 민국으로 돌아와 교육총장으로 취임하는 데 있어 디딤돌 역할을 하였다. 그는 임시정부 교육부에 노신 등을 초빙하였고, 함께 북경까지 갔다. 1917년에는 국어연구회를 만들어 회장으로 취임하였고, 이 모임에서 발표한 「징구회원서徵求會員書」에서 "국민 학교의 교과서는 반드시 백화문체로 바꿔서 사용해야 한다."고 주장하였다. 이는 호적이 백화운동을 주장한 것과 거의 동시에 벌어진 일이다. 따라서 여금희黎錦熙는 말하길, "그 해 '문학혁명'과 '국어통일'은 두 물결이 합해지는 모습을 보여주었다."고 하였다. 북경대학 교장으로 일하는 동안 채원배는 태동 중에 있던 신문화운동을 극력 지지하였다. 그는 자신보다 12살 어린 진독수를 북경대학 문과 학장으로 초빙하였다. 진독수는 또 자신보다 12살 어린 호적을 교수로 초빙하였다. 3세대에 걸친 이들은 함께 힘을 합쳤고, 『신청년』과 북경대학을 핵심으로 하는 신문학운동의 커다란 물결을 일으켰다. 젊은 세대인 엽성도·심안빙沈雁冰 두 사람과 구추백瞿秋白·정진탁鄭振鐸·주자청朱自淸·문일다聞一多 등은 모두 19세기 말에 태어났지만 엽성도와 심안빙은 집안형편상 직업전선에 뛰어들어, 5·4이전에 이미 상무인서관에서 일을 하였다. 나머지 사람들은 5·4기간에 신식학교에서 교육을 받고 있었다. 구추백은 북경대학 러시아어 전수관의 학생 지도자 가운데 한 사람이었고, 정진탁은 북경철도관리학교의 학생 대표였으며, 주자청은 북경대학 학생운동의 소용돌이 중심에 서 있었다. 또한 문일다는 청화학교청화대학의 전신에서 학생대표로 선출되어 전국학생연합회에 출석하기도 하였다. 그들은 모두 애국 학생운동에 각기 다른 모습으로 참가하고 있었고, 5·4운동의 추진력으로 문학의 길을 걷게 된다.

구추백은 러시아어를 배우고 나서 곧바로 소련으로 갔고, 문일다는 유럽 미국 유학 예비학교를 마치고 미국으로 갔다. 5·4 당시 뜨거운 피가 용솟음쳤던 것은 마찬가지였지만 그 후 걸어간 길은 달랐다. 유럽과 미국 유학생과 일본 유학생은 조금만 비교해 보면 그들 간의 차이를 발견할 수 있다. 수많은 일본 유학생들 중에서 문과를 공부한 사람은 매우 적었으며, 문학으로 방향을 전환한 전체 숫자는 유럽과 미국의 유학생보다 많지 않다. 이는 대조확인을 거치지 않으면 상상할 수 없는 일이다. 그리고 유럽과 미국 유학생들은 생활이나 정치 방면에서 중압감이 덜하여소련의 모스크바에서 정치혁명을 공부한 것은 제외한다. 공부하는 곳이 동방대학·중산대학 단기반이었기 때문에 전공이 불분명하기 때문이다 문과를 좋아하면 문과를 전공하여 귀국한 뒤에 대부분 대학에서 가르치고 창작을 하고 서방의 학

■ 1917년 채원배가 당시 총통인 여원홍에 의해 북경 대학 총장으로 임명되었을 당시의 임명장

술문화 사상을 소개하는 등 문과계통의 일에 종사하는 이가 오히려 많았다. 호적이 바로 그런 인물이었다. 이후에 추가로 쓴 「핍상양산_{逼上梁山}」에서 호적은 그들 미국 유학생들이 국내의 백화문학운동을 위해서 사상 이론방면의 준비를 어떻게 하였는가를 상세하게 적고 있다. 그 중에는 자신을 과대 포장하는 면도 있고, 역사적 영향력이 엄청나게 큰 문화적 진동이 몇몇 청년 학자의 몇 차례 토론으로 일어날 수는 없는 것이지만 촉발점으로서는 그래도 의미가 있는 것이다. 사실 호적은 이미 당시에 문학혁명의 여러 가지 발생조건을 가지고 있었지만, 다만 불쏘시개가 없었을 뿐이었다. 호적에 따르면, 1915년 자신이 미국에 있을 당시 워싱턴 청화학생 감독처 비서 종문오_{鍾文鰲}가 매달 보내오는 월급을 받았는데, 수표들 가운데에 종문오가 개인적으로 끼워 넣은 쪽지들이 있었고 그 내용은 "25세가 되지 않으면 장가가지 말자, 한문을 없애고 자모를 이용하자, 나무를 많이 심는 것이 유익하다."라고 하는 등 각양각색이었다고 한다.

> 어느 날 나는 그가 보내준 전단을 또 받게 되었는데, 중국은 자모로 음 표기 방법을 바꾸어야 한다고 하면서 교육을 보급하려면 자모가 있어야 한다고 역설하는 내용이었다. 나는 화가 나서 편지 한 통을 써 그를 욕해 주었다. 편지에는 다음과 같이 썼다. "당신처럼 한문을 잘 알지 못하는 사람들은 중국 문자의 개량 문제를 논할 자격이 없다. 당신이 이 문제를 말하고 싶으면 몇 년 공부를 한 뒤 한문을 잘 알고 나서야 비로소 한자를 없애야 할 것인지를 논할 자격이 있게 된다."

호적은 이 답장을 보낸 것에 대해 금세 후회하였다. 아울러 이를 계기로 중국문자와 문학의 개혁문제를 열심히 연구하기 시작했다. 왜냐하면 호적은 이미 종 선생에게 이 문제를 토론할 자격이 없다고 했고, 자격이 있는 우리가 열심히 이 문제를 연구해야 한다고 말했기 때문이었다. 이 일은 당시 미국에서 유학하고 있는 인사들 사이에서 학술·이념적으로 중국의 구체적인 문제를 돌이켜 보는 분위기 속에서, 실무적인 일에 종사하는 사람까지 이 분위기의 영향을 받아 그런 전단을 만들 수 있었다는 점을 보여주고 있다. 또한 문자와 문학의 개혁이야말로 기초를 놓는 일이었고, 호적은 그것을 집대성했을 뿐이라는 사실을 알 수 있다. 또 다른 측면에서는 호적처럼 이렇게 성격이 노숙한 미국 유학생까지도 이렇듯 도도하게 굴면서 보통사람들에 대해 고압적으로 군림하는 자세를 취하는 걸 봐서는, 훗날 일본 유학생 출신의 문학가들과 서로 서먹서먹하게 지내고 노신이 그들의 명사입네 하는 태도에 반감을 가진 것도 당연하다.

이후 호적은 공부를 해나가면서 연구토론의 내용을 늘려 나갔다. 먼저 미국 동부의 중국학생회에 '문학과 과학 연구부'를 설립하였다. 첫 번째 모임을 가졌을 때에 그와 조완임은 '중국문자의 문제'를 주제로 정하고 연구토론을 진행하였다. 조원임의 제목은 『우리나라 문자가 자모 시스템을 채택할 수 있는가 여부와 그 진행방법』이었다. 호적은 『어떻게 하면 우리나라 문언을 가르치기 쉽게 할 수 있을까』라는 주제로 준비를 했는데, 그는 문언문이 그리스 라틴문자와 마찬가지로 '죽은 문자' 또는 '절반 죽은 문자'이고, 영어와 프랑스어 및 '중국의 백화'는 '살아 있는 문자' 또는 '매일 사용하는 언어의 문자'라는 사실을 알게 되었다. 이는 호적이 문언과 백화의 우열을 비교한 후 문언에 대해 회의적인 시각을 가지게 된 시작으로서, 그 안에는 역사진화론의 관념이 뚜렷하게 포함되어 있어 유럽과 미국에서 매일 사용하는 문자가 각 나라의 구어를 받아들여야만 현대적 형태로 변할 수 있고 중국 역시 백화를 받아들여야만 어문상의 현대화가 이루어질 수 있다고 생각하게 되었다. 그는 또 외국 문장에 근거하여 '문자 부호'를 사용하는 문제를 제기하였다. 같은 해에 호적은 『구두와 문자부호를 논함』을 발표하여 10가지 표점부호를 제기하였는데, 중국 현대 표점의 시초라고 할 수 있다.

한걸음 더 나아가 호적은 고문은 이미 '절반 죽은 문자'라는 자신의 견해를 가지고 코넬대학에 있는 이타카 지역의 유학생 단체로 가서 토론을 벌였다. 1915년 여름 토론회에 참여한 사람은 임숙영任叔永 ·

■ 1914년 당시의 호적

■ 호적

매광적 · 양행불楊杏佛 · 당월唐鉞 등으로 문자에서 문학에 이르기까지 뜻밖의 격렬한 논쟁이 벌어졌다. 그 가운데 호적의 친구 매광적은 매우 흥분하여 고문을 '죽었다'고 보는 것에 대해 굳건히 반대하였다. 이후의 호수 유람 · 송별회 · 서신왕래와 시 낭송 등과 함께 1년여의 시간동안 토론은 이어졌고, 유학생들의 의견교환은 상상하기 힘들 정도로 많이 이루어져 호적의 표현을 빌자면 "하루에 우편엽서 한 장, 사흘에 편지 한 통"이었다. 9월이 되어 매광적은 하버드대학으로 갔고 호적은 장시를 그에게 써 보냈는데, 이 토론의 종결과도 같았다.

"메이군, 메이군, 스스로 비하하지 말게나! 중국문학은 이미 오래 전에 시들어 버렸고, 백년간 특출나게 재능 있는 자가 나타나지 않았지만, 새로운 물결이 밀려오니 막을 수가 없고 문학혁명의 시기로세! 우리는 좌시할 수 없고, 두 세 사람을 불러 모아 혁명군은 출발을 기다리니 채찍으로 귀신들을 쫓아내고 새로운 세기를 맞이하세. 이것이 나라에 보답하는 길이니 메이군, 메이군, 스스로 비하하지 말게나!"

이것은 호적이 문학혁명이라는 개념을 처음으로 제기한 기록이다. 402자의 시 안에 11개의 외국글자 번역음을 사용하였는데, 이는 본래 담사동으로부터 시계혁명을 제기한 황준헌이 쓰던 방법이었다. 하지만 임영숙은 호적의 시에 대한 답장으로 콜롬비아 대학으로 가는 호적을 배웅할 때에 이 외국 글자를 연이어 붙여 유희시를 만들어 그에게 보냈다.

뉴턴, 에디슨, 베이컨, 켈빈
소로우(H.D. Thoreau), 호손(Nataniel Hawthorne) 예술적 영감(inspiration)
한 차 가득한 귀신을 매질하고 군을 위해 아름다운 시를 짓네
문학이 이제 혁명하려 한다니 노래를 지어 호군에게 보내노라

호적은 임숙영이 외국 글자를 덧붙인 구시도 '혁명'이라고 부를 수 있는 가 하고 선의로 비꼰다는 것을 알았다. 하지만 자신은 문학혁명을 장난으로 여기지 않았다. 그는 곧바로 뉴욕으로 가는 기차에서 임숙영이 썼던 운으로 답시를 써서 뉴욕에 있던 친구들에게 정중하게 대답하였다.

> 시의 나라에서 혁명은 어디에서 시작할까? 시와 작문에서 시작되어야 할 것이다.
> 다듬고 꾸미는 것은 원기를 잃어버리고 그럴듯하게 베끼는 것은 시가 할 바가 아
> 니라네
> 소인의 글쓰기는 상당히 대담하고 여러분들은 한 사람 한 사람 멋쟁이들이라네
> 원컨대 서로 비웃지들 말고 서로 힘을 합쳐 우리는 썩어빠진 선비가 되지 마세나

매광적은 단순하게 백화를 반대하지 않았다. 변론 중에 그는 송원 백화문 학에 가치가 있다는 호적의 관점을 받아들였고, 오늘날의 소설과 사곡에 백 화를 쓸 수 있다는 견해에도 찬성하였다. 하지만 그는 시를 짓는 데에는 백 화를 쓸 수 없다는 주장은 굽히지 않았다. 그는 호적에게 보낸 편지에서 다 음과 같이 말하고 있다.

> "그대가 말하길 시의 나라 혁명은 시와 문장을 짓는 데에서 시작된다 하였는
> 데, 나는 그렇게 생각하지 않습니다. 시와 문장은 완전히 다른 것입니다. 시의 문
> 자(Poetic diction)와 문장의 문자(Prose diction)는 시와 문장이 있어온 이래로(중
> 국과 서양을 막론하고) 나뉘어서 길을 걸어 왔습니다. 그대
> 가 시계혁명가들을 위해 '시의 문자'를 개량하는 것은 가
> 능합니다. 만약 '문의 문자'를 시에 옮겨 놓고 그것을 혁
> 명이라고 한다면 그것은 안 되는 일입니다."

호적의 생각은 단순히 '문의 문자'를 시에 넣자고 한 것이 아니었다. 그는 답장을 통해 세 가지 조항_{첫째,}

_{말에 내용이 있을 것, 둘째, 문법을 강구할 것, 셋째, '문의 문자'를 쓰게 될 때 피하지} _{말 것}으로부터 여덟 가지 조항에 이르기까지 중국문학

■ 호적의 원고

이 '문장은 있되 내용은 없는' 상황을 피하기 위한 방법을 체계적으로 제기하기 시작했다. 반복되는 반박을 통해 호적은 문학혁명의 내용에 대한 인식을 더 깊게 할 수 있었다. 마침내 그는 문학혁명의 돌파구를 찾았다. 그는 문자 방면에서 언어 도구라는 고리를 잡아 요점을 간명하게 제시하여야 한다고 하였다. "중국문학사는 문자 형식_{도구}의 신진대사 역사에 불과"하며, "문학의 생명은 한 시대의 살아있는 도구로 한 시대의 감정과 사상을 표현하는 것에 달려 있다."고 역설하기도 하였다. 문학방면에서 그는 이 '시'라는 고리를 잡아야 하고 반드시 백화시를 창작해 보아야 한다고 이해하였다. 이로부터 몇 개월 뒤에 그가 진독수에게 보낸 편지와 글에서 보여준 관점은 이 생각과 매우 비슷해지고 있었다. 해외의 유학생들과 국내의 혁명가들은 문화 분야에서 급진의 길을 택하고 서로 힘을 합쳐 중국 현대문학의 광활한 1막을 열어젖히고 있었다.

5 · 4 전후 일본 유학 작가(1929년까지)

이름	유학 도시	시작연도	학과	귀국연도
소만수	요코하마/동경	1898	예과	1903
노신	동경/센다이	1902	의과	1909
진독수	동경	1902/1913	육군/영어	1908/1915
구양여천	동경	1902		1910
심윤묵	일본	1905	예과	1906
하면존(夏丏尊)	동경	1905	미술	1907
이숙동	동경	1905		1910
오우	일본	1905	문학	1910
전현동	동경	1906	문과	1910
주작인	동경	1906	조병과	1911
성방오	동경	1910	문과	1921
나흑지(羅黑芷)	게이오대학	1911 전		1911
서조정(徐祖正)	일본	1911	정치	1922
이대교(李大釗)	동경	1913		1916
유대백	일본	1913	정치경제	1915
이육여(李六如)	일본	1913	의과	1918
곽말약	동경/후쿠오카	1913	이과 지질	1923

장자평	동경/구마모토	1913	의과/경제학	1922
욱달부	동경	1913		1922
이초리(李初梨)	동경	1915	영문학	1927
전한(田漢)	동경	1916		1922
정백기(鄭伯奇)	동경/교토	1917	이과/역사	1926
백미(白薇)	동경	1917	의과	1925
도정손(陶晶孫)	후쿠오카	1906		1927
진대비	일본	1918		1919
장극표(張克標)	동경	1918	수학	1925
장문천(張聞天)	일본/미국	1920	철학	1924
사륙일(謝六逸)	동경	1920	문과	1924
목목천(穆木天)	교토/동경	1920	문과	1926
전가천(錢歌川)	일본	1920		1926
하연(夏衍)	동경/후쿠오카	1920	전기공학	1927
심계여(沈啓予)	동경/교토	1920	문학	1927
풍자개(馮子愷)	동경	1921	미술	1922
유납구(劉吶鷗)	동경	어려서 在日	문과	1925
풍내초(馮乃超)	교토/동경	일본에서 출생	철학/미학	1927
양소(楊騷)	동경	1921	사범	1924
등고(騰固)	일본	1924 전		1924
양규(楊逵)	동경	1924	문학	1927
손양공(孫俍工)	동경	1924	독문학	1928
유대걸(劉大杰)	동경	1926	유럽문학	1930
예이덕(倪貽德)	동경	1927	회화	1928
주양(周揚)	동경	1928		1930
임균(任鈞)	일본	1928		1932
호풍(胡風)	동경	1929	영문학	1933
누적이(樓適夷)	일본	1929	러시아문학	1931
채의(蔡儀)	동경/후쿠오카	1929		1937
고장홍(高長虹)	일본/유럽	1929		1937

5 · 4 전후 유럽 미국 유학 작가(1929년까지)

이름	유학 도시	시작연도	학과	귀국연도
채원배	독일	1907	철학	1912
이청애(李靑崖)	벨기에	1907	공과	1912
호적	미국	1910	농업/철학	1917
매광적	미국	1911	문학비평	1920
진서형(陳西瀅)	영국	1912	중학에서 박사	1922
호선숙(호선숙)	미국	1913/1923	식물학	1916/1925
송춘방(宋春舫)	스위스	1914		1916
정서림(丁西林)	영국	1914	물리학	1920
진형철(陳衡哲)	미국	1914	역사문학	1920
원창영(袁昌英)	영국	1916	영문학	1921
홍심(洪深)	미국	1916	희극문학	1922
오복	미국	1917	문학비평	1921
서지마(徐志摩)	미국/영국	1918	역사정치	1922
임어당(林語堂)	미국/독일	1919	문학언어학	1923
이금발(李金髮)	프랑스	1919	미술	1925
이할인(李劼人)	프랑스	1919	문학	1924
조정화(曹靖華)	소련	1920	동양문학	1921
소삼(蕭三)	프랑스/소련	1920	동양문학	1924
왕경희(汪敬熙)	미국	1920		1924
양진성(楊振聲)	미국	1920		1924
종백화(宗白華)	프랑스/독일	1920	철학미학	1925
왕독청(王獨淸)	프랑스	1920		1925
나가륜	미/영/독/프	1920		1925
유반농	영국/프랑스	1920	어음학 문학	1925
부사년	영국/독일	1920	심리학 철학	1926
강백정(康白情)	미국	1920		1926
장광자(蔣光慈)	소련	1921	노동대학	1924
소설림(蘇雪林)	프랑스	1921	문학예술	1925
문일다	미국	1922	회화예술	1925
임여직(林如稷)	프랑스	1922	법과 문과	1930
허지산(許地山)	미국/영국	1923	종교철학	1926
방영유(方令孺)	미국	1923		1929
여상원(余上沅)	미국	1923	희극	1925
소순미(邵洵美)	영국/프랑스	1923	영문학	1927
양실추(梁實秋)	미국	1923	문학비평	1926
고일초(顧一樵)	미국	1923	전기	1929

빙심(冰心)	미국	1923	문학	1926
임휘인(林徽因)	미국	1924	미술디자인	1928
웅불서(熊佛西)	미국	1924	희극문학	1926
양종대(梁宗岱)	프랑스/스위스	1924	어문학	1931
노사(老舍)	영국	1924	언어학	1930
섭감노(聶紺弩)	소련	1925	중산대학	1927
손대우(孫大雨)	미국	1925	영문학	1929
주광잠(朱光潛)	영국/프랑스	1925	문학철학	1933
고사기(高士其)	미국	1925	세균학	1930
이백교(李伯釗)	소련	1926	중산대학	1931
임동제(林同濟)	미국	1926	국제관계	1934
주상(朱湘)	미국	1927	문학	1929
왕력(王力)	프랑스	1927	문학	1932
여열문(黎烈文)	프랑스	1927	문학	1932
부뢰(傅雷)	프랑스	1927	예술비평	1931
진학소(陳學昭)	프랑스	1927	문학	1934
진전(陳銓)	미국/독일	1928	철학문학	1934
애청(艾靑)	프랑스	1929	회화	1932
나념생(羅念生)	미국/그리스	1929	어문학	1934
나숙(羅淑)	프랑스	1929	언어교육	1933

제12절

'신청년─북경대학' 급진파의 반란과 보수파의 저항

■ 5.4 운동 당시 북경 시내를 행진하는 학생 시위대열

5·4 이전에 신문화운동은 이미 '문학혁명'의 기세에 힘입어 발생하였다. 이는 중대한 전환점이었다. 그것이 의지하고 있던 것은 표면적으로 간행물과 학교에 불과했지만 사실은 심층적인 사회와 역사의 지지였다. 간행물은 그 이름도 유명한 『신청년』 잡지였고, 학교는 신문화운동의 근거지인 북경대학이었다. 시간은 1917년, 장소는 당시 북양군벌 정부의 소재지이자 정치 중심지인 북경이었다.

1917년 1월 1일 『신청년』 제2권 제5호에 호적의 『문학개량추의』가 발표되었다. 당시 호적은 아직 뉴욕의 컬럼비아 대학에서 철학박사 논문을 쓰고 있었다. 이어서 다음 기에는 진독수의 『문학혁명론』이 발표되었다. 이 이전에 『신청년』에서는 1916년에 진독수와 호적이 태평양을 건너 주고받은 통신을 공개하였는데, 이 통신은 민국 이래 가장 강렬한 문화개혁의 열기를 전해주었다.

'통신'과 '추의'에서 호적은 유명한 '8불 주의'를 제기하였다. 통신에서 그는 "오늘날 문학혁명을 말하고자 하면 8가지 내용으로부터 시작해야 한

다."고 하였는데, 후에 그는 '여덟 가지 내용'의 순서
와 개별적인 자구를 조정하여 '문학개량'으로 바꾸었
다. 이렇게 온화한 단어를 썼지만 사실은 여전히 '혁
명'이었다. 8가지 내용은 다음과 같다.

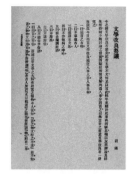

첫째, 내용이 있는 말을 할 것
둘째, 옛사람을 모방하지 말 것
셋째, 문법을 강구할 것
넷째, 병 없이 신음하는 소리를 내지 말 것
다섯째, 화려하고 상투적인 말을 쓰지 말 것
여섯째, 전고를 쓰지 말 것
일곱째, 대구를 강구하지 말 것
여덟째, 속자와 속어를 피하지 말 것

진독수는 노혁명가답게 '3대주의'를 제기하였는
데, 학술적인 이치상 심오하지는 않지만 뚜렷한 점이
돋보인다.

■ 1917년 1월 『신청년』 2권
5호에 호적이 발표한 『문학
개량추의』
■ 1917년 2월 『신청년』 2권 6
호에 진독수가 발표한 『문학
혁명론』

　"문학혁명의 기운이 하루아침에 태동한 것은 아니다. 처음 깃발을 들고 선봉
에 선 것은 나의 친구 호적이었다. 나는 전국 학자들의 적이 되기를 무릅쓰고 '문
학혁명군'의 깃발을 높이 펼쳐드니 친구의 성원이 있을 것이라 생각한다. 깃발에
는 혁명군의 3대주의가 크게 쓰여 있다. 첫째, 다듬고 아첨하는 귀족문학을 타도
하여 평이하고 서정적인 국민문학을 건설하자. 둘째, 진부하고 장황한 고전문학
을 타도하여 신선하고 성실한 사실문학을 건설하자. 셋째, 애매하고 난삽한 산림
문학을 타도하여 명료하고 통속적인 사회문학을 건설하자."

　호적의 8개 조항은 사상 감정과 문자의 문제를 거의 모두 다루고 있고,
끝부분에서는 "오늘날 역사 진화의 시각에서 볼 때 백화문학은 중국문학의
정종이고 장래 문학에서 반드시 사용해야 하는 이로운 도구이다."라고 선언

하였다. 문언을 대체하여 백화가 정종이 된다는 사상은 후에 하나의 기치가 되었다! 진독수는 중국고전문학에서 이른바 '18요괴'를 찾아내고 이와 대립되는 유럽문학의 모범사례를 찾아내어 다음과 같이 말하였다.

> "우리나라 문학계의 호걸지사들 가운데 중국의 위고 · 졸라 · 괴테 · 휘트 먼 · 디킨스 · 와일드를 자처하는 이가 있는가? 세상물정에 어두운 학자에 신경 쓰지 않고 두 눈 부릅뜨고 용감하게 18요괴와 싸울 이가 있는가? 나는 42문의 대포를 끌어다가 선도자로 삼고 싶다."

이 글이 『신청년』에 발표되자 돌 하나가 파도를 일으키듯 매우 빠르게 전국 청년 지식인들의 반응을 불러일으켰고, 이로써 '신문화운동'과 '문학혁명'의 서막이 오르게 되었다.

『신청년』이 이렇게 큰 임무를 맡을 수 있었던 것은 절대로 우연이 아니었다. 『신청년』은 진독수 혼자 힘으로 창간된 것으로서, 그의 친구인 아동亞東 도서관 주임 왕맹추汪孟鄒가 군익서사群益書社의 진자패陳子沛 · 진자수陳子壽 형제를 소개해주어 1915년에 상해에서 출판되었다. 처음 이름은 『청년잡지』였고, 진독수가 주편을 맡았다. 이 잡지는 진독수가 상해 · 동경 등지로 망명을 다니던 기간 중에 창간하려 했던 간행물로서, 진독수는 이 잡지를 통해 정치사상을 위주로 하고 학술문예를 보조로 하여 국민 계몽선전이라는 자신의 웅대한

■ 『신청년』의 전신인 『청년잡지』
제1권 제1호

사상을 실천하고자 하였다. 제1권 1호에서 6호까지의 표지에는 모두 검은 옷을 입은 청년들이 앉아서 강의를 듣는 그림이 그려져 있고, 그 위에는 프랑스어 'LA JEUNESSE청년'이 쓰여 있으며 오른쪽에 수직으로 간행물의 명칭을 적고 중간의 눈에 잘 띄는 곳에 기별로 미국 사업가 카네기 등 6인의 얼굴을 배치하였다. 이를 통해 프랑스 혁명사상과 미국의 창조정신을 포함한 서양의 문명을 받아들이게 하여 청년 세대를 계몽하려는 의

도를 분명히 하였다. 이 간행물이 당초에 의지했던 것은 진독수가 일본에서 반원세개 활동을 할 당시 『갑인』 잡지 편집에 참여했던 작가들이었다. 발표되는 문장들은 이미 청년·교육·국가·여성·근대문명·과학·인권·동서양의 민족성·현대 유럽문예 등의 민감한 내용들을 다루고 있었다. 조판과 인쇄에 있어서는 문언에 대해 단을 나누고 표점을 하는 방식을 채택하였다. 간행물은 매우 새롭다고 할 수 있었지만 문화개혁과 문학개혁의 돌파구를 찾지는 못하고 있었다. 각 기별로 1,000여 부밖에 인쇄를 하지 못해 영향력도 그다지 크지 않았다. 6기 이후 제2권부터 『신청년』으로 이름을 바꾸는 시기가 도래하였다. 이는 우연한 일에서 비롯되었다. 군익서사가 상해 기독교청년회의 항의 편지를 받게 되는데, 그 편지에서는 『청년잡지』가 자신들이 발행하는 『상해청년』과 이름이 비슷하다고 질책하는 내용이 적혀 있었다. 진자수는 이 기회에 아예 『신청년』으로 바꾸자고 제안하였고, 진독수는 그 의견에 동의하였다. 아울러 제2권 1호부터 『신청년』으로 써서 "청년이 어떻게 해야 신청년이라 불리는가? 구청년의 행동을 안 하면 된다."는 이치를 발휘하였다. 2권 2호부터 진독수와 호적의 통신이 등장한다. 1916년 말에 이르러서는 막 귀국하여 북경대학 총장 취임을 코앞에 두고 있던 채원배가, 문과로부터 북경대 개조를 목표로 인재를 물색하고 있던 차에 탕이화湯爾和가 진독수를 추천하였다. 때마침 11월에 진독수는 왕맹추와 함께 '아동'과 '군익' 두 출판사의 합병 문제로 북경에 와서 전문 밖의 한 여관에 머물고 있었다. 12월 26일 채원배는 여관으로 직접 진독수를 찾아갔다. 두 사람은 의기투합하여 그 자리에서 진독수를 북경대학 문과 학장으로 초빙하기로 결정하였다. 『신청년』에 관해서 채원배는 "학교에 가지고 와서 꾸리는 게 좋겠습니다."라고 하였다. 이 말을 할 당시는 호적의 『문학개량추의』가 실린 잡지가 이미 인쇄가 끝난 시점이었다. 당시 채원배는 50세였고, 진독수는 38세, 호적은 불과 26세였다. 이 세 사람이 북경대학과 『신청년』을 협력관계로 만들어 얼마나 멋진 장면을 연출해낼지 아무도 예상하지 못하였다!

획기적인 사건이 『신청년』과 북경대학 문과의 역사적인 협력 하에서 연

■ 초기의 경사대학당에서 북경대학 시기까지 마신묘(馬神廟) 사공주부(四公主府)의 옛터에 있던 교문

출되었다. 전신인 경사대학당이 무술변법이 일어난 1898년에 세워진 것으로부터 계산해보면 북경대학은 당시 20여년 역사를 가지고 있었다. 경사대학당은 중국에 서양식 교육을 도입하기 위해 세워진 최초의 대학으로서, 백일유신의 실패로 모든 신정新政이 취소되었지만 오직 경사대학당만이 보존되었다. 경사대학당은 8개국 연합군이 북경을 침탈할 당시에 문을 닫았다가 1902년에 회복되었다. 완고파는 비록 이 학교를 경을 읽는 서원으로 바꾸려 하였지만 당시 학생들에 따르면 학교에서 '현대과학' 과목이 '가장 큰 비중'을 차지했다고 한다. 아울러 장지동張之洞이 공부할 때 일본인 교원의 심리학 강의를 들었다는 말도 전해진다. 1912년에 북경대학으로 개명하면서 엄복이 초대 교장이 되었다. 초기의 문과는 상대적으로 보수적이었다. 교원은 마기창·임서·요영개姚永槪·요영박姚永朴 등이 있었는데 동성파 세상이었다고 할 수 있다. 후에 장태염의 제자 마유조馬裕藻·심겸사沈兼士·전현동·황간육黃侃陸이 들어왔고, 채원배가 교장에 취임하면서 내부적으로는 이미 신과구의 충돌이 일어났다. 채원배는 북경대학의 새로운 시대를 열었다. 그는 독일과 유럽의 교육사상을 받아들여 '사상의 자유'와 '학술평등'을 주장하였고, '함께 아울러 포용하는' 학교운영 방침 하에 개혁의 칼을 빼들었다. 그는 진독수를 문과학장으로 초빙하면서 청년 인재들을 기용하였다. 호적·유

반농·주작인·오매_{吳梅}·진인각_{陳寅恪} 등은 모두 1917년 북경대학으로 들어온 인물들이다. '함께 아울러 포용하는' 방침은 구파였던 고홍명_{辜鴻銘}과 유사배_{劉師培}의 존재를 허락하였고, 보다 중요한 것은 신파와 제휴하게 함으로써 신파를 보호했던 것이다. 진독수가 『신청년』 편집부를 북경으로 옮긴 이후에 호적과 진독수의 글이 발표되었고, 『신청년』의 영향력은 수직상승하여 각 기마다 16,000부를 찍어냈다. 간행물은 여전히 진독수 주편으로 되어 있었지만 실제로는 북경대학 문과 교수 호적·전현동·심윤묵·이대교_{李大釗}·주작인·유반농·노신·오우 등이 편집과 토론에 참여하고 있었다. 1918년에는 북경대학 교수 6인 즉, 진독수·전현동·고일함_{高一涵}·호적·이대교·심윤묵 등이 돌아가며 편집을 맡는 시스템이 확실하게 자리 잡았다. 국립 북경대학과 『신청년』은 긴밀하게 결합하였다. 신진 대학교수의 사상과 학식·수양 및 사회혁명가의 이상·용기가 서로 간에 보충역할을 하였다. 당시 크게 이름을 떨친 『신청년』은 북경대학 교수를 핵심으로 하고 원고를 지불하는 외부원고도 필요 없었지만 전국적으로 신문화를 알리는 진정한 동인지가 되었다.

백화문을 제창하고 실제 사용하는 것은 만청 이래 번역과 창작과정에서 이미 싹터 왔었다. 어떤 이는 장태염이 젊은 시절에 동경에서 백화로 학술강연을 했던 글을 현대 백화문 발전의 한 기원이라고도 하는데 일리가 없는 것은 아니다. 채원배는 "하지만 그 당시에 백화문을 쓴 까닭은 통속적이고 해

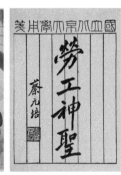

■ 채원배(첫째 줄 좌측에서 다섯 번째), 노신(둘째 줄 좌측에서 다섯 번째)이 1917년 경사도서관 개관 당시 찍은 사진. 이는 교육부에서의 노신의 일자리였다.
■ 채원배가 쓴 『신청년』 '노동절 기념호'의 제사(題詞) '노공신성(勞工神聖)'
■ 북경 시기 『신청년』 편집부 소재지 가운데 하나. 사탄, 북경대학 홍루 문과학장 사무실. 이는 당시에 홍루 대문이었다.

■ 1936년 중간된 『신청년』에 호적이 쓴 제사

독하기 쉬워 상식을 보급할 수 있기 때문이었지 문언을 대체하려는 것은 아니었다. 백화로 문언을 대체하고 문학혁명의 기치를 높이 드는 것은 『신청년』 때부터 시작된 것이다.”라고 말했다. 한 가지 더 보충하자면, 『신청년』은 문체의 변혁과 사상계몽을 함께 추진하였고, 사상혁명과 문학혁명을 동시에 추진했다. 이렇듯 『신청년』에서는 구예교와 구교육 · 구윤리에 격렬하게 반항하고, 공자의 가르침과 우상숭배 및 문화전제주의를 비판하며, 가정제도와 유럽의 전쟁 상황 · 여자의 정조문제 · 루소철학 · 노동의 신성함 · 과학적 방법의 문자 등의 문제에 대해 토론하고, 국어의 진화 · 가로쓰기 · 신시의 창작법 · 희극개량 · 세계어의 제창 문제 등과 더불어 서양 인도주의와 진화론 및 사회주의 이론 학설 등의 수입문제에 대한 토론이 이루어지면서 수많은 청년독자들의 마음을 격동시켰다. 1918년 『신청년』에 호적의 『건설적 문학혁명론』이 발표되어 백화문운동을 신문학 창조의 높은 경지에까지 이르게 함으로써, 일종의 문학 도구로서 ‘국어의 문학’에서 ‘문학의 국어’를 세우는 단계로 발전하게 되었다.

『신청년』과 북경대학의 새로운 출현은 필연적으로 신구 논쟁을 불러일으켰다. 비록 노신이 “당시 『신청년』은 사방에서 적들을 맞닥뜨리고 있었다.”고 한 것처럼 반대 물결이 수시로 일어났지만 최초의 표현은 선구자의 적막함이었다. 『신청년』에서는 1918년 1월과 2월의 4권 1호와 2호부터 전체적으로 백화문을 쓰기 시작했다. 하지만 찬성하는 사람도 없었고, 반대하는 사람도 없었다. 이렇게 되자 『신청년』은 가짜 연극을 공연하였다. 전현동이 이름을 ‘왕경헌王敬軒’으로 바꾸어 사회에서 신문학과 백화운동을 반대하는 잘못된 이론을 한 데 모은 편지를 쓰고, 유반농에게 준엄한 말로 반박하게 한 것이다. 이것이 바로 역사에서 말하는 ‘쌍황신雙簧信’ 사건이다. 1919년에 백화운동의 발전과 정착과 함께 진정한 맞수가 나타났다. ‘임역소설’의 작가 임서_{금남(琴南)}가 고문가와 전통적인 도의 수호자 입장에서 『신신보_{新申報}』에 영사소설_{影射小說} 『형생_{荊生}』을 발표하였다. 작품에서는 세 명의 서생 전기미_{田其美, 진독수}와 김심이_{金心異, 전현동}·적막_{狄莫, 호적}이 북경의 도연정_{陶然亭}에서 술을 마시면서 공맹_{孔孟}을 뒤집어엎고 고문을 없애자는 말을 나누고 있었는데, 갑자기 큰 소리와 함께 형생이 벽을 부수고 넘어와 세 사람에게 징벌을 가하고 신문화에 대한 반대 심사를 쏟아낸다는 내용이 그려지고 있다. 얼마 지나지 않아 임서는 『공언보_{公言報}』에 『채학경_{蔡鶴卿} 태사_{太史}에게 보내는 글』을 발표하여 북경대학의 신파 인물이 채원배의 비호를 받아 "정상적이고 올바른 길을 반대하고 불경한 말을 일삼고 있다."고 공개적으로 공격하였다. 채원배는 『임금남에게 답하는 글』을 써서 반박하고 공개편지의 형식으로 자신의 "사상자유의 원칙에 따라 함께 아울러 포용하는" 개방적인 입장을 전달하였다. 동시에 사회적으로 벌어지는 갖가지 역겨운 공격에 대해 진독수는 『신청년』 6권 1호에 『본 잡지 죄안에 대한 답변서』를 발표하여 신문화운동 동인들의 선언을 준엄하게 공포하였다.

"거슬러 올라가 보면 본 잡지의 동인들은 본래 죄가 없다. 그저 데모크라시와 사이언스 두 선생을 옹호했기 때문에 이 몇 가지 엄청난 죄를 저지른 것이다. 데모크라시 선생을 옹호하려면 공자의 가르침·예법·정조·구윤리·구정치를 반대하지 않을 수 없고, 사이언스 선생을 옹호하려면 구예술·구종교를 반대할 수밖에 없다. 데모크라시 선생을 옹호하고 사이언스 선생을 옹호하려면 국수(國粹)와 구문학을 반대하지 않을 수 없다."

■ 북경대학 문과 학장 시절의 진독수
■ 북경대학 시절의 호적
■ 전현동. 그는 노신의 '신청년' 그룹 참여를 추진했다.

우리는 이 글에서 선구자들이 겪는 거대한 압력과 옳은 것을 위해 용감하게 나아가는 태도를 알 수 있다. 『신청년』의 급진적인 태도는 중국의 "의자 하나만 옮기려 해도 피를 흘려야 한다."는 분위기에서 잘 이해할 수 있다. 그 가운데 전현동의 견해가 가장 격렬했다. 전현동이 국학 대사 장태염의 문하생이었기 때문에 그가 고문을 몰라 백화문을 유난히 열심히 지지하게 된 것이라고는 아무도 말할 수가 없었다. 전현동은 호적에게 보낸 편지에서 '그릇된 동성桐城謬種, 요사스러운 선학選學妖孽'의 구호를 제기하였는데, 그 전파력이 진독수의 '18요괴'보다 더 컸다. 그는 또 "청년들을 위한 양질의 읽을거리를 생각해 볼 때 중국 소설은 정말 좋은 작품도 없고 읽어야 하는 작품도 없다."고 하였다. 이후에 진독수에게 쓴 편지에서 그는 "이후 중국의 문자 문제"를 언급하면서 "공자 학문을 폐지하려면 먼저 한문을 폐지해야 한다."고 하면서 다음과 같이 주장한다.

> "나는 다시 한 번 대담하게 선언합니다. 중국이 망하지 않으려면, 또 중국민족이 20세기 문명의 민족이 되려면 반드시 공자 학문을 폐지하고 도교를 없애는 것이 근본적인 해결책이고, 공자의 학설과 도교의 요언을 담아내는 한문을 없애는 것이 근본적 해결을 위한 근본 해결이 됩니다."

이 말은 세상을 놀라게 하였고, 신문학 진영 내부에서 조차도 '한문을 없애는' 것에 대해서 의견이 갈렸다. 하지만 사실을 따져 보면 그 목적은 구세계와 구문화를 무너뜨리는 데 있고, 한자를 폐지하자는 것은 진화의 관점에서 장래의 '병음문자'와 '세계어'를 바라본 것이다. 들어보면 두렵기도 하지만 그렇게 두려운 것도 아니다. 오늘날 우리가 쓰고 있는 한자 가로쓰기를 제안한 사람 중 하나가 바로 전현동이다. '그녀'她와 '그것'它 자를 발명한 사람은 『신청년』 시기에 몇 차례 격전을 치렀던 유반농이다. 이들 비판자들의 역할을 오늘날 잊어서는 안 될 것이다.

물론 『신청년』이 시작한 신문학은 황무지를 개척하여 건설하는 성격을 띠고 있다. 어려움과 중요한 정도에서 살펴보면, 창작 성과에서는 우선 시를 거론할 수 있다. 왜냐하면 시는 구문학의 정통이기 때문에, 백화신시의 입장에서는 반드시 돌파해야 할 대상이었다. 『신청년』 2권 6호부터 호적의 백화시 8수가 실려 신시 건설의 험난한 여정이 시작되었다. 백화시의 성과와는 달리 마음대로 되지 않고 시작부터 그 기준이 너무 높았던 것이 백화단편소설이다. 1918년 5월 노신이 『신청년』에 「광인일기」를 발표하여 세상을 진동시켰고, 연이어 「공을기_乙己」·「약」·「풍파」·「고향」을 발표함으로써 현대소설의 초석을 놓았다. 『신청년』의 '수감록'과 정론, 서신 작가는 모두 잡지의 동인들로서, 언급하는 문제와 신문화운동의 관심 대상은 긴밀하게 연관되어 있었다. 이대교의 「지금」, 유반농의 「작읍주의_作揖主義」, 노신의 「나의 정조관」 등의 글은 현대 수필잡문의 새로운 경지를 개척하였다. 노신이 『신청년』 집단에 다소 늦게 가담한 것에 대해 그의 회고에 따르면, 소흥회관으로 그를 줄기차게 찾아와 『신청년』에 글을 쓰라고 재촉한 전현동이 그와 '철방'에 관한 문제를 반복해서 토론했다는 것이다. 중국은 "창문도 없고 절대 부술 수 없는 철방과도 같은데, 글을 좀 써 몇 사람을 깨어나게 해서 구제될 길 없는 임종의 고통을 맛보게 하는 것이 필요한 것인가?"라고 하자 상대방은 이렇게 대답했다. "하지만 몇 사람이라도 일어나면 이 철방을 부술 수 있다는 희망이 전혀 없다고는 할 수 없다."

이것이 바로 당시 『신청년』 사람들이 가진 사상의 현주소였다. 그들은 중국의 '프로메테우스'였다. 그들의 업적은 창작 외에 이론상 백화시와 희극의 개량, 단편소설 제창으로부터 '인간의 문학' 명제 제기에까지 이르렀다. 번역에서 있어서는 주작인이 러시아·폴란드·덴마크의 소설과 동화를 번역하고 '입센특집호'를 출판하는가 하면, 나가륜_羅家倫과 호적 등이 입센의 대표작 「노라」와 「국민의 적」 등을 번역하였는데 이는 모두 현대문명의 불을 빌어 철방을 태우는 장엄한 작업으로 인정된다.

■ 5·4시기 북경대학의 또 하나의 유명한 간행물 『신조』

■ 문화보수주의로 불리는 문인들이
『학형』을 중심으로 형성되었다. 이
사진은 1922년 1월 간행된 창간호

『신청년』은 바로 불이었다. 『신청년』은 『신조新潮』・『서광曙光』・『신사회』등 일련의 선진적인 간행물들을 이끌어냈다. 『신청년』이 널리 전파되면서 그 영향력은 날로 커져 갔다. 당시 일본에 유학하고 있던 곽말약과 그의 문학 친구들은 창조사 성립을 전후하여 국내의 간행물들에 관한 얘기를 나누면서 '계몽'의 성격을 띤 『신청년』을 주목하였다. 여러 해가 지난 뒤에 파금巴金의 소설 『가家』에서 고각신高覺新 형제 세 사람이 성도成都에서 『신청년』과 『매주평론』을 갈증에 물마시듯 읽는 장면이 나오는데, "이 잡지에 있는 한 글자 한 글자가 불꽃처럼 그들 형제의 열정을 불태웠다. 신기한 이야기들과 열렬한 문구에는 세 사람을 압도하는 일종의 저항할 수 없는 힘이 있어 그들로 하여금 오랜 사색을 거치지 않고 믿도록 만들었다."고 묘사하고 있다. 사천 지방에 이러한 선진 사상이 전파되면서 그곳은 이제 외딴 곳이 아니게 되었다. 또 다른 힘, 오늘날 문화 보수주의로 일컬어지는 간행물 『학형學衡』에 신문화운동을 비판하는 글들이 연이어 발표되었다. 그 창끝이 겨누고 있는 것은 역시 『신청년』이었다. 이것 역시 하나의 흐름으로서 그 주요 인물은 당시 미국에서 호적과 논쟁을 벌였던 동학들이었다.

『신청년』은 문화의 급진적 사조를 대표하고, 『학형』은 현대식 문화 보수주의를 대표한다. 후발 주자로서 『학형』은 1922년 1월 '5・4'의 파도가 지나간 뒤에 비로소 남경에서 창간되었고, 간행물은 상해에서 발행되었다. 『학형』의 발기인과 핵심 투고자는 매광적・오복吳宓・호선숙胡先驌 등이었다. 그들은 모두 예전에 구미 유학생이었고, 당시는 남경 동남東南대학의 교수들이었다. 호선숙이 전공한 것은 삼림 식물학과 생물학으로서 글쓰기는 부업이었다. 매광적과 오복은 모두 미국인 배비트I.Babbitt의 학생이었다. 그들은 '학술을 논구하고 진리를 탐구하며 국수를 널리 밝히고 신지식을 융화한다'

는 취지를 표방하였는데, 그 출발점은 신인문주의적 학리 기초와 남사 국수파의 문화 관념이었다. 비교문학을 제창하여 '5·4'문학의 과도한 낭만주의를 비평한 것은 상당한 반박작용을 하였다. 하지만 그들은 역사가 선택한 '신문화운동'을 자신들의 주요 공격목표로 삼았다. 제1·2기에 매광적의 「신문화 제창자를 평함」·제2기에 호선숙의 「『상시집嘗試集』을 평함」·제4기에 오복의 「신문화운동을 논함」 등이 실렸는데, 이 글들은 일시에 전통을 보호한다는 명목으로 출현하여 문학혁명을 맹렬하게 비판함으로써 자신들을 『신청년』파의 대립면에 놓았다. 호적·노신·주작인·심안빙 등은 모두 소소한 반격을 가하고 노신의 명문 「『학형』을 평가하다」 이후에는 상대하지 않았다.

나중에는 호선숙까지도 "『학형』의 결점이 너무 많고 낡은 것을 끌어안고 놓지를 않아 새로운 스타일로 국학을 논하는 이들이 좋아하지 않게 되었다."고 하였다. 1926년에 이르러 중화서국에서는 더 이상 발행하지 않기로 했는데 실제로는 1933년까지 유지되다가 정간됨 5년간 평균 발행부수는 매 기 몇 백 부에 불과하였다. 그 사회적 영향력도 갈수록 약해졌다. 이는 이론상 문화 보수주의가 지식계의 호응을 끌어내지 못했다는 것을 말해준다.

1919년 6월 진독수가 북경의 '신세계'에서 「북경시민 선언」 전단지를 뿌리다가 체포되었다. 이 일이 있기 전에 구세력은 개인의 도덕이 엉망私德不檢이라고 하는 유언비어를 퍼뜨려 문과학장의 직위를 박탈하도록 북경대학을 압박하였다. 진독수는 장기휴가를 청하는 명목으로 북경대학을 떠났다. 1개월 뒤에 5·4운동이 발발하였고, 당일에 진독수와 호적은 모두 현장에 있지 않았다. 현장에 있던 학생 지도자는 '신조사'의 부사년傅斯年과 나가륜 등이었다. 진독수와 호적은 5·4의 정신적 지도자였다.

■ 진독수가 1919년 6월 11일 북경의 천교성(天橋城) 남유예원(南游藝園)과 신세계 유락장(游樂場)에서 뿌린 '북경 시민 선언' 전단이다. 여기서는 두 가지 언어를 쓰고 있다.
■ 후기 『신청년』 계간

진독수는 3개월간 갇혀 있다가 보석으로 석방되어, 변장을 하고 북경을 탈출해 상해로 가서 이달_{李達}과 진망도_{陳望道} 등과 접촉하면서 급격하게 마르크스주의로 전향하였다. 8권 1호부터 『신청년』은 진독수의 요구를 받아들여 상해로 옮겨 편집되었고, 점차 사상문화 방면의 동인 간행물에서 정치 간행물로 바뀌었으며, 상해 공산주의 소조의 기관지가 되었다. 『신청년』의 정치적 색채가 짙어진 이후 이 단체 내부의 분열 또한 불가피하게 이루어졌다. 동인지의 성격을 유지할 것인가 아니면 당의 기관지로 바꿀 것인가, 간행물의 문화 학술성에 치중할 것인가 아니면 정치활동을 할 것인가? 호적은 민감한 반응을 내놓았다. 1921년 1월에 그는 『신청년』 편집위원회에 편지를 써서 간행물이 학술사상에 계속 치중할 수 있기를 희망하였고, 아울러 또 다른 학술문예잡지를 발행하거나 아니면 편집부를 다시 북경으로 옮겨 더 이상 정치를 논하지 않게 하자는 의견을 제기하였다. 진독수는 북경으로 되돌아가는 것에 반대하였다. 노신은 참고 타협하는 합작보다는 분열하는 것이 낫다고 주장하였다. 토론을 통해 확정되기도 전에 분열은 이미 진행되고 있었고, 상해 프랑스 조계 당국은 『신청년』을 금지하였다. 불씨는 아직 꺼지지 않았지만 한 시대의 횃불은 꺼지고 있었다.

제13절

문학사(文學史) 1921년의 판도(계몽의 시대)

1921년을 그 시대 문학 생태가 드러난 대표적인 해로 선정한 이유는 충분하다. 이 해는 '5 · 4' 문학혁명이 발생 · 전개된 후 신문학의 실적과 백화문학이 굳건히 뿌리 내렸음이 진정으로 드러난 중요한 해이다. 연표에 열거된 문단 상황을 보면 1903년 이래 그 항목뿐만 아니라 수량도 대폭 늘었다. '5 · 4' 문학의 계몽이라는 특징 역시 이때 남김없이 드러났다. 그것은 급진적인 방식으로 세계와 전통에 연결되었으며 사상 면에서는 현대문명을 통해 봉건도덕예교와 수구적인 가족제도, 그리고 전제적인 정치제도에 전쟁을 선포했다. 그것은 노동자 · 부녀 · 아동을 발견했으며, '인간'의 평등 · 독립 · 자유라는 가치를 발견함으로써 개성과 사상의 해방을 부르짖었다. 문학에서는 '인간의 문학 · 평민문학 · 백화문학'을 주장하여 향후 그 영향력에 무시할 수 없는 작용을 했다.

'인간의 문학'을 주장한 두 문학사단, 즉 문학연구회文學研究會와 창조사創造社는 모두 이 해에 발족되었고 수많은 문학단체들이 이후 우후죽순처럼 생겨났다. 문학사단에 의해 중국문학계가 움직이는 미증유의 상황이 발생한 것이다. 문학연구회나 창조사 이전에는 준문학사단 격인 신청년사新靑年社와 신부조사新傅潮社가 잡지를 간행하고 동인들을 모으는 등 문학사단의 예비활동을 하는 듯했다. 『신청년』과 『신조新潮』의 문화적인 입장은 이때 개성 있는 문학단체의 탄생으로 이어졌다.

■ 정진탁(왼쪽 두 번째), '5.4'시대에
  고몽단(왼쪽 첫 번째) · 호적(오른
  쪽 두 번째) 등과 함께.
■ 청년시대의 정진탁(鄭振鐸, 상해).
  북경에서 문학연구회가 발족된 직
  후의 모습. 앉아 있어도 큰 키가 느
  껴진다.
■ 문학연구회 독서회의 간장(簡章)과
  제1차 회의보고서. 1921년 2월 『소
  설월보(小說月報)』12권 2호에 실림.
■ 문학연구회의 성원 유평백(俞平伯)이
  주자청(朱自淸)에게 보낸 엽서. 두
  사람이 진회하(秦淮河)에서 뱃놀이
  를 즐긴 후 이를 제목으로 산문을
  쓰던 시기이다.

문학연구회가 북경에서 발족되었고, 간행물
은 상해에서 그 시기를 전후하여 꾸려졌다. 가
장 활발하게 활동했던 사람은 정진탁鄭振鐸이었다.
발족 준비 과정 때 그는 교통부 북경 철로 관리
전문학교의 학생이었다. 졸업 후에는 상해의 서
역西驛에서 견습생으로 근무했고 얼마 지나지 않아
『시사신보時事新報』의 『학등學燈』편집을 맡았다. 상
무인서관商務印書館의 심안빙沈雁冰, 모순(茅盾)과 함께 이
사단에서의 활동이 특히 활발했다. 이때는 문학
연구회의 중심이 이미 상해로 사실상 옮겨진 상
태였다. 북경에서 상해로 이어지는 길은 문학이
유행하는 노선이었다. 문학연구회가 북경에서
막 출범하려 할 때 이미 간행물이 출판되리라는
것이 알려졌다. 때마침 상무인서관의 사장 장원
제와 주편 고몽단이 1920년 11월 초 북경에 와
서 정진탁과 만난 후 정진탁은 바로 이를 요구했
다. '상무' 측에서는 북경에서 새로운 잡지를 내
는 것에 동의하지 않았고 『소설월보小說月報』를 개
조하여 신문학을 실을 계획을 밝혔다. 그리하여
정진탁과 동료들은 먼저 문학조직을 일구기로 결
정했다. 이해 11월 29일 북경대학 도서관 주임
실을 빌려 회의가 열렸으며, 문학회의 발기를 적
극적으로 준비할 것과 모임의 규정을 위해 정진탁
이 초안 작성자로 추대되었다. 『소설월보』에 대
해서는 개인 명의로 그들에게 저술해주기로 하고
그것으로 잡지를 대신하기로 했다.

1921년 문학사 연표

시간	사건 기록
1월 1일	원앙호접파(鴛鴦胡蝶派)의 잡지 『신성(新聲)』이 상해에서 창간됨. 시제군(施濟群)·육담안(陸澹安)이 편집을 맡았고 후에는 『홍(紅)』·『홍매괴(紅玫瑰)』 등으로 이어짐
1월 4일	북경 중앙공원(中央公園) 내금우헌(來今雨軒)에서 문학연구회 성립 총회 열림. 정진탁(鄭振鐸) 외 21인 참석
1월 6일	진대비(陳大悲)의 극본 『유란여사(幽蘭女士)』가 『신보(晨報)』에 실림
1월 10일	심안빙(沈雁冰, 모순(茅盾))이 주편을 맡은 전면혁신판 『소설월보(小說月報)』 제12권 1호 출간. 같은 호에 『『소설월보(小說月報)』 개혁선언(改革宣言)』이 실림
1월 10일	심안빙(沈雁冰, 모순(茅盾))의 이론서 『문학과 인간의 관계 및 문학인의 신분에 대한 전통적인 오인』이 『소설월보(小說月報)』 제12권 1호에 발표됨
1월 10일	허지산(許地山)의 소설 『명명조(命命鳥)』가 『소설월보(小說月報)』 제12권 1호에 실림
1월 10일	경제지(耿濟之)가 번역한 고글리의 소설 『광인일기(狂人日記)』가 『소설월보(小說月報)』 제12권 1호에 실림
1월 12일	노신(魯迅)이 북경고등사범학교(북경사범대학의 전신)의 초빙을 받아 겸임강사가 됨, 중국소설사 강의, 1925년까지 임용됨
2월 1일	곽말약(郭沫若)의 시 『태양예찬(太陽禮讚)』이 『시사신보(時事新報)』 부간 『학등(學燈)』 발표됨
2월 10일	엽소균(葉紹鈞, 엽성도(葉聖陶))의 소설 『저능아(低能兒)』가 『소설월보(小說月報)』 제 12권 2호에 발표됨
2월 10일	랑손(郞損, 모순(茅盾))의 이론 『신문학(新文學) 연구자의 책임과 노력』이 『소설월보(小說月報)』 제 12권 2호에 실림
2월 10일	정진탁(鄭振鐸)이 번역한 고리끼의 『뗏목 위에서』(소설)가 『소설월보(小說月報)』 제 12권 2호에 실림
2월 14일	곽말약(郭沫若)의 시 『나는 우상 숭배자』가 『시사신보(時事新報)』 부간 『학등(學燈)』에 실림
2월 15일	곽말약(郭沫若)의 시극(詩劇) 『여신의 재생』이 상해 『민탁(民鐸)』 2권 5호에 실림
3월 5일	엽소균(葉紹鈞, 엽성도(葉聖陶))의 이론 『문예담(文藝談)』이 『신보부간(晨報副刊)』에 실림, 전체 40회, 이해 6월 25일에 게재 완료됨
3월 19일	원앙호접파(鴛鴦胡蝶派)의 잡지 『토요일(禮拜六)』이 주간지로 복간됨, 주수견(周瘦鵑)이 주편. 신해혁명(辛亥革命) 전에 이미 100기 출판, 현재 두 번째 100기 출판 시작
4월 1일	곽말약(郭沫若)의 희극 『상루(湘累)』가 『학예(學藝)』 2권 10기에 발표됨
4월 1일	수견(瘦鵑, 주수견(周瘦鵑))이 번역한 프랑스 작가 알퐁스 도데의 『꼬마 간첩』이 『동방잡지(東方雜誌)』 제18권 7호에 실림
4월 10일	빙심(冰心)의 소설 『초인(超人)』이 『소설월보(小說月報)』 제12권 4호에 발표됨
4월 10일	낙화생(落華生, 허지산(許地山))의 소설 『상인의 부인』이 『소설월보(小說月報)』 제 12권 4호에 발표됨
4월 10일	랑손(郞損, 모순(茅盾))의 이론서 『춘계 창작 동향 만평』이 『소설월보(小說月報)』 2권 4호에 실림
4월 24일	곽말약(郭沫若)의 시 『바다에서 본 일출, 황포강에서, 상해 인상』 등이 『시사신보(時事新報)』 부간 『학등(學燈)』에 실림
4월	진대비(陳大悲)의 《아마추어 희극》이 『신보(晨報)』에 발표됨
4월	정진탁(鄭振鐸)이 번역한 체홉의 『갈매기』(극본)가 상해상무인서관(上海商務印書館)에서 출판됨

5월 1일	문학연구회의 기관지 『문학순간(文學旬刊)』이 상해에서 창간됨. 후에 『문학(文學)』과 『문학주보(文學週報)』로 개칭
5월 1일	노신(魯迅)의 소설 「고향」이 『신청년(新靑年)』 9권 1호에 실림
5월 10일	낙화생(落華生, 허지산(許地山))의 소설 『환소란봉(換巢鸞鳳)』이 『소설월보(小說月報)』 제12권 5호에 실림
5월 31일	『희극(戲劇)』 월간이 상해에서 창간됨. 민중희극출판사(民衆戲劇出版社)에서 편집, 총 6기 출간
5월	정진탁(鄭振鐸)이 모순(茅盾) 등과 상해의 반송원(半淞園)에서 만나기로 곽말약(郭沫若)과 약속. 곽말약에게 문학연구회 가입을 권유했으나 완곡히 거절 당함
5월	임서(林紓)·진가린(陳家麟)이 번역한 영국 작가 해거드(Henry Rider Haggard)의 『작기귀(炸鬼記)』(소설)가 상해상무인서관(上海商務印書館)에서 출판됨
5월	『소한월간(消閑月刊)』이 소주(蘇州)에서 창간됨. 조면운(趙眠雲)과 정일매(鄭逸梅)가 편집 맡음
6월 1일	소웅서(蘇熊瑞) 등이 『신극토론(新劇討論)』을 『신청년(新靑年)』 제9권 2호에 발표함
6월 8일	자엄(子嚴, 주작인(周作人))의 「미문(美文)」이 『신보(晨報)』에 발표됨
6월 10일	왕통조(王統照)의 소설 「봄비 오는 밤」이 『소설월보(小說月報)』 제12권 6호에 발표됨
6월 10일	유장원(俞長源)이 번역한 오 헨리의 「크리스마스 선물」(소설)이 『동방잡지(東方雜誌)』 제18권 11호에 실림
6월 10일	진상(眞常)이 번역한 몰리에르의 「수전노(慳吝人)」(극본)가 『소설월보(小說月報)』 제12권 6~9, 11호에 실림
6월 15일	전한(田漢)이 번역한 셰익스피어의 「햄릿」(극본)이 『소년중국(少年中國)』 제2권 12기에 실림
6월 20일	서체(西諦, 정진탁(鄭振鐸))의 이론서 「문학의 사명」이 『문학순간(文學旬刊)』 5기에 실림
6월 25일	『유희세계』 월간이 상해에서 창간됨. 주수견(周瘦鵑)·조초광(趙苕狂) 주편
6월 30일	정진탁(鄭振鐸)의 이론서 「피와 눈물의 문학」이 『문학순간(文學旬刊)』 6기에 실림
6월	정진탁(鄭振鐸)이 『시사신보(時事新報)』 부간 『학등(學燈)』의 주편을 맡음
7월 7일	욱달부(郁達夫)의 소설 「은회색 죽음」이 『시사신보(時事新報)』 부간 『학등(學燈)』에 실림
7월 10일	노은(盧隱)의 소설 「붉은 장미」가 『소설월보(小說月報)』 제12권 7호에 실림
7월 10일	엽소균(葉紹鈞, 엽성도(葉聖陶))의 극본 『간친회(懇親會)』가 『소설월보(小說月報)』 제12권 7호에 실림
7월 10일	랑손(郎損, 모순(茅盾))의 이론서 「사회적 배경과 창작」이 『소설월보(小說月報)』 제12권 7호에 실림
7월 10일	노신이 아제르바쉐에프(러)의 「노동자 수하로프」(소설)을 『소설월보(小說月報)』 제12권 7~9, 11, 12호에 번역 발표함
7월 초순	일본 유학생으로 구성된 창조사가 일본에서 성립됨. 주요 성원은 곽말약, 욱달부 등이었으며 『창조』 계간을 내기로 함
7월	곽말약, 전군서가 번역한 시드모(독, Theodor Storm)의 『인몽호(茵夢湖)』(소설)가 상해태동서국에서 출판됨
7월	주광잠이 홍콩대학에 입학함
8월 1일	주작인이 번역한 『잡역 일본시 삼십수』가 『신청년(新靑年)』 제9권 4호에 발표됨
8월 5일	곽말약의 시집 『여신』이 상해 태동서국에서 출판됨
8월 10일	노은(盧隱)의 소설 『두 초등학생』이 『소설월보(小說月報)』 제12권 8호에 발표됨
8월 10일	주자청의 시 「여로」·「인간」이 『소설월보(小說月報)』 제12권 8호에 발표됨

8월 10일	랑손(茅盾)의 논문 「4, 5, 6월의 창작을 평함」이 『소설월보(小說月報)』 제12권 8호에 발표됨
8월 10일	송춘방(宋春舫)이 번역한 체호프(러)의 『그 가련한 사무원은 어떻게 죽어갔는가』(소설)가 『동방잡지』 제18권 제15호에 발표됨
8월 21일	정백기의 논문 「곽말약의 처녀 시집 『여신』을 평함」이 『시사신보』 부간 『학등』에 발표됨
8월 26일	곽말약의 시 『『여신』 서시』가 『시사신보』 부간 『학등』에 발표됨
가을	주자청이 상해 오송(吳淞) 중국 공학에서 교편을 잡고 엽성도와 알게 됨
9월 6일	원앙호접파의 반월간 잡지 『반월』이 상해에서 창간됨, 주수견(周瘦鵑)이 편집 원한운(袁寒雲)이 주 저자를 맡음
9월 10일	왕사점(王思玷)의 소설 『비바람 속에서』가 『소설월보(小說月報)』 제12권 9호에 발표됨
9월 30일	포백영의 논문 「나는 전문적인 희극을 제창해야 한다고 주장한다」가 『희극』 제1권 5호에 발표됨
9월	상해태동서국 등에서 "창조사 총서"를 발간하기 시작
9월	『소설월보(小說月報)』 제12권의 호외로 "러시아문학 연구" 전문집이 출판됨
9월	월간 『문예잡지』 창간호가 북경에서 창간됨. 적행남(狄杏南) 주편
9월	구추백이 모스크바 동방노동자 공산주의 대학 중국반에서 교편을 잡음
10월 1일	욱달부의 논문 「『인몽호(茵夢湖)』 서」가 『문학순간』 제15기에 실림
10월 10일	『소설월보(小說月報)』 제12권 제10호를 '피해민족의 문학' 전문호로 냄
10월 10일	쌍월간 『쌍성』이 홍콩에서 창간됨, 편집은 황곤륜 · 황천석이 맡음
10월 12일	북경 『신보』의 제 7판이 『신보부간』으로 이름을 바꿔서 출판됨
10월 15일	욱달부의 단편소설 『침륜』이 상해 태동서국에서 출판됨
10월 25일	임서 · 모문종이 번역한 위구르(프)의 『두 영웅의 의로운 죽음에 관한 기록』이 상해 상무인서관에서 출판됨
10월 27일	『천연론』의 번역자 임서 사망
10월 30일	왕중현(王仲玄)의 희극 『좋은 아들』이 『희극』 제1권 6호에 발표됨
10월	월간 『소설신조(小說新潮)』가 상해에서 창간됨, 주편은 진철생(陳鐵生)
10월	월간 『활계신보』가 상해에서 창간됨, 주편은 평금아(平襟亞)
11월 1일	주자청의 시 『소초(小草)』가 『신조(新潮)』 제3권 1호에 발표됨
11월 20일	청화문학사(淸華文學社) 설립
11월	상해상무인서관에서 "세계문학총서"를 출판하기 시작
11월	북경실험극사 설립, 북경 비전업 학생극단들로 구성, 이건오(李健吾) 등이 주도함
12월 4일	파인(巴人, 노신(魯迅))의 소설 『아Q정전(阿Q正傳)』이 『신보부간』에 연재되기 시작함, 1922년 2월 12일에 연재 끝남
12월 10일	개존(丐尊, 하개존)이 번역한 구니키다 돗포(일)의 『여난(女難)』(소설)이 『소설월보(小說月報)』 제12권 12호에 발표됨
12월	경제지(耿濟之) · 구추백(瞿秋白)이 번역한 톨스토이(러)의 『톨스토이 단편소설집』이 상해 상무인서관에서 출판됨
12월	『호적문존』 제1집이 상해 아동도서관(亞東圖書館)에서 출판됨
본년	유평백의 시집 『겨울밤』이 상해 아동도서관(亞東圖書館)에서 출판됨
본년	왕경희의 소설집 『雪夜』가 상해 태동서국에서 출판됨

본년	심영(沈穎)이 번역한 뚜르게네프(러)의 『전야』(소설)가 상해 상무인서관에서 출판됨
본년	경식지(耿式之)가 번역한 체호프(러)의 『와니아 숙부』(극본)가 상해 상무인서관에서 출판됨
본년	경식지(耿式之)가 번역한 아스트로프스키(러)의 『우뢰』(극본)가 상해 상무인서관에서 출판됨
본년	상해희극사 설립, 황염배 등이 발기. 조기 성원으로는 왕우유·응운위가 있고 그 후 구양여천·홍심 등이 가입함
본년	세계서국이 주식회사로 바뀜. 초기에는 무협·언정·탐정물을 출판. 후에는 교과서와 국학저작을 출판함
본년	양계초의 『청대학술개론』 출판됨

12월 4일과 30일 2회에 걸쳐 북경 만보개萬寶蓋, 골목길 이름, 지금의 보개(寶蓋) 호동(胡同, 후퉁, 골목)-역자 주의 경제지耿濟之의 집에 모여 회칙을 통과시키고 주작인周作人을 선언문의 초안 작성자로 추대했다. 또한 주작인·주희조朱希祖·경제지·정진탁·구세영瞿世英·왕통조王統照·심안빙·장백리蔣百里·엽소균葉紹鈞·곽소우郭紹虞·손복원孫伏園·허지산許地山 등 12인을 발기인으로 확정하였다. 또한 최초의 회원 가입과 대회 성립에 필요한 각종 사안들을 통과시켰다.

현재 볼 수 있는 문학연구회의 동인들 사진은 1921년 1월 4일 북경 중앙공원中央公園의 내금우헌來今雨軒 입구에 모인 사람들의 전체사진으로서 아주 진귀한 자료이다. 회의 참석자는 21명이나 사진에는 20명뿐이다. 빠진 사람이 누구인지는 아직까지 분명하지 않다. 발기과정은 매우 주도면밀했다. 그 중에 나이가 지긋한 명사가 포함되어 있는 것은 분명 사회적인 지지를 얻기 위한 것이었으니 젊은 청년들의 처리 방식치고는 꽤 노련한 것이라 할 것이다. 발기인 대회 불참자는 심안빙·주작인·엽소균·곽소우이며 발기인 외의 참석자는 황영黃英, 노은(盧隱)·곽몽량郭夢良 부부이다. 노은과 빙심冰心은 후일 문학연구회의

■ 문학연구회가 1921년 1월 북경에서 결성됨. 내금우헌(來今雨軒)에서의 단체사진. 원본 중국현대문학관(中國現代文學館) 소장.

주요 작가로서 현대중국의 제1세대 여류작가가 되었다. 이날의 회의에서는 정진탁의 발기 경과보고에 이어서 회칙 토론·표결이 있었고 무기명 투표로 정진탁을 서기로, 경제지를 회계로 선출했다. 사진 촬영 후 독서회·기금 모집·총서 출판 등을 토론했다. 선언문·회칙은 결성 전후에 『신보晨報』·『국민일보國民日報』 부간 "각오覺悟", 『신청년新靑年』, 『소설월보』 등 네 곳에 공개되었다.[1] 회칙에서 가장 중요한 것은 "문학연구회는 세계문학을 연구 소개하고 중국의 구문학을 정리함으로써 신문학을 창조하는 것을 종지로 삼는다."는 조항이었다. 뒷날 실천 과정에서 보이는 '계몽啓蒙'이라는 특징은 문학의 사회적 사명을 특히 중시하고 하층민들의 불평등한 지위와 불평에 귀를 기울인 결과물이었다. 노신魯迅의 당시 문학관은 문학연구회에 비교적 가까운 것이었다. 그가 이 단체에 가입하지 않은 것은 북양정부北洋政府의 '문관법'에서 관원의 사단 참여를 금하고 있었기 때문이었다. 당시 그는 교육부 첨사僉事였다. 그러나 선언문은 주작인이 기초하는 과정에서 노신이 본 적이 있다고 한다. 선언문에서 밝히고 있는 문학연구회의 발족 취지는 모두 3조인데 그 중 제3조는 음미해볼 만하다.

> 삼. 작가 노조의 기초를 세운다. 문예를 기쁠 때의 유희나 슬플 때의 소일거리로 여기는 시대는 이미 지났다. 우리는 문학이 하나의 일이며 더 나아가 인생에 필수불가결한 일이라 믿는다. 문학을 다루는 이도 노동자 농민처럼 문학을 자신의 필생의 직업으로 여겨야 한다. 그러므로 우리는 본회를 발기하면서 본회가 평범한 문학회가 되기를 바랄 뿐 아니라 문학창작이라는 직업을 발전 안정시키는 창작자 연합체의 기본이 되기를 기대한다. 이는 비록 장래의 일이나 우리의 중요한 희망이기도 하다.

위 내용은 '5·4'라는 역사적인 시기의 성격·사상 및 현대문학사단과 고대문인들의 모임의 근본적인 차이를 보여준다. 문학연구회의 문예사상은 후에 '인생을 위하여'로 정리되었다. 이는 유희와 소일거리로서의 문학에 반대하며, 문학 창작을 노동자 농민의 일과 같은 것으로 간주하는 것이었다. 이후 주작인이 제기한 '인간의 문학'과 '평민문학', 그리고 정진탁이 주장한 '피와 눈물의 문학'은 모두 이와 궤를 같이 하는 것이다. 문학연구회는 창작과 번역을 모두 중시했다. 창작물로는 인생소설·문제소설·향토소설과 시·산문이 있었다. 기관지로는 『문학순간文學旬刊』과 『시』가 있었다. 번역에서는 러시아와 북유럽·동유럽의 약소민족의 문학을 소개하는 데 치중했다. 이론 면에서는 사실주의 문학의 기틀을 세움과 동시에 세계의 자연주의·현실주의·상징주의를 소개했다. 비평분야에서는 '원앙호접파'와 '학평파'를 비판했으며 창조사와 논쟁을 펼치기도 했다. 이들 역시 문예관에서 비롯된 것이었다. 문학연구회 '유파'로서의 특징은 이렇게 점차적으로 구체화되었다. '작가 노조 건립'이란 공통된 문학관을 기초로 다수의 전업 작가들의 단결을 시도하고 작가들의 이익을 보호함으로써 노조와 같은 현대적인 조직을 운용하겠다는 의미이다. 이 역시 주의할만한 점이다.

창조사는 문학연구회와 경쟁할 수 있는 유일한 신문학단체였다. 잡지 창간을 모색하는 과정에서 창조사는 시작되었으나 그 외의 상황은 매우 다르다. 즉 이들에게는 개인주의적인 요소와 낭만적인 기질이 가득한 것이다. 창조사 발기에 참여한 인사의 회고에 의하면 문학연구회를 누르려는 승부욕이 발휘되었다 하지 않을 수 없지만, 1918년 여름 곽말약郭沫若이 일본 후쿠오카에서 장자평張資平을 만났을 때 순문학잡지를 내자고 제안했다 하였는데 이때가 소위 배태기일 것이다.

■ 곽말약이 일본 유학 당시 일본학생제복을 입고 찍은 사진.

그 후 이들 일본 유학생들은 뿔뿔이 흩어졌고 1920년 동경제국대학東京帝國大學 학생숙소에서 토론할 때까지로 미뤄졌다. 전한田漢이 중국내 연락과 출판 임무를 맡겠다고 분연히 나섰으나 이루지 못한 채 소식이 끊기고 말았다. 1921년 4월 곽말약이 귀국하면서 상해의 성방오成仿吾·태동泰洞 출판사의 사장 조남공趙南公과 잡지를 내기로 담판을 지었다. 그리고 곽말약이 6월에 일본 교토로 가서 정백기鄭伯奇·목목천穆木天을 만났고, 동경에 가서는 동경대 제2개성관改盛館

내 욱달부_{郁達夫}의 좁다란 숙소에서 장자평·전한 등과 함께 간행물과 총서 출판 문제를 토론하고 이를 창조사의 결성 선포로 삼았다. 의식이나 선언문도 없었다. 곽말약은 훗날 다음과 같이 회고했다.

> 바로 그날 오후 달부(達夫)의 방에 모여서 이야기를 나누었다. 모두들 '창조(創造)'라는 이름에 찬성했고, 잠시 계간으로 냈다가 나중에 능력이 되면 다른 방식으로 내기로 했다. 출판 시기는 이를수록 좋다고 했고 창간호의 내용들은 여름 방학 동안 준비하기로 했다. 이 모임을 창조사(創造社)의 정식 결성 회의로 봐도 좋을 것이다. 때는 1921년 7월 초순이었는데 정확한 날짜는 기억나지 않는다.[2]

이 사단의 성원은 온통 일본 유학생 일색이었다. 창조사의 분위기는 젊었다. 사단 결성 행사마저도 치기가 강했고 일처리 방식도 산만해서 항상 문제가 발생했다. 『창조_{創造}』의 창간호는 이 해 9월에야 예고가 신문에 실렸고, 출판 된 건 다음해인 1922년 3월 15일이었다. 그러나 이 무리의 창작력이 왕성했다는 점, 천재적인 인물이 많았다는 점, 그리고 작품의 수준이 높았다는 점 등은 의심의 여지가 없다. 개성해방이라는 반란 심리, 내면 정서의 폭발 같은 창작, 일부의 '예술을 위한 예술'이라는 사상, 그리고 그들이 시작한 자아소설과 시가 등은 '5·4'의 질풍노도 정신에 더욱 부합하는 것이었다. 시대적인 분위기로 인해 문학연구회의 창작물에도 낭만적인 요소가 적지 않게 함유되어 있었으나, 그들의 전체적인 취향은 현실비판이었고 이는 창조사와는 분명히 다른 점이다. 그러나 두 사단 모두 현대문학의 계몽이라는 흐름을 선도하였으니 이점이야 말로 1921년의 가장 대표적인 문학적 사건이다.

이후 새로운 문학사단이 우후죽순처럼

■ 창조사(創造社) '원로' 곽말약(郭沫若, 가운데 서 있는 사람), 욱달부(郁達夫, 앉아 있는 사람)의 일본 시절 모습

■ 『창조(創造)』계간 창간호
의 재판본. 제1판과 완전히
같지는 않으며 청년독자들
의 환영을 받았음을 알 수
있다.
■ 창조사(創造社) 간행물 중
하나인 『창조월간(創造月刊)』
■ 창조사(創造社)의 간행물.
1922년 출판된 『창조(創造)』
계간의 창간호 제1판 표지

생겨났다. 1921년에 결성된 것만 해도 민중희극사(民衆戲劇社) · 상해희극사(上海戲劇社) · 항주(杭州)의 신광문학사(晨光文學社) 등이었고, 이 사단들 모두 그 구성원이 교정의 청년 학생과 교사들이었다. 1923년에는 문학단체가 40여 개로 증가했고, 1925년까지 증가세는 이어졌다. 단체마다 하나 혹은 그 이상의 간행물을 발간했고, 전체적으로는 100개가 넘었다. 이 단체들의 문학가들은 1903년의 과도기적인 문인들과는 확연히 달랐다. 그들의 지식은 신 · 구 학문을 막론하고 기초가 탄탄했다. 특히 주의해야 할 점은 그들이 유신운동으로 생겨난 신식 학당에서 가장 일찍 배출된 학생들이었다는 것이다. 그들은 관례를 타파하고 새로운 시대를 개척해나갈 용기가 있었으며 세계의 흐름을 이해했고 백화문학 창작이라는 실천의지도 넘쳐났다. 그들은 문학의 새로운 길을 결연히 걸어갈 사람들이었다. 지역분포 면에서도 문학연구회 작가들의 본적을 분석해서 남사(南社)와 비교해 보면 상당히 흥미로운 결과가 나온다.

문학연구회의 정식 입회 절차를 마친 사람은 172명에 불과했다.[3] 그 중 조사를 거친 후 입회 번호를 발급받은 사람은 102명이었다.[4] 102명 중 절강성(浙江省)이 본적인 사람이 36명(35%)으로 가장 많았고, 다음이 강소성(江蘇省) 24명(23%)이었다. 그 다음은 호남성(湖南省) 8명, 복건성(福建省) 6명, 강서성(江西省) 5명, 사천성(四川省) 3명, 산동성(山東省) 3명 등이었다. 이는 사단 핵심인물의 혈연 · 지연에 영향을 받은 것이기는 하나 100여 년 간 중국문학인들의 대체적인 분포로 볼 수도 있다. 남사는 강남(江南)에서 결성되었는데 1,170여 명의 역대 회원들 중에 강소성이 본적인 사람이 437명으로 37%에 달하고, 절강성 226명으로 19%, 나머지는 광동성廣東省·호남성·안휘성安徽省·복건성·사천성 등의 순이었다. 문학연구회가 비록 북방에서 결성되었으나 문학인들의 지역적 분포는 남사와 큰 차이가 없음을 알 수 있다. 이는 문화유산의 역사적 전승이라는 특성이 그대로 재현된 것으로 명·청대 이래 강남과 장강 유역의 문인 인맥이 현대문학가의 구성에 직접적

■ 문학연구회 성원 주자청(朱自淸, 오른쪽 네 번째)·엽성도(葉聖陶, 왼쪽 두 번째)가 1921년 항주(杭州) 신광문학사(晨光文學社)의 고문으로 추대된 후 찍은 사진. 오른쪽은 차례로 왕정지(汪精之)와 조성영(曹誠英)이다.

으로 영향을 끼친 것이다. 당시에는 교통이 불편했기 때문에 사람들이 이주하는 경우가 아주 드물었고, 절대다수의 사람들은 자신의 원적지에서 태어났다. 작가에게 고향은 유년기의 기억과 영감의 보고이자 모든 창작물의 출발지였다. 그러나 현대 작가들은 고대의 문인들과 전혀 달랐다. 그들은 진학과 취업 등 갖가지 경로로 도시에 모여드는 현대적인 의미에서의 이촌향도 과정에 처해 있었기에, 시골출신이면서 진학이라는 방법을 통해 도시에 모여든 인재들도 증가세를 보였다. 현대문학단체가 도시에서 결성되고 문학단체가 신문·잡지·서적 등과 밀접하게 관련을 맺음으로써 문학인들이 전국적으로 출현하게 된 것이다.

이 해 신해혁명 이후 정간되었던 『토요일禮拜六』이 복간되었다. 그 뒤를 이어 원앙호접파의 간행물 중 중요하다 할 수 있는 『유희세계』·『반월』등도 발간되었다. 1921년의 문학계의 사건들을 살펴보면, 이들 과도적인 문학가들이 신문학 진영의 전면적인 비판을 받으면서도 그다지 위축되지 않았음을 알 수 있다. 그들의 유희문학과 여가문학은 광범위한 시민들의 변함없는 지지를 받으면서 상당한 규모의 시장을 형성했던 것이다. 그러나 신문학은 급진적인 청년학생들의 지지를 받으면서 시대의 흐름을 대표했다. 이 해 『소설월보』의 개혁에 담긴 의미는 지대한 것으로 신구문학의 교체라는 상

■ 모순(茅盾)이 『소설월보(小說月報)』를 주
편하던 1921년 서재에서 찍은 사진. 이처럼
젊은 그가 막대한 책임을 맡고 있었다.

황을 가장 잘 설명해준다. 『소설월보』는 원래 상무인서관의 대표적인 잡지로서 1910년 창간되어 관록 있는 왕온장(王蘊章)과 운철초(惲鐵樵) 두 사람이 차례로 편집을 맡아 원앙호접파의 작품을 계속 실어왔다. 『소설월보』에도 현대적인 변화가 있기는 했으나 그 속도는 느린 편이었는데, 이때 시대적인 분위기로 인해 그 변화속도가 빨라졌다. 즉 『소설월보』의 판매부수가 급속히 하락하기 시작하여 11권 10호는 2,000권만 인쇄할 정도가 되고 말았다. 그리하여 원래의 편집자가 사직하고 출판사의 경영진이 개혁을 하지 않을 수 없는 추세가 된 것이다. 출판사 내의 신예 심안빙이 새로운 편집자가 되었다. 심안빙은 당시 25세였다. 그는 전 편집자가 구매해 놓은, 1년은 족히 쓸 수 있는 원고들을 호기롭게 폐기하고 불과 2주 만에 원고를 모집해서 편집을 마쳤다. 그는 북경의 왕검삼(王劍三, 통조(統照))에게 도움을 청했고, 왕검삼은 그에게 정진탁을 소개했다. 정진탁은 편지로 원고청탁 의사를 밝히면서 심안빙의 문학연구회가입을 요청했다. 『소설월보』는 원래 오래된 잡지였는데, 이제 드디어 무명의 심안빙이 철저히 홀로 개조를 하니 그야말로 인재가 기회를 제대로 잡은 격이었다. 게다가 『소설월보』는 공교롭게도 문학연구회의 대표적인 간행물이 되었다. 혁신 이후의 『소설월보』 제12권 제1기는 5천 권을 찍었고 바로 매진되었다. 전국 각지의 상무인서관 분점들이 잇달아 다음 기(期)는 공급량을 늘려주길 요청하여 7천 권을 찍었다가 연말에는 1만 권까지 찍게 되었다. 심안빙이 성공하

■ 모순(茅盾)이 개혁에 착수한 1921년 새로워진 면모로 등장한 『소설월보(小說月報)』 12권 1호.
■ 원앙호접파에서 편집을 맡았던 상무인서관(商務印書館)의 『소설월보(小說月報)』 제1기. 모순(茅盾)이 편집을 맡았던 12권 1호와 비교해볼만 하다.

고 신문학이 성공한 것이다.

이 해 노신의 『아Q정전_{阿Q正傳}』이 세상에 나왔다. 이 작품은 중국 국민의 열등함을 심도 깊게 비판함으로써 중국의 쇠약함이 주로 정신에서 비롯된 것이며 개조 역시 반드시 정신으로부터 시작해야한다고 지적했다. 곽말약은 『여신_{女神}』을 통해 개성이 해방된 사람의 새로운 정신으로 국가의 새로운 탄생을 맞이했다. 욱달부는 『침륜_{沉淪}』에서 파격적인 남녀의 성묘사로 인해 보수적인 인사들의 필사적인 공격을 받았다. 그러나 신문학 진영에서는 문학연구회의 주작인과 창조사의 동인 곽말약 등의 적극적인 지지가 쏟아졌다. 그들이 보기에 『침륜』은 신세대 젊은이의 고민과 젊은이의 영혼·육체의 이중 체험을 표현한 것으로서 시대적인 가치가 충분하다는 것이었다. 신문학에서는 그 계몽적인 의미 때문에, 근대 이후 '사람'이 기존의 문학에서는 유례가 없을 정도로 심오하게 묘사되었다. 신문학에서 보이는 백화문학의 진정한 창조성 역시 공전의 것이었으며 그 설득력 역시 풍부한 것이었다.

노신·심안빙·곽말약·욱달부 등과 같은 중국현대문학의 대표적인 작가들이 모두 비범한 모습을 이렇게 드러낸 것이다. 노신은 1881년 절강성 소흥_{紹興}에서 태어났다. 남경_{南京}의 광로학당_{礦路學堂}과 수사학당_{水師學堂}에서 신식 학교의 교육을 최초로 받았으며, 일본 유학시절 센다이_{仙台}에서 의학을, 동경_{東京}에서 문학을 공부하면서 진정한 세계의 문명을 접했다. 그는 『신청년』과 북경대학에서 발발한 신문화운동과 문학혁명 등에 참여한 이후 현대문학사에서 진정한 의미의 첫 백화소설이라 할 수 있는 단편 「광인일기_{狂人日記}」와 수감록 등의 잡문을 썼다. 그의 작품이 '5·4'의 민주·과학·반봉건 정신 등과 호응을 이루면서 그의 영향력은 갈수록 커졌다. 이 해 20세기 중국의 가장 위대한 작품인 노신의 『아Q정전』이 『신보부간_{晨報副刊}』에 연재되기 시작했다 『아Q정전』이 발표된 후 노신은 중국현대문학의 상징이 되었다.

심안빙의 모순_{茅盾}이라는 필명은 『환멸_{幻滅}』이 발표된 이후에야 쓰이기 시작했고, 이 해에 그는 아직 심안빙일 뿐이었다. 그가 사람들에게 알려진 것은 앞서 기술한 대로 『소설월보』를 단독으로 혁신했기 때문이었다. 그리고

■ 곽말약(郭沫若) 『여신(女神)』
의 초판. 이 작품은 신시의
발생에 획기적인 의미가 있
다. 곽말약 식의 분출해내는
듯한 조기 작품이 모두 수록
되어 있다

문학연구회의 유일한 북경 이외 지역의 발기인이자 문예 이론가였다. 심안빙은 1896년 절강성 동향현桐鄉縣 오진烏鎭에서 태어났다. 그곳은 과거 오吳나라와 월越나라의 경계에 있는 유서 깊은 곳이자 한창 번성해가던 상해의 변두리이다. 그는 당연히 신식학교에 다녔다. 처음에는 호주중학湖州中學에, 나중에는 가흥중학嘉興中學에 다니던 중 신해혁명辛亥革命을 겪었다. 기숙사 사감에게 반항하다 제명되어 항주杭州 안정중학安定中學으로 옮겨야 했다. 북경대학 예과를 3년 다니다 가정형편이 곤란하여, 친구의 소개로 중국 최고의 출판사 상무인서관에 취직하게 되었다. 이때의 그는 편집자이자 번역가이자 작가였다. 이 해 그는 편집을 맡은 채로 수시로 평론을 발표하기도 했는데 대표적인 글로는 「신문학 연구자의 책임과 노력」·「자연주의와 중국 현대소설」 등이 있다. 또 이한준李漢俊의 소개로 비밀리에 상해 공산당주의 조직에도 참여하고 있었다. 그의 앞에는 정치와 문학이라는 두 갈래 길이 그의 선택을 기다리고 있었다. 그러나 그의 문학 생애의 중요한 첫 걸음은 1921년에 시작된 것이었다.

곽말약은 일본 유학 시절에 종백화宗白華의 도움으로 『시사신보』 부간 『학등』에 최초의 시를 발표하여 세간의 주목을 받았다. 1892년 생으로 사천성 악산樂山 사만沙灣 사람이다. 청년기에 과거제가 폐지되자 거대불상으로 유명한 악산樂山의 고등 소학에 입학했다. 가정부嘉定府 중학에 진학했으나 학감에 반발했다가 퇴학당하고 성도成都의 분설分設 중학, 성도부成都府 중학으로 전학 갔다. 일본 유학 중, '5·4'운동 전야에 접한 휘트먼의 『풀잎초엽집(草葉集), Leaves of Grass』의 영향으로 시가 창작의 폭발기를 맞이하게 되었다. 그의 회고에 의하면 "1919년과 1920년 사이의 몇 개월간 나는 거의 매일 시에 도취되어 있었다. 시적 영감이 발작처럼 나를 덮칠 때면 나는 매번 열병을 앓는 듯 한기가 들어 붓을 들어도 경련 때문에 글씨가 써지지 않는 경우도 있었다."[5] 라고 하였다. 이렇게 창작된 것이 『봉황열반』이고, 『천구天狗』·『난로 속의 석탄』·『지구, 나의 어머니여!』등이었다. 이들 시는 모두 '5·4'시대에 걸맞은 웅대한 기백이 흘러넘치고 있으며, 백화자유시체에 있어서 최초의 성공작이었다. 1921년 8월 5일 창조사 총서의 제1권으로서 곽말약의 문학사에 획을 긋는 시집 『여신』이 상해 태동도서국에서 출판되었다. 만약 호적의 『상시집』이 단지 신시의 시작을 알리는 작품이었다면 『여신』의 출판이야말로 '5·4' 신시의 진정한 폭발이라 할 것이다! 1921년은 현대문학에서 거인과 거작을 배출해낸 한 해로서 역사에 기록되었다.

 각주 ••

1) 등재된 시간을 순서대로 적으면 다음과 같다. 1920년 12월 13일 『신보(晨報)』, 1920년 12월 19일 『국민일보(國民日報)』 '각오(覺悟)', 1921년 1월 10일 『소설월보(小說月報)』 12권 1호, 1921년 1월 『신청년(新靑年)』.
2) 곽말약(郭沫若), 「학생시대·창조십년(創造十年)」, 『곽말약전집(郭沫若全集)』 문학편 제12권, 인민문학출판사(人民文學出版社), 1992년판, 119쪽.
3) 조경심(趙景深), 「문단(文壇) 회고·현대작가 생졸연대와 본적」, 『문단억구(文壇憶舊)』, 상해북신서국(上海北新書局), 1948년판, 203쪽.
4) 소홍량, 「문학연구회(文學研究會) 회원 기록」, 『문학연구회자료(文學研究會資料)상(上)』, 하남인민출판사(河南人民出版社), 1985년판, 15~17쪽.
5) 곽말약(郭沫若), 「학생시대·창조십년(創造十年)」, 『곽말약전집(郭沫若全集)』 문학편 제12권, 인민문학출판사(人民文學出版社), 1992년판, 119쪽.

제14절

북경과 상해의 간행물과 서점으로 형성된 문학 공간

1921년 문학계의 사건을 통해 간행물을 중심으로 단체와 유파가 형성되는 것이 문학의 현대성을 의미하는 하나의 지표가 되었음을 분명하게 알 수 있었다. 문학연구회文學硏究會와 창조사創造社는 발기 과정에서 자신들이 편집한 독립 간행물의 가능성을 타진했다. 만약 독립 간행물이 불가능하면 협력할 서점을 찾았다. 편집 과정에서는 자신들의 문학관·풍격·방법의 개성을 최대한 유지하려 노력했으며 이를 통해 독자층을 확보했다. 작가들은 이미 현대적인 매체에 의지해 문학을 전파하면 그 폭이 광범위하고 속도 역시 신속하며 그것이 문학의 '창작'에 다시 직접적인 영향을 끼친다는 것을 알고 있었다. 전업 작가이건 아마추어 작가이건 생존을 위해서는 간행물에 대한 의존도를 반드시 높여야 했으며, 동시에 문학적 이상과 독서시장 사이에 일정

■ 상무인서관의 동방도서관(함분루, 涵芬樓). 1932년 일본군의 포격으로 전소되고 말았으니 애석하다 하지 않을 수 없다.
■ 모순(茅盾) 최초의 소설 3편 『환멸』·『동요』·『추구』가 『소설월보』에서 처음 실린 것은 이미 늦은 감이 있으나 상무인서관의 간행 능력을 드러내기에는 충분했다. 사진은 이 세 작품의 단행본.

정도의 균형점을 최대한 찾아야 했다.

　문학잡지와 상무인서관이 '5·4'문학 형성이라는 역사에 공동으로 참여했다는 것은 상업적인 출판사와 문학의 혁신이 서로 결합했음을 증명해주는 한 예이다. 상무의 『소설월보小說月報』는 이미 10년이 넘은 잡지였으나 심안빙沈雁冰의 전면 혁신 이후 정진탁鄭振鐸·엽소균葉紹鈞이 편집 책임을 이어가면서 '5·4' 작가들이 작품을 발표하는 주 무대 중 하나가 되었다. 노신魯迅 외에 『소설월보小說月報』에서 주로 활동했던 허지산·빙심·엽성도·주자청 등은 모두 문학연구회의 핵심 작가였다. 심안빙이 1927년에 모순이라는 필명으로 『환멸』을 발표하면서 소설가가 되었던 잡지 역시 『소설월보』였다. 모순보다 젊었던 노사老舍는 『장張씨의 철학』1926을, 정령丁玲은 『몽가夢珂』1927를, 파금巴金은 『멸망滅亡』1929을 모두 『소설월보』를 통해 발표하면서 문단에 들어섰다.

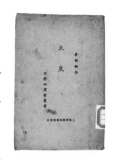

　정진탁이 상해에서 창간한 진정한 문학연구회의 기관 간행물인 『문학순간文學旬刊 후에 『문학주보(文學週報)』로 개명』은 처음에는 『시사신보時事新報』의 부록이었다가 성장한 다음에는 신문에서 독립하여 개명서점開明書店에서 출판되었다. 이 잡지는 이론을 주로 다루는 잡지로서 원앙호접파 비판, 창조사와의 논쟁 등에서 그 빼어난 능력을 과시했다. 문학연구회는 문학 비평을 중시함으로써 자신들의 성격

■ 문학연구회 총서 중 하나인 엽성도(葉聖陶)의 『화재』의 표지.
■ 문학연구회(文學硏究會) 총서 중 하나인 빙심의 『번성(繁星)』
■ 문학연구회(文學硏究會) 작가 주자청(朱自淸)의 『종적(蹤迹)』

을 드러냈는데, 나중에는 이것이 현대문학의 하나의 전통이 되었다. 문학연구회는 간행물 이외에 상무인서관商務印書館과 문학연구회총서文學硏究會叢書를 합작 출판했다. 총서는 창작과 번역으로 나뉘는데 모두 125종으로 1921년부터 1937년까지 계속되었다. 이는 중국현대문학사상 가장 규모가 큰 총서이다. 이후 문학유파들은 모두 이 '총서'형식을 따라 자신들의 성과를 집중적으로

내보였다. 동시에 신문의 광고를 통해 문학을 선전했다. 예를 들면, 엽성도와 유연릉이 편집한 『시詩』 월간은 창간 전 『시사신보』에 「『시』의 출판 예고」를 실었는데 시로 쓰인 것이었다.

구시(舊詩)의 해골은 이미 입 벌린 무덤 속에 향하고 있고,

3년 된 신시는 아직 독자에게 말이 없구나.

허나 앞선 이들의 잠재력이 있으니 그 누가 이만큼 사랑스럽겠는가?

인생위로라는 사명을 받들고 있으니 그 누가 이 영아만큼 예쁘랴?

『시』라는 작은 낙원을 만들어 이 영아가 즐거이 자라날 장으로 삼으려니

신시를 사랑하는 이들이여, 영아에게 속히 일용할 양식을 보내주시라! [1]

이 잡지는 중화서국中華書局에서 출판되었다. 중화서국의 설립자 육비규陸費逵와 개명서점의 설립자 장석침章錫琛은 모두 상무인서관 출신이다. 문학연구회는 시종 대형 출판사에 의탁했으며 독자는 지식인이나 학생들이었다. 이로 인해 문학연구회는 더욱 안정되었다. 연령대를 보면 적극적으로 활동하던 작가들은 젊었으나 주작인周作人・주희조朱希祖・장백리蔣百里 등의 발기인과 유대백劉大白・진대비陳大悲・이청애李青厓・하개존夏丏尊 등 회원들은 모두 중년들이었다. 사회적으로도 적지 않은 사람들이 대학이나 신문사 등에서 일정한 직위가 있는 인사들이었다. 부간만 보더라도 정진탁이 『학등學燈』을, 손복원孫伏園이 『신보부휴晨報副鐫』, 가일잠柯一岑이 『시사신보』와 또 하나의 부간 『청광青光』을 편집한 것은 모두 문학연구회의 작가들이 실력을 발휘한 것이다. 이 중 『신보晨報』의 부간이 가장 오래된 것이다. 『신보』는 원래 학구적인 신문으로 보수적인 것이었다. 『신보』를 주관하던 포백영蒲伯英이 1919년 신사상을 받아들이면서 원래는 음풍농월하는 글만 싣던 제7면 문예란의 편집방향을 신문화운동으로 완전히 바꿨다. 1920년 후임자 손복원이 노신魯迅의 지지 아래 이를 전지 4면으로 바꾸자 노신의 작품과 '5・4' 문제소설, 주작인의 산문 '자신의 정원', 빙심冰心의 '어린 독자에게', 그리고 진대비가 비전문적인 '아마추어 희극'을 제창하던 문장들이 모두 여기에 실렸다. 1923년부터 1925년

사이에는 왕통조가 북방에서 편집한 『문학순간』을 부록으로 추가하여 상해에서 발행되던 동명 잡지와 남북에서 호응토록 했다. 1923년, 손복원은 『신보』의 주편 대리 유면기(劉勉己)가 노신의 시 『나의 실연』을 빼내간 데 항의하여 사직하고 『경보(京報)』로 자리를 옮김으로써 부간 방면에서 새로운 국면이 시작되었다. 이리하여 『경보부간(京報副刊)』이 문학연구회 작가들의 주 무대가 되었다. 1925년에 있던 '청년필독서 10권'과 '청년 애독서 10권' 등 2대 설문조사는 모두 이 부간에서 주도한 것이다. 노신은 '청년필독서 10권'에 대한 답신의 10번째 답신자였다. 그는 책 한 권 펴보지 않고서 "나는 중국책을 조금만 봐야 한다(아니면 아예 보지 말아야)고, 외국책을 많이 봐야한다고 생각한다. 중국 책에는 사회에 뛰어들라는 글들이 많으나 이는 시체들이 내놓는 낙관론일 뿐이다. 이에 반해 외국의 책들은 의기소침하거나 염세적인 것이라 할지라도 살아있는 이들의 의기소침함과 염세이다."[2]라고 답했다. 이 얼마나 놀라운가! 이상 '5·4' 시기의 간행물과 부간은 거의 모두 문학연구회 작가들의 글로 뒤덮여 있었다. 때문에 창조사 작가들이 문단에 들어설 때는 이미 문학연구회의 작가들이 문단의 요로를 점하고 있을 수밖에 없었던 것이다. 만약 현대적인 문화 환경이 아니었다면 창조사 작가들은 속수무책이었을 것이다. 시대는 '5·4' 작가들에게 특수한 조건을 제공했다. 현대의 출판업·신문 등은 문학공간을 창조해낼 거대한 능력이 있었던 것이다. 창조사 역시 자신들의 위치를 곧 찾아냈다.

창조사의 작가들과 독자들은 대부분 반항심 강한 현대적 청년들(학생 이외에도 도시의 문화적 소양이 있는 점원이나 노동자들)이었다. 이 자체만으로도 그들이 사회에 뛰어들었을 때의 위험지수는 높아졌다. 정진탁에 앞서 『학등』을 편집했던 종백화(宗白華)는 곽말약(郭沫若)의 재능을 가장 먼저 발견했다. 곽말약의 「죽음의 유혹」·「아들과 하카다만에서 수영하며」와 같은 최초의 시와 「봉황열반」·「노중매(爐中煤)」 등 그의 주요 작품들은 모두 『학등』에 먼저 발

■ 창조사(創造社)의 또 다른 간행물 『창조주보(創造週報)』 제1호

■ 창조사에서 1927년 4월에
출판한 곽말약(郭沫若)의
시집 『병』의 표지에는 그림
만 있고 글자는 없다.
■ 창조사 간행물 『홍수』제1기.
■ 창조사 후기 간행물 중 하
나인 『환주(幻洲)』창간호.
이 간행물은 상해 보산로
(保山路) 삼덕리(三德里) A
자(字) 11호의 출판부에서
이미 발행되었다.

표되었다. 그러나 창조사 역시 자신의 간행물이 있어야
했고, 태동서국의 가세는 창조사의 도약에 역사적인 전
기가 되었다. 이후 창조사와 관련된 출판사는 대부분 중
소형이었고 이것이 창조사의 안정에 적지 않은 도움이
되었다. 창작물을 주로 발표하던 『창조』계간_1922, 비평
이론과 창작 위주의 『창조주보』_1923가 연이어 창간되면
서, 낭만과 유미_唯美가 혼합된 창조사의 품격이 완성된 독
특한 자태를 뽐내게 되었다. 1923년 7월에는 상해『중
화신보』의 주필 장계란_張季鸞이 창조사의 가치를 알아보고
그들만을 위한 부간을 매일 내자고 먼저 요청하여 『창조
일』이 탄생했다. 역사를 보면 창조사의 간행물들은 모두
생명이 짧았다. 정부 당국에서 그 반역적인 경향이 두려
워 걸핏하면 금지령을 내리거나, 출판사의 이윤추구 때
문에 자신들이 착취당한다는 느낌에 반항을 하거나, 혹
은 구성원 사이의 여러 갈등 때문에 오래 가지 못했던
것이다. 1924년이 되자 태동서국에서 비평과 이론적 성
격이 강한 주간지 『홍수』가 출판되었으나 단 1기뿐이
었다. 다음 해에는 반월간으로 광화서국에서, 또 나중
에는 자신들이 세운 '창조사출판부'에서 출판되었으니
얼마나 변동이 심했는지 알 수 있다. 『홍수』중기에는
창조사의 방향이 바뀌리라 예고되어 있다. 이후의 『창
조월간』_1926 · 『문화비판』_1928에서는 '혁명문학'의 깃발을
정식으로 내걸었다. 이 문학유파는 일본에서 돌아온 젊
은 세대 '후기 창조사의 소장파' 라 불리는 이초리(李初梨) · 팽강(彭康) · 풍내초(馮乃超)
_등의 영향 아래 선봉문예 · 순문예를 제창하다 혁명문예
로 급격히 돌아섰다. 동시에 『A.11』 · 『환주_幻洲』 · 『류사_流沙』등과 같은 외국
의 소형 간행물을 출판함으로써 창조사의 간행물은 더욱 다양하고 번잡해졌

다. '총서' 역시 오랫동안 출판되었는데 다양하고 복잡하기는 이 역시 마찬가지였다. '창조사 총서' 하나만 해도 태동서국에서 14종, 광화서국 5종, 창조사출판부 47종 등 도합 66종이나 출판되었다.

이름이 다른 총서, 예를 들면 '신이소총서_{辛夷小叢書}, 낙엽총서, 명일소총서, 사회과학총서, 세계명저선' 등 창작물과 번역물·문예·사회과학 등과 관련된 총서들이 한 둘이 아니었다. 가장 주목할 만한 것은 '창조사 출판부'의 설립이다. 이는 출판상을 제치고 작가와 독자가 직접 손을 맞잡게 하려는 시도로서, 그 성패와 득실에 있어 상당히 의미가 있는 작가들이 설립한 서점의 기록이다. 노신 역시 나중에는 스스로 출판사를 운영했는데 규모가 작고 독립되어 있는 데다 적극적이어서 훨씬 안정되어 있었다.

정백기_{鄭伯奇}는 창조사와 태동의 관계에 대해 '태동서국 사장의 말약_{沫若}·달부_{達夫}·방오_{仿吾}에 대한 초경제적 착취'라 말한 바 있다.[3] 이게 좀 인색한 표현이라면 아래 인용문은 좀 더 구체적이고 객관적인 기억일 것이다.

창조사는 태동서국을 자신들의 배경으로 삼았지만 태동서국은 굉장히 비합리적으로 경영되었다. 조남공은 어리석었다. 경리는 수차례 바뀌었지만 모두 착복의 천재들이었다. …… 태동서국에서는 창조사의 구저작들을 출판했는데 인기작들이라 돈도 적지 않게 벌었다. 그러나 서점은 운영할수록 손해였고 작가들의 보수는 말도 꺼낼 수 없었다. 곽·성·욱 등이 상해에 오면 '북경 동흥루(北京同興樓)'에 술값이나 식비는 외상 거래가 가능했다. 여비도 지급했지만 원고비나 인세 등은 지급되지 않은 채 구두로 얼버무려지기만 했다. 문학연구회 성원 중에는 상무인서관에 의지해 살아가는 사람이 매우 많았다. 어사사(語絲社) 성원들 중에도 적지 않은 사람들이 북신서국(北新書局)에 의지해 생활했다. 그러나 창조사 성원 중에 태동서국에 의지해 생활하던 사람은 하나도 없었다. 소소한 보조금조차 없었다. …… 창조사는 태동서국에 의존하지 않았고 태동서국의 간섭도 받지 않았다. 심지어 역으로 서점을 비판하는 사람을 비판할 수도 있었고 창작태도 역시 비교적 자유로웠고 의견도 과감히 제기할 수 있었다.[4]

이러한 상황은 물론 창조사 성원의 천재성과도 관련이 있다. 노신의 직접적인 지도 아래 성장한 어사사 · 망원사莽原社 · 미명사未明社 등과는 달랐다. 그들의 간행물은 각각 하나씩이었는데, 바로 『어사語絲』 주간1924 · 『망원莽原』 주간1925 · 『미명未明』 반월간1926 등이었고 이것들은 모두 노신과 젊은 작가들의 합작품이었다. 인원수는 적었지만 노신이라는 절대적인 핵심이 있었던 것이다.

『어사』라는 명칭의 유래도 꽤 흥미롭다. 기억에 의하면, 손복원 등이 북경 동안시장東安市場의 개성 식당에서 가진 모임에서 간행물을 내기로 하고 인쇄비는 노신과 참석자 7~8인이 분담하기로 했다. 이름이 한동안 정해지지 않자 고힐강이 지니고 있던 유평백이 편집한 문학연구회 동인지 『우리의 칠일』을 임의로 펼쳐서 손가락으로 짚어 내려가다가 장유기의 「소시」 첫 수의 "어사"라는 두 글자를 점찍자 회의를 통해 확정되었다. 이 과정은 "어사"라는 잡감에 대한 노신의 평가, 즉 "기탄없이 자유롭게 이야기한다."와 매우 비슷하다. 얼마 지나지 않아 『어사』는 북경의 취화호동翠花胡同에 있는 북신서국에서 출판되었는데, 그 이유는 사장인 이소봉이 발기인 중 한 사람이었기 때문이다. 그는 인쇄소에 오가는 일이나 교열, 책 제작 등을 직접 맡아 했다. 나중에는 노신과 관련 있는 간행물의 공동 출판방식으로 바뀌었다. 『망원』의 후신인 『미명』이 출판될 즈음 노신은 『어사』를 북신서국에서 독립시켰는데 이는 노신이 상해시기에 항상 택했던 방식, 즉 자신의 명의로 출판사를

■ 상해 칠포로(발행처) 북신서국의 전체 도인. 앞줄 8번째와 9번째가 북신서국의 사장
　이소봉과 이지운.
■ 상해 시기 북신서국의 이소봉(오른 쪽 첫 번째)과 그 형 이지운.

운영하면서 젊은 작가들을 활동시켰던 방식의 초기형태라 할 수 있다. 노신은 '북신'에서 『눌함』과 『방황』의 인세를 계약대로 지급하지 않아 북신과 주저 없이 소송을 벌인 적도 있었으나, 나중에 『양지서』는 그대로 상해의 북신서국에 맡기기도 했다. 그는 서점과 협력하면서도 굴하지 않는 선례를 남겼다. 작가의 권익 보장에는 애매한 태도를 취한 적이 전혀 없었으며 노신파의 산문과 번역문의 작품은 이들 잡지를 통해 오랫동안 전파되었다.

그 외에 노신이 주목했던 문학유파로는 전초사_{淺草社, 나중에는 침종사(沉鍾社)로 이어짐} · 미쇄사_{彌洒社} · 광표사_{狂飆社} 등을 들 수 있다. 이들은 모두 자신들이 편집한 간행물이 있었다. 『천초_{淺草}』 계간은 1923년 태동도서국에서 출판되었으나 발기인 임여직_{賃如稷}이 프랑스로 유학을 떠난 이후로는 이름만 남았다. 1925년 원래의 성원이었던 진위모_{陳煒謨} · 진항학 · 풍지 등이 북경의 북해에 모여 잡지의 복간에 대해 의논한 결과, 독일 작가 게르하르트 하웁트만의 명작 『침종』에서 중도에 포기하지 않던 주인공의 정신을 따라 자신들의 단체의 이름을 짓기로 결론지었다. 잇따라 간행되었던 주간과 월간 『침종』은 노신에 의해 모두 북신서국에서 출판되었다. 표지디자인은 자신이 좋아하던 선진적인 화가 도원경에게 의뢰했고, 번역할 만한 가치가 있는 외국 작품도 소개하는 등 특별한 관심을 보였다. 이 단체는 9년간 생존함으로써 "중국에서 가장 강인하고 가장 성실하며 가장 오래 버텨낸 잡지"가 되었다. 노신은 이들에 대해 "대외적으로는 외국의 영양분을 섭취하였고 대내적으로는 자국의 영혼을 파헤쳤다, 적막에 빠진 사람들에게 진실과 아름다움을 들려줬다."고 평했다.[5]

이들과 함께 "예술을 위한 예술" 경향을 보였던 단체로는 상해의 '미쇄사'가 있다. 1923년에 출판된 『미쇄_{彌洒}』 월간에는 호산원이 쓴 『선언』 즉 『미쇄림범곡(彌洒臨凡曲)』이 실려 있다. 그 내용을 보면 "우리야말로 문예의 신이다/우린 우리가 어디서 왔는지 모르고,/무엇을 위해 태어났는지도 모른다."[6]고 되어 있다. 망원사에서 독립해 나온 광표사는 1926년에 『광표』를 상해의 광화서국에서 복간시켰다. 한때 노신을 추종했던 청년작가 고장홍이 니체의 "초인"으로 사회를 향한 한 개인의 감정과 충격을 표현했다. '광표총서' 역시 태동도서국에서 나왔다. 이 모든 것들이 '5·4'문학 공간에 초현실적이고 반항적인 분위기를 가중시켰다. 당시 상업적인 출판사들이 선진적인 문학에 일정한 원조를 해주었다는 것은 생각해볼만한 가치가 있다.

그러나 1923년 북경에서 활약하기 시작한 '신월'은 상술한 유파와는 달리 구미에서 유학한 신사들로 구성되어 있었다. 그들은 식사모임이나 클럽 같은 활동방식을 취했다. 연극공연이나 관람에 관심이 많았고, 문인 외에도 은행가·정치가·사회의 명사 등이 참여했다. 주요 인사로는 양계초·호적·서지마·임휘음_{인(因)} 등을 들 수 있다. 이는 신월사의 초기형태였다. 당시 그들의 잡지 『현대평론』₁₉₂₄은 시사적인 문제를 다루는 종합 주간지였고 문학 분야에 진서형·문일다 등이 가세한 것이었다. 진서형_{진원}은 그중 '잡담_{閑話}'이라는 란을 맡고 있었는데 노신과 논쟁하면서 유명해졌다. 이 잡지의 주소지가 북경 길상호동_{吉祥胡同}인 탓에 '길상호동파'로 불리기도 했으며, '현대사회문예총서'를 출판하기도 했다. 양진성의 장편 『옥군』, 정서림의 단막희극 『말벌 한 마리』와 『지마의 시』 등이 모두 여기에 실려 있다. 1925년부터 1926년까지 서지마가 『신보부간』의 편집을 맡았던 기간에 서지마는 『시전_{詩鐫}』·『극간_{劇刊}』 등과 같은 란을 신설함으로써 신시와 국극 운동을 펼쳤다. 이들 '5·4'문학의

범주에 속하는 활동들이 나중에는 모두 '신월파'의 입지를 다지는 데 한 몫 하게 되었다. '5·30' 운동과 '3·18' 사건 등이 잇달아 발생하던 시기를 전후하여 '신월'은 다른 '5·4'문학 유파들과 보조를 맞출 수 있었다. 그러나 신문화운동 진영에 분열이 계속되자 '신월'

■ 송파(松坡)도서관의 원래 입구(석호 후통 7호). 초기 '신월'의 활동 근거지였다.

의 일부 성원들이 노신 등과 벌인 논쟁 역시 날로 극심해졌다. 이는 중국에서 민주적인 특징이 있는 자유주의 문학 진영의 주요한 특징이라는 점에서도 두드러져 보인다. '신월'은 매 구성원의 사상을 존중하고, 산만하나 독자적인 행보를 자신들의 자랑으로 내세웠다. 그들은 다른 사람들을 멸시하는 분위기가 상당했는데, 예를 들면 호랑이나 표범은 독자적으로 행동하며 개나 늑대가 떼를 이룬다는 식이었다.

1927년 '5·4' 퇴조기에는 '혁명문학'이라는 구호가 여기저기 울려 퍼지면서 좌익문학의 역량이 결집되기 시작했고, 이때 '신월'의 문인들도 다시 활동하기 시작했다. 상해의 신월서점이 문을 열고 『신월』월간이 창간되면서 '신월파'가 정식으로 등장하게 된 것이다.

그밖에 '5·4' 문학과 직접적으로 마찰을 빚은 작가들을 무시해서는 안 된다. 예를 들면 원앙호접파 작가들을 들 수 있다. 이들은 구 시민문학의 전통을 계승하여 만청 이래 독서시장을 장악해오다 '5·4' 문학의 충격에 갑작스레 휩싸이면서 수많은 청년학생 독자를 잃었으나, 통속문학과 시민독자를 장악하는 전략으로 생존 공간을 계속 확보할 수 있었다. 『소설월보』가 문학연구회 작가들에 의해 편집되자 원래의 원앙호접파 작가들은 상무인서관 내부의 세력에 힘입어 『소설세계』 주간을 창간했다_{1923}. 『토요일_{禮拜六}』은 1914년에 창간되었는데, 어떤 이들은 문학의식이 '호접파'보다 진보되었기 때문에 민국 이후 통속문학파는 '원호-토요일파_{禮拜六派}'라고 불러 만청시기와 구별 지어야 한다고 주장하기도 한다. 이는 『토요일』의 의의를 증명해주는 사례라 할 것이다. 이 잡지는 1916년에 정간되었다가 '5·4' 이후인 1922년에 복간되었다. 이 두 가지 사실을 보면 원호-토요일파가

■ 『독립평론』 또한 초기 신월 동인들 중 정치평론에 치중했던 동인들의 글이 실리던 잡지이다.
■ 신월서적: 능숙화 『화지사 (花之寺)』의 1928년 초판의 표지. 여성적인 취향이 가득하다.
■ 『토요일』101기의 표지. 이는 '5.4'이후 복간 된 것. 100기를 또 낸 것으로 보아 시민계층에 생명력이 여전했음을 알 수 있다.

신문학시대에 문학연구회와 창조사 작가들의 비판으로 인해 사라진 것이 아니라, 이는 단지 주류에서 주변으로 밀려난 것일 뿐이라는 것을 알 수 있다. 1921년 이후 계속 창간된 원호-토요일파의 문학 간행물로는 위의 두 가지 잡지 이외에 월간 『유희세계』$_{1921}$, 반월간 『반월』$_{1921}$, 순간 『쾌활』$_{1922}$, 주간 『주간$_{星期}$』$_{1922}$, 주간 『홍잡지$_{紅雜誌}$』$_{1922}$, 반월간 『탐정세계』, 주간 『붉은 장미』$_{1924}$, 반월간 『바이올렛$_{紫羅蘭}$』$_{1925}$, 조기 『양우화보』$_{1926}$ 등이 있다. 여기에는 수많은 종류의 원호-토요일파의 비정규 신문은 포함되어 있지 않다. 이 유파는 현대문학사 전체를 거의 관통하고 있다 할 수 있다.

그 외로는 '5·4'와 경향을 달리 했던 작가들, 예를 들면 1919년에 유사배·황간 등 국학 명사들이 펴낸 월간 『국고$_{國故}$』 같은 잡지는 북경대학 중문과 내부에서 이미 대립을 보였다. 특히 1922년 호적의 유학 동기 매광적과 다른 미국 유학생인 오밀·호선숙 등 남경의 동남대학 교수들로 구성된 '학형파'에서 창간한 월간 『학형』은, 본 절에서 다룬 잡지 중 북경이나 상해가 아닌 지역에서 편집하고 상해$_{중화서점}$에서 출간한 유일한 잡지이다. 『학형』은 비록 정기적으로 계속 출간되지는 않았지만 1933년에야 폐간되었다. 『학형』에 실린 의견들 중 일부는 지금 보기에는 전위적인 문화에 대한 견제작용을 했다고 할 수도 있으나 당시에는 아마 역사적인 장애물의 성격이 다른 기능보다 더 강했을 것이다. 1927년에는 오밀이 매 기에 백 위안을 더해야 중화서국에서 다음 해 『학형』의 출판에 동의했다. 급기야 오밀은 일기에서 다음과 같이 탄식하고 만다.

> "오늘날 중국의 신파 학자들은 특별히 명망이 높지 않아도 거금을 손에 쥔다. 주수인은 『눌함』한 권으로 원고료가 만 위안을 넘는다. 장자평·욱달부 역시 월별 수입이 헤아릴 수 없을 정도이다. 소설이라 하면 천자 당 이십여 위안이다."

이를 보면 『학형』은 이미 잊혀지고 있고 노신·곽말약·욱달부·주작인, 심지어 통속 작가들에게 독자들이 몰리고 있음을 알 수 있다.

이렇듯 '5·4'문학은 신문과 잡지의 출판을 통해 다양한 층차의 공간을 보여준다. 이는 현대문학이 초기부터 복잡하고 여러 상황이 혼재되어 있음을 의미한다.

각주 ·······························

1) 「『시(詩)』의 출판 예고」, 1921년 10월 18일 『시사신보(時事新報)』 부간 『학등(學燈)』에 실림.
2) 노신(魯迅), 「청년필독서(청년필독서)」, 『노신전집(魯迅全集)』 제3권, 인민문학출판사(人民文學出版社), 1981년판, 12쪽.
3) 정백기(鄭伯奇), 「창조사 추억」, 『창조사자료(創造社資料)하(下))』, 요홍경(饒鴻竟) 등 편, 복건인민출판사(福建人民出版社), 1985년판, 863쪽에서 재인용.
4) 주육영(周毓英), 「후기창조사(後期創造社)」, 『창조사자료(創造社資料)하(下))』, 요홍경(饒鴻竟) 등 편, 복건인민출판사(福建人民出版社), 1985년판, 792쪽에서 재인용.
5) 노신, 『「중국신문학대계」·소설이집서」, 『노신전집』 제6권, 인민문학출판사, 1981년판, 242쪽.
6) 노신, 『「중국신문학대계」·소설이집서」, 『노신전집』 제6권, 인민문학출판사, 1981년판, 241쪽에서 재인용.

제15절

백화신시와 단편소설의 주도적 작용

　　'문학혁명'이라는 깃발이 휘날린 이후 20세기 중국문학사에서는 소설이 최고의 지위를 굳건히 누렸으나, 신문학의 실제 역사를 보면 최초로 역사의 무대에 등장했던 것은 신시였다. 『신청년新青年』 제2권 5호$_{1917년 1월}$에 호적의 『문학개량추의』가 발표되었고 그 다음 호, 즉 제2권 6호$_{1917년 2월}$에 호적의 『백화시』$_{8수}$가 실렸다. 그리고 노신이 『신청년』에 「광인일기狂人日記」를 발표한 것은 제4권 5호$_{1918년 5월}$였으니 1년 이상의 시간이 차이나는 것이다.

　　왜 신시가 더 일찍 시험되었는가. 당시 호적은 미국에서 동급생과 토론한 적이 있다. 호적이 "시 분야의 혁명은 어디에서 시작되어야 할까? 문장을 쓰듯 시를 지어야 할 텐데."라고 하자, 매적광은 "문장 체제가 다르네. 소설이나 사곡이야 당연히 백화로 쓸 수 있겠지만 시는 안 되지."라고 주장했다.[1] 매적광의 본의는 백화에 대한 일반적인 반대와는 다른 것이었다. 그가 생각하기에 시의 문자는 특수한 것이므로 문장에 쓰이는 문자를 시에 가져다 쓰는 것도 안 되는 마당에 백화는 말할 것도 없는 것이었다. 이른바 '시의 문자'와 '문장의 문자'를 구별 짓는 관점이 일견 일리가 있어 보이나 당시의 분위기에 맞춰보면, 이는 구문학에서 가장 성숙한 시가에 백화를 결코 써서는 안 된다는 것을 최후의 방패로 삼은 것이다. 공론은 필요 없다 생각했는지 호적은 홀로 백화시 창작에 전념하는 것으로 '공격'을 시작했다. 그는 '구시'와 '문언'의 구태를 벗지 못했다는 비판이나 그의 신시가 전족에서 풀린 발일 뿐이라는 비판을 두려워하지 않았다. 1920년 자신이 쓴 중국 최초의 백화시집을 출판할 때 시집의 제목을 『상시집嘗試集』이라 한 걸 보면 호적에게도 자신의 결점을 정확히 아는 능력이 있었다.

'상시'란 '실험'이라는 뜻이다. 중국의 시는 그 전통이 천년이 넘으며 송사·원곡과 같은 넘볼 수 없는 전성기들도 있었으니, 백화시를 지으려면 당연히 먼저 실험을 했어야 할 것이다. 당시 『신청년』·『신조』 등 급진적인 간행물을 중심으로 백화시 창작에 나섰던 작가들로는 호적 이외에 심윤묵·유반농·유평백·주작인·당의노신·유대백·강백적·왕정지·부사년·주자청 등이 있었고 진독수·이대교 등도 여기에 포함된다. 이들 대부분은 "단지 당시 시단이 적막했기 때문에 변죽을 울려서 분위기를 띄워보려 한 것이다. 시인으로 불리는 작가들이 나오자 바로 그만 두었다."라는 노신의 자술처럼[2] 신시를 위해 개척자와 같은 책임을 다한 것일 뿐이었다.

■ 호적의 『상시집』 초판. 신시의 개척자였다.
■ 호적의 『상시집』 제4판 증정본(부록 『거국집(去國集)』)
■ 5.4시기의 유반농 역시 초기의 백화시인이다.

최초의 백화시는 당연히 유치하다. 『상시집』의 시 중에서 모두들 잘 알고 있는 「비둘기」를 보자.

> "높은 하늘 엷은 구름,/ 늦가을 날씨 그 얼마나 좋은가!/ 비둘기 떼 공중에서/ 삼삼오오 짝을 지어 이리 저리 노니니/ 내 마음 역시 편안하고, —— /홀연 하늘로 치솟으니/ 깃털의 흰 빛깔 선명하기 이를 데 없구나!"[3]

비록 단순하고 '사詞'의 흔적이 있으나 분명 자신이 주장했던 '백화의 문자와 백화의 문법, 백화의 음절을 충분히 활용할 것, 시의 산문화' 등의 주장이 들어 있다. 그리고 '5·4'의 새롭고 청춘 같은 정취가 물씬 묻어난다. 「비둘기」에서 보이는 사물에 감정을 기탁하는 방식은 비교적 간단하다. 「재난을 당한 별」·「낙관」·「권력자」등은 호적이 상징 기법을 비교적 잘 활용한 시들이라 할 수 있다. 「권력자」의 한 부분을 보자.

> 권력자 산 정상에 앉아 / 쇠사슬에 묶인 노예들을 광산에서 부리는구나 /
> "너희들 중 감히 최선을 다 하지 않을 자 누구냐. / 너희들은 내 재산이로다."
> 라 한다. /노예들 일만 년이 넘도록 노동만 하다 / 목에 걸려 있던 쇠사슬이 다
> 끊기는 구나 / '쇠사슬이 끊길 때면 우리 이 세상을 뒤엎으리!' 라 하는 구나.[4]

여기에서 호적의 시를 많이 거론하는 것은 과거 문학사에서 호적의 시를 너무 폄하하고 있는 결점을 보완하고자 함이다. 또한 호적의 시가 평등·민주 등의 사상을 도입하는 데도 상당히 힘을 썼음에 주목해달라는 의미이기도 하다.

사실, 묘사 등에 해당되는 또 다른 부류의 시들은 '노동자'들에 대한 동정심이 담겨 있는데, 이는 '5·4'시기 매우 유행하던 것이다. 호적의 「인력거꾼」, 유반농의 「종이 한 장 사이」·「학생들」, 주작인의 「눈 치우는 두 사람」, 유대백의 「삼베팔이의 노래」 등이 모두 이에 해당된다. 이 중에서 「종이 한 장 사이」는 매우 유명하다.

> "집 안 난로가에 모여 있는 사람들 / 나으리께선 창문 열고 과일을 사라 하신
> 다 / '날씨가 춥지도 않은데 난로가 너무 뜨겁구나 / 날 태워 죽일 셈이냐' 라 하
> 시는데 / 집 밖에는 거지가 누워 있구나 / 이를 악문 채 북풍을 향해 '죽어버려' 라
> 한다! / 가련토다 / 집 안과 밖 얇은 종이 한 장 차이 뿐인데!" [5]
> (얇은 종이는 창호지를 가리킨다. 당시 북경의 일반적인 부자들 중 유리를 쓰
> 는 경우는 매우 드물었다.)

이러한 사실시는 앞서 언급한 서정시와 함께 이후의 신시 발전에 큰 영향을 끼쳤다.

이어 출현한 작가가 곽말약[1892~1978]이다. 그는 창조사의 지도적인 인물로서 일본 유학시절 시대적인 조류에 따라 세계문학의 영향을 받았다. 거기

에 자신의 천부적인 재능이 더해지면서 폭발적인 창작기를 맞이했다. 그는 강의실에서 주체할 수 없는 감정을 시로 토해냈다. 그리고 그렇게 시인 곽말약이 완성되었다.

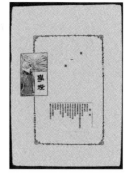

곽말약의 시가 최초로 발표된 『학등(學燈)』.

그는 1921년 출판된 『여신』을 통해 중국 신시사에 격정적이고 낭만적인 지평을 열었다. 『여신』은 첫째, 중국의 새로운 탄생을 가장 강렬하게 촉구한다. 『봉황열반』은 구세계를 저주하면서 고통스러운 시련을 겪은 후 '봉황'이 탄생했으며 우주가 재생했다고 노래한다.

> "우리는 밝게 빛난다! / 우리는 밝게 빛난다! / 모든 것 중의 하나가 빛나니 / 하나 전체가 빛나도다! / 빛은 바로 너이고, 빛은 바로 나이다! / 빛은 바로 '그' 이고 빛은 불이도다! / 불은 바로 너이고, / 불은 바로 나이다! / 불은 바로 '그' 다! / 불은 바로 불이다! / 날아라! 날아라! / 노래하라! 노래하라!" [6]

반복되는 영탄조가 열반에서 죽었다 새로이 태어난 중국을 축하하는 정서의 고양을 촉진하고 있다. 그리고 『난로 속 석탄: 조국을 걱정하는 마음』이라는 시에서는 서정적인 주인공을 '난로 속 석탄'으로 스스로 비유하고 조국을 여인으로 비유해서 "나 사랑하는 사람을 위해서 / 아낌없이 불태웠네!"라고 노래했다.[7]

둘째, '5·4' 시기 각성한 중국인이 세계 문명을 포용하는 개방적인 자세를 드러내보였다. 「안녕晨安」에서 일깨우고 예찬했던 것은 양자강이나 황하, 만리장성 뿐 아니라 "안녕! 갠지스여! 갠지스 강물에 흐르는 광채여!"라고 하거나 "안녕! 워싱턴의 무덤이여! 링컨의 무덤이

『여신』의 초판본(가운데)과 기타 판본

여! 휘트먼의 무덤이여! / 아아! 휘트먼! 휘트먼! 태평양 같은 휘트먼이여!" 라고까지 하고 있다.[8] 그가 휘트먼을 특별히 강조한 것은 『여신』이 휘트먼의 『초엽집』에서 영향을 특히 많이 받았기 때문이다.

『지구, 나의 어머니』·『지구의 끝에서 명하노라』등은 모두 그의 명작이다. 공통적으로 '지구'를 다루고 있는 것만 봐도 '세계인'의 포부를 실현하고 있다 할 수 있다.

셋째, 혁신자의 반역과 용기를 전례가 없을 정도로 찬양하고 있다. 『비적송』은 모든 '정치혁명·사회혁명·종교혁명'의 이른바 '비적들', 즉 레닌으로부터 마틴 루터·코페르니쿠스·다윈·루소 등을 찬양한다. 『천구天狗』의 천구는 바로 반역자의 화신으로 "나는 천구다! / 달을 삼켰고 / 태양을 삼켰다"고 하다가 "나는 바로 나다! / 내 안의 나는 폭발하고 말테다!"라고 하고 있다.[9] 곽말약은 '5·4' 시에서 넘치는 시의와 풍부한 상상력으로 웅대하고 기이한 아름다움과 힘을 그려냈다. 또 거리낌 없는 시구로 구시의 격률을 완전히 타파했다. 또한 외국에서의 경험에 힘입어 신시의 자유로운 시체를 창조해냈다. 즉 그는 만청 개혁파 시인들과는 완전히 다른 현대시의 특성을 창조해낸 것이다!

중국 시가의 발전 방향에 영향을 미친 또 다른 유파로는 '신월'을 들 수 있고 그 대표적인 작가는 문일다와 서지마이다. 곽말약에 뒤이어 등장한 그들이 창작 고조기에 이르렀을 때는 이미 '5·4' 퇴조기였다. 서구 낭만주의 문학의 영향을 받은 '신월'파 시인들의 시에는 개인의 환상·애정·신비함이나 미감과 관련된 내용들이 대폭 늘어났고 나중에는 심지어 현대주의적인 경향까지 띄게 되었다.

문일다1899~1946는 조기 청화대학의 학생으로 '5·4'운동에 적극 참여했다. 미국 유학 중 최초의 전공은 미술이었으므로 귀국 후 서지마의 소개로 북평 예술전문대학의 교무장이 되었다. 당시 그의 숙소에 가본 벗들은 검은 색 벽에 금색 테가 둘러진 그의 방을 볼 수 있었다. 이는 바로 그의 미술 방면의 취미를 보여주는 일례라 할 수 있는데, 이를 통해 그가 나중에 제시한 시의 목표가 음악미 · 회화미 · 건축미 등의 삼미에 도달하는 것이었다는 것을 알 수 있다. 그의 시는 『사수死水』 · 『홍촉』 등의 시집에 실려 있다. 그가 미국에서 중국인들의 처지를 접하고 조국을 상상하면서 쓴 『국화憶菊』에는 중국 민족문화의 장구한 정서가 가득 담겨 있다.

「세탁가」에는 그의 불만이 그려져 있다. 귀국 후 낙후되고 퇴락한 조국을 맞닥뜨리고는 "저건 네가 아냐, 저건 내 사랑이 아냐! / 저 푸른 하늘에 묻는다, 사방팔방에서 불어오는 바람에게 따져본다 / 묻는다,내 손은 붉은 대지를 두드리고 있다"[10]라고 표현하였다. 그는 또 중국은 개혁으로만 부활할 수 있을 거라 예고한다.

"어떤 말은 내뱉는 순간 재난이 되고 / 어떤 말은 불을 붙일 수 있지. / 오천년 동안 몰랐다고 하지 말라. / 그댄 화산의 침묵의 의미를 아는가? / 갑작스레 귀신에 홀릴지, / 마른하늘에 날벼락이 칠지 누가 알랴 / 펑 하는 소리와 함께: / '우리의 중국이여!' "

문일다는 이후 현대적인 학자가 되었고, 1940년대에는 민주운동에 참여했다가 암살당하고 만다. 그의 시는 정교했다. 격률을 따졌으나 경직되지는 않았다.

서지마1897~1931는 신월파 시단의 맹주였다. 그는 북경대학 졸업 후 미국과 영국에서 유학했고, 영국의 캠브리지만이 자신에게 진정한 가르침을 주었다고 자인했다. 『흡연과 문화에서』를 보면 "내 눈은 캠브리지가 틔워주었고, 나의 지식욕은 캠브리지가 발동시켜준 것이고, 나의 자아의식은 캠브리지가 키워주었네."라고 노래하고 있다.[11] 서지마가 자신의 감정을 표현한 시들은 질적으로 경쾌하고 명랑하다. 즉 낙심천만인 상황이라도 허황되게 쓰지는 않는다. 『"바람이 어디서 불어오는지 나는 모르네"』의 "바람이 어디서 불

■ 문일다가 1921년 『청화연간』에 그린 삽화인 "청중 앞에서". 천안문에서 학생들이 강연하는 모습이 담겨 있다. 그는 화가였다. 미국에 유학했을 때 배운 것 역시 미술이었다.
■ 문일다의 첫 시집 『홍촉(紅燭)』. 1923년 9월 태동서국 출판.

■ 서지마가 호적에게 준 사진

어오는지 / 나는 모르네― / 나는 꿈 속, /꿈결 속에서 빙빙 돌 뿐. /바람이 어디서 불어오는지 / 나는 모르네― / 나는 꿈 속, / 그녀는 살갑고, 나는 깨어나질 못하네./"[11]와 같은 구절을 그 예로 들 수 있을 것이다. 서방 자유주의 사상의 영향을 받은 탓에 서지마라는 이 신사의 시 중에는 『거지, 싸다 싸』·『선생님, 선생님』·『이 나이까지 살기 쉽지 않지』·『여산 석공의 노래』등 인도주의가 표현된 작품들도 있다. 그러나 그의 유려하고 섬세한 시어와 풍부한 상상은 대부분 이별시와 연시에서 두드러진다. 『캠브리지를 다시 떠나며』는 그에게 가장 큰 영예를 안겨준 시이다. 시어에도 서지마의 우아한 성격이 가장 잘 담겨 있다.

"나 조용히 가네. /조용히 온 것처럼; / 살며시 손 흔들어, / 서쪽 하늘의 구름과 이별하네." [12]

시 전편은 배회하는 듯 반복되며 그 경지가 우아하다. 명확하고 알기 쉬운 시어임에도 감정은 충분히 표현되어 있다. 그의 연시 중 짧으면서도 인구에 회자되는 것으로는 『우연』·『양자강변에서 연밥을 사다』·『사요나라』등이 있다. 연시 중 이보다 정취가 덜 한 것으로는 『상사兩地相思』·『꼬집지 마요, 아파요』등이 있으나 단지 더 사적인 내용이 많아진 것뿐이다. 후자는 제목이 약간 색정적일 것 같으나 사실은 전혀 그렇지 않다. 서지마의 시집으로는 『서지마의 시』·『피렌체의 밤』·『맹호집』·『운유雲游』4권이 있다.

신월파는 곽말약의 휘트먼 식 자유시 이후 출현한 유파이다. 신월파의 공헌이라 할 수 있는 부분은 신시가 첫걸음을 뗀 후 낭만주의 시의 내부 주장인 '이성으로 감정을 절제한다.'라는 원칙을 세워, 감정을 직접적으로 그리는 데 반대하고 격률 문제를 다시 제기한 것이다. '신월'의 시들은 집중·정제된 시구와 조화로운 음절로 이루어진 시들이어서 훗날 '두부_{豆腐}'체로 불렸다. 이에 대해 동의하지 않는 견해도 있으나 전체적으로는 중국 어문의 특징에 부합된다. 서지마는 1931년 우편비행기를 타고 남경에서 북경에 가던 중 산동 제남 부근의 개산에서 비행기가 안개로 인해 산에 충돌하는 바람에 사망했다. 서지마는 대인관계가 아주 좋았던 신월파의 핵심이었다. 그가 요절하는 바람에 신월파는 흔적도 없이 흩어지고 말았다. 신시의 제1기는 여기에서 일단락되었다. 즉 백화시는 뿌리를 내렸고 자유시와 신격률체 시가 차례로 출현했던 것이다.

신시와 거의 비슷한 시기에 백화 현대소설이 '단편'부터 시작되어 신시보다 훨씬 더 성대한 규모로 문단에 등장했다.

당시 압도적인 지위를 차지하고 있던 소설은 만청에서부터 민국시기까지의 원앙호접파 장회체 소설이었다. 이 소설의 내부에서는 이미 현대적인 변화가 이루어지고 있었다. 예를 들면 도시의 평민에 관한 묘사, 인도주의에 대한 관심을 들 수 있다. 거기에 백화체도 있었고, 심지어 단편도 있었다. 그러나 양식은 기본적으로 여전히 문언 장회 소설이었고 서술과 묘사는 상당히 진부했다.

호적은 단편소설에 대해 "중국의 현재 문인들은 '단편소설'이 뭔지 아직 모르는 것 같다. 신문과 잡지에 실린 글 중에 장편이 안 되는 수기나 잡설은 모두 '단편소설'이라 할 수 있다. 그러므로 최근의 글 중 '모씨, 모처 사람, 어려서부터 남다른 재주가 있었고, …… 하루는 어느 곳에 유람을 갔다가 한 여인을 만났는데 선녀였다. …… '하는 유파의 구태의연한 소설도 모두 분명히 '단편소설'이라 하는 것이다!"라 고 한 바 있다.[13] 여

- 『서지마의 시』 초판 표지. 표지 디자인이 범상치 않다.
- 서지마 「애미소찰(愛眉小札)」 수고의 한 쪽
- 『북신학원(北晨學園)』 의 서지마 애도 특집호

기서 말하는 '모씨'로 시작되는 소설을 '모생체'라 약칭할 수 있는데, 근래에 이 용어를 아는 사람은 흔치 않다. 왜냐하면 그들이 애초에 읽은 소설은 외국소설에 맞추어진 현대소설이기 때문이다. 「옥당춘락난봉부玉堂春落難逢夫」・「십오관희언성교화十五貫戲言成巧禍」 같은 명대 화본단편을 보면 주인공의 이름・본적・신분 등을 하나하나 서술해나가고 있음을 알 수 있을 것이다. 게다가 거의 모든 작품의 서술방식이 이와 같다보니 중국인들이 이야기를 전하고 듣는 습관으로 고정되고 말았다. 심안빙은 1922년 당시민국시기 소설에 백화가 쓰이긴 했으나 "서양소설의 구도를 채택했으면서도 중국의 과거 장회체소설의 서술법과 묘사법을 쓰고 있다."고 비판한 적이 있다. 또한 장부를 적는 것 같은 기술방식에 대해서도 "작품에 한 인물이 처음 등장할 때는 반드시 그 인물의 외모와 몸매・복장・행동 등등을 수십 자 혹은 수백 자에 달하는 분량으로 세세하게 하나하나 기록했다."고 평했다.[14] 이것이 신문학진영의 보편적인 견해였고, 그들이 단편소설의 개혁을 돌파구로 삼아 중국소설을 개혁하기로 결심한 출발점이기도 했다.

　이러한 '5・4' 전환기를 대표할 수 있는 소설가로는 노신・욱달부・엽성도・허지산 등을 들 수 있다. 노신1881~1996은 진정한 현대적 의미의 단편소설 「광인일기」의 작가이다. 그는 『아Q정전』으로 영원한 중국국민성열근성의 전형을 창조해냈다. 그는 인구에 회자되는 「공을기」・「고향」・「풍파」 등을 발표함으로써 '5・4 향토소설'의 계보를 세웠다. 수많은 '5・4' 소설가 중 그는 현대단편소설의 체제를 가장 많이 실험하고, 가장 창조적인 능력이 뛰어난 작가였다. 얇기만 한 소설집 『눌함』・『방황』・『고사신편』에는 일기체「광인일기」, 소설 서두에 서문을 더한 소설「광인일기」・「아Q정전」, 장면소설「조리돌림」, 잠재심리소설「비누」, 플로이드소설「보천」, 시체詩體소설「상서」, 산문소설「오리의 희극」, 희곡체 소설「기사」 등등이 포함되어 있다.

　흥미로운 점은 『눌함』 초판본에 수록된 편목이 복잡했는데, 십여 년 후 소홍이 홍콩에서 섭감노와 '각양각색의 소설'이 다 있을 수 있다고 이야기할 때 그녀는 노신의 '각양각색'의 소설을 예로 들었다. 그 소설들이 바로 「머리카락 이야기」·「오리의 희극」과 같은 소설이었다는 것이다.[15] 노신은 여러 가지 현대소설의 원류였던 것이다.

욱달부$_{1896~1945}$는 자전적 낭만소설의 창시자이다. 욱달부의 소설 중 가장 중요한 것은 일본에 유학 중인 중국학생이 이국에서 겪는 고민과 우울증을 다룬 「침륜」_{소설집의 제목이기도 하고, 소설집에 실린 가장 중요한 소설의 제목이기도 하다}이다. 작품에는 약소국 국민으로서 이국에서 받은 갖가지 멸시와 청년기 특유의 성적 고민, 정치적·경제적·생리적 압박 등이 한데 뒤엉켜 있는 모습이 진실 되게 그려져 있다. 이는 자신의 경험을 기반으로 한 것이라 작중 인물에 작가의 그림자도 있기 때문에 자서체라고도 한다. 이후 발표된 작품들에서도 이러한 잉여인간의 이야기는 계속되고 있다. 예를 들면 『담쟁이 덩굴薜蘿行』·『청연靑煙』의 '나', 『남천』의 '그 사람伊人', 『아득한 밤』·『귀향한 병자』 등의 '우질부于質夫' 등이 그들이다. 욱달부 소설 중에는 성적 고민이나 육체와 영혼의 충돌이 다소 직접적으로 묘사되어 사이비 도학자들의 공격을 유발한 적도 있다. 이에 대해서는 주작인의 반박이 가장 중요했다. 그는 소위 '부도덕한 문학'이라는 관점을 반박하면서 "『침륜』은 만청의 『유동외사留東外史』와는 다르다. 후자의 '외설'적인 내용은 분명 부차적인 것이고 중요한 의미가 없다. 게다가 그 태도 역시 진지하지 않다. 그러나 『침륜』은 예술 작품이다."[16]라고 했다. 이러한 평가야말로 '5·4'의 현대적 전환을 가장 잘 설명해주는 것이며 만청시기 한동안 누적되었던 현대성과 다른 획기적인 의미가 있는 것이다. 욱달부의 사상적인 측면은 전통적인 정서·자유주의·사회주의 등이 모두 섞여 있는 복잡한 양상을 보인다. 전통문인의 강직함과 거리낌 없음의 자신과

- 노신의 단편소설집 「눌함」의 초판본. 1923년 8월 북경 신조사.
- 청 말시기 범인이 우리에 갇힌 채 조리돌림 당하는 모습. 노신의 소설 「조리돌림」의 눈빛을 의식적으로 따라가다 보면 범인 배후의 마비된 자들을 발견할 수 있다.
- 욱달부의 단편소설집 「침륜」. 출판시기는 노신의 「눌함」보다 이르다.

결합하여 『채석기』의 고대시인 황중칙이 탄생했다면, 노동자들을 동정해야만 쓸 수 있는 『초라한 제사_薄奠』_인력거 꾼·『봄바람에 취한 밤』_여공 등과 같은 작품도 있다. 이후 완숙기에 든 작품이라면 응당 『과거』·『지계화』 두 편을 들어야 할 것이다. 이 두 작품에는 문사_才子 욱달부라는 외투 속에 가려진 진솔함과 성실함이라는 핵심이 담겨 있다. 이는 노신이 시종 욱달부는 좋아하면서도 창조사의 다른 작가들은 그다지 달가워하지 않은 이유이기도 하다.

엽성도_1894~1988 는 문학연구회의 사실주의적 풍격을 대표한다. 문학연구회에는 엽성도처럼 시작한 사실주의 작가가 실로 적지 않았다. 처음 창작할 때 '사랑'과 '미'에 대한 묘사가 그다지 깊이가 없는 것은 '5·4'초기의 시대적인 성격과 관련이 있다. 이후 안정을 찾은 후에는 각자 익숙한 생활을 소재로 이야기를 만들어 냈다. 엽성도는 강남 도시의 시민계층에 익숙했다. 『밥』·『교장』 등에는 지식인들의 보잘 것 없는 소박한 삶 속의 고통이 사려 깊은 필치로 그려져 있다. 과거 엽성도가 주목을 받지 못한 것은 그의 현실풍자가 풍속에 대한 풍자와 결합되어 있었기 때문이다. 『어떤 도시 이야기_某城紀事』와 『어떤 마을 이야기』에는 '기회주의적인 혁명가'가 한 도시와 마을에 진입하면서 발생한 기이한 현상들이 생동감 있게 그려져 있다. 그의 풍자적인 본성은 이후 우언적인 작품 『허수아비_稻草人』와 같은 작품들로 이어졌다. 그는 원래 원앙호접파 시민문학 간행물의 투고자였으나 '5·4'문학 진영에 들어온 이후에는 시민의 이기적이고 자질구레한 모습을 그려냄으로써 신문학의 시민사회 비판 전통을 세웠다.

허지산_1893~1941 역시 문학연구회의 작가이다. 그러나 그의 작품은 낭만 상징소설이다. 이 부류의 문학연구회 소설가들은 주관서사를 위주로 해서 엽성도와는 그 성격이 달랐다. 허지산은 복건성 장주_漳州인으로 대만에서 태어난 후 대륙으로 돌아갔다. 그는 어려서부터 불교와 기독교 등 종교적인 환경에서 생활했기에 작품에 이국적인 정취와 종교적인 감정 및 철학적 사고 등이 가득했다. 그가 그려낸 남녀 이야기는 대부분 현실적으로 시작되나 초현실적인 경지에서 끝이 맺어진다. 『명명조_命命鳥』에는 인생에 대한 깨우침 끝에 호수에 투신자살하는 젊은 남녀의 반역이 그려져 있다. 『줄을 치는 거미綴網勞蛛』라는 소설은 제목에 인생관과 윤리관이 반영된 종교적 명제가 내포되어 있다. 또한 인내 · 양보 · 집착 등 여주인공이 세상과 고난에 대처하는 자세가 그려져 있다. 후기 작품인 『춘도』는 전쟁 중 헤어졌던 장애인 남편과 나중에 사랑하게 된 남자를 용기 있게 대하는 넝마주이 여인의 이야기이다. 이 여인의 정신에도 무형의 종교가 작용하고 있다 할 수 있다. 허지산은 어느 한 종교의 광적인 신도는 결코 아니었으나 종교의 교의를 평생 연구했다. 그의 소설은 '5 · 4'시기 소설 중에는 독특한 것이었으며 이는 이 문학시기가 시작된 당시부터 이미 그 특징이 다양했음을 설명하는 것이다.

단편소설가의 선도적인 창작은 소설 이론분야의 호적 · 주작인 · 심안빙 등의 이론도입과 서로 그 궤를 같이하는 것이었다. '5 · 4'시기 소설이론 도입은 두 가지 경로로 이루어졌다. 하나는 미국파의 소설이론으로 하버드대학에서 사용하던 교재 『소설작법』클레이튼 해밀턴(Clayton Hamilton) 저이 대표적이다. 호적의 『단편소설을 논함』은 이 책의 관점에 기반을 두고 기술된 것이다. 욱달부의 『소설론』은 일본 기무라 기木村毅의 『소설연구 16강』을 직접적으로 참고한 것이지만, 저서의 말미에 열거된 참고서목 중에 위의 책도 포함되어 있다. 오밀이 동남대학에서 강의했던 소설이론과 장자평 · 구세영 · 손량공 등의 소설이론은 모두 그 영향을 받은 것이다. 중국작가들이 '인물 · 줄거리 · 환경'이라는 소설 삼원소의 원리를 받아들이고 소설이 이야기를 풀어내는 것만이 아니라 인물을 창조해야하는 것임을 이해함으로써, 간접적으로 계몽된 이 이후에야 자발적으로 새로운 소설을 쓰기 시작했다 할 수 있다. 소설이론의 또 다른 원류는 프랑스이다. 특히 모파상 · 졸라의 소설관 중 '독자에게 인류 생활의 단면을 제공'해주어야 한다는 견해가 심안빙 등 문학연구회동인들의 선전과 전파를 거치면서 영향을 미치기 시작했다. '5 · 4'작가들은 단편소설의 특징이 '사실 중 가장 빛나는 부분이나 분야'를 쓰는 것이라 이해했다. 전통적인 단편과 현대적인 단편을 소재와 관련지어 비교해보면, 전통소설은 종적으로 파고들어간 '종단면'이고 "처음부터 끝까지 봐야 전

부를 보는 것"이다. 반면에 현대단편소설은 큰 나무의 '횡단면'과 같다. "중요
한 부위를 잘라보면 그 '횡단면'이 한 인물을 대표할 수 있고 한 나라 혹은 한
사회를 대표할 수 있는 것"이다. 호적은 이때 도데의 『마지막 수업』을 예로
들어, 한 초등학교의 마지막 프랑스어 수업을 '횡단면' 삼아 보불전쟁에서 패
배한 프랑스가 프러시아에 영토를 내주었던 사건을 썼다고 설명했다.[17] 심
안빙 역시 "단편소설의 목적은 인생의 한 부분을 잘라내서 묘사하는 것이나
그것을 통해 인생 전체를 볼 수 있다."고 했다.[18] 만약 '횡단면'인 단편소설
을 즐길 줄 알았다면 노신 형제가 번역했던 『역외소설집』의 판매량이 그처
럼 형편없지는 않았을 것이다. '종단면' 소설에 익숙했던 중국인들은 "이제
비로소 시작된 소설이 바로 끝난" 현대 이야기에는 적응을 하지 못했다. 그
러나 '5 · 4'소설가들의 시험이 이미 진행되었기에 소설을 읽는 새로운 습관
이 조만간 길러질 것이었다. 현대단편소설이 자리를 잡으면서 전체 현대문
학은 확실하게 형성되었다.

1) 호적, 매근장(梅覲庄, 광적)의 대화는 호적의 『나는 왜 백화시를 써야 했는가?(「상시집」 자서)』에서 볼 수 있다. 1919년 5월 『신청년(新靑年)』 제6권 5호.

2) 노신, 「『집외집』 서언」, 『노신전집』 제7권, 인민문학출판사, 1981년판, 4쪽.

3) 호적, 「비둘기」, 『호적시존(증보본)』, 인민문학출판사, 1993년판, 175쪽.

4) 호적, 「권력자」, 『호적시존(증보본)』, 인민문학출판사, 1993년판, 200쪽.

5) 유반농, 「종이 한 장 사이」, 『신시선』(제1권), 상해교육출판사, 1979년판, 109쪽.

6) 곽말약, 「봉황열반」, 『곽말약전집』 문학편 제1권, 부록으로 『여신』 초판본이 실려 있다. 인민문학출판사 1982년판, 46쪽.

7) 곽말약, 「난로 속 석탄-조국을 걱정하는 마음」, 『곽말약전집』 문학편 제1권, 인민문학출판사, 1982년판, 58쪽.

8) 곽말약, 「안녕」, 『곽말약전집』 문학편 제1권, 인민문학출판사, 1982년판, 65쪽.

9) 곽말약, 「안녕」, 『곽말약전집』 문학편 제1권, 인민문학출판사 1982년판, 54~55쪽.

10) 문일다, 「발견」, 『문일다전집』 제3권, 북경, 삼련서점, 1982년판, 188쪽.

11) 서지마, 「흡연과 문화〈옥스포드〉」, 『서지마 자전』, 남경, 강소문예출판사, 1997년판, 34쪽에서 재인용.

12) 서지마, 「 "바람이 어디서 불어오는지 나는 모르네"」, 『서지마시 전편』, 항주, 절강문예출판사, 1990년판, 204쪽.

13) 서지마, 「캠브리지를 다시 떠나며」, 『서지마시 전편』, 항주, 절강문예출판사, 1990년판, 317쪽.

14) 호적, 「단편소설에 대해 논함」, 『신청년』 4권 5호(1918년 5월)에 실림. 두 개의 생략부호는 원문에 있었던 것임.

15) 모순, 「자연주의와 중국현대소설」, 『모순전집』 제18권, 인민문학출판사, 1989년판, 229, 226쪽.

16) 섭감노, 「『소홍선집』 서」, 『소홍선집』, 인민문학출판사, 1981년판, 3쪽.

17) 주작인, 「『침륜』」, 『자신의 정원(自己的園地)』, 장사, 악록서사, 1987년판, 62쪽.

18) 호적, 「단편소설에 대해 논함」, 『신청년』 4권 5호(1918년 5월).

19) 모순, 「자연주의와 중국현대소설」, 『모순전집』 제18권, 인민문학출판사, 1989년판, 230쪽.

제16절

『아Q정전(阿Q正傳)』의 전파

'5·4'시기 문학의 최고봉으로 노신의 『아Q정전』은 손색이 없다. 20세기 말 중국의 '백년문학'과 관련된 대중 혹은 전문가들의 여러 차례의 투표에서 『아Q정전』은 한 번의 예외도 없이 첫손에 꼽혔다. 이 위대한 소설이 세인들에게 받아들여지는 과정은 경전의 형성에 독자가 참여한 가장 생동적인 역사의 한 단락임에 틀림없다.

『아Q정전』 중문판의 출판·전파과정은 전혀 복잡하지 않았다. 초판은 1921년 12월 4일 자 『신보부전』에 연재되기 시작했다. 이는 노신이 소흥 초급 사범학원에서 강의하던 시절의 제자 손복원_{이대교의 뒤를 이어 이 부간의 주편을 맡고 있었다}의 요청에 응해 쓴 것이다. 필명으로는 '파인_{巴人}'을 썼다. 노신의 회고에 의

■ 북경 『신보부전』에 1921년 12월 4일부터 『아Q정전』이 연재되기 시작했다. 처음에는 "재미있는 이야기(開心話)" 란에 실렸다.

하면 '하리파인_{下里巴人}'에서 필명을 취한 건 "전혀 고상한 의도는 아니었고"[1] 새로 개설된 "재미있는 이야기" 란만을 위한 것이었다. 신문연재소설로 쓰면서 등재하는 방식은 노신에게도 흔치 않은 것이었다. 처음에는 작가도 편집자도 그 후 어찌될지 몰랐다. 그러나 아Q라는 보통 농민 형상이 일반적으로 우스운 것에서 분위기가 바뀌자 손복원 역시 작품이 사람들을 웃기는 종류가 아니라는 것을 감지하고 제2장부터는 '신문예' 전문란으로 옮겨 실었다. 이런 방식으로 매주 혹은

격주로 다음 해 2월 12일까지 연재되면서, 부랑자 아Q가 대청에서 얼떨결에 원을 그리고는 '혁명당'의 부대장에게 총살당하는 것으로 '대단원'의 막을 내린다. 『아Q정전』의 인물·구소·서술어기 등은 이 작품의 최초 출판 방식과 관련이 있다. 1923년 노신의 소설집 『눌함』이 출판되었고 『아Q정전』역시 수록되었다. 이후 『눌함』이 갖가지 판본으로 출판될 때마다 이 작품이 누락된 적은 없다. 1938년 '고도' 상해에서 복사의 명의로 최초의 『노신전집』이 출판될 때, 이후 수많은 노신전집·저작집·작품집 등에도 항상 수록되었다. 『아Q정전』은 2만 여자 분량의 중편이나 단행본으로 출판되는 경우는 매우 드물었다._{나중에 삽화와 발음이 표기된 단행본이 나오긴 했다.} 그러나 이 작품은 연재가 끝나기 전에 이미 독서계의 관심을 끌었고 사회에 영향을 미쳤다. 노신 역시 『현대평론』에 실린 고일함의 『한담』에 인용된 다음 이야기에 주목했다.

> 내 기억에 『아Q정전』의 한 장 한 장이 발표될 때마다 수많은 사람들이 다음에는 자신들을 욕할까봐 겁에 질려 벌벌 떨었다. 게다가 어떤 친구는 전일 발표된 『아Q정전』의 어떤 부분이 자신을 욕하는 것 같다고 내게 이야기하기도 했다. 그리하여 『아Q정전』의 작가가 모모라고 추측하였는데 왜냐하면 그 사람만이 자신의 사적인 일에 대해 알기 때문이라는 것이었다. …… 『아Q정전』의 작가 이름을 알아내고 나서야 작가가 자신과 일면식도 없는 사람임을 알았다. 그러고는 아차 싶었는지 누군가를 만날 때마다 작품에서 욕하고 있는 사람이 자신이 아니라고 설명하고 다녔다.[2]

이러한 하급관료의 자기 폭로식 반응은 『아Q정전』의 최초 수용과정의 중요한 한 단계이다. 이는 중국인들이 소설 보기를 역사 보듯 하여 작중 인물이나 사물을 자신에게 맞춰보는 습관이 있었던 때문이었다. 또한 이는 아Q라는 형상이 최초로 보여준 충격파의 실례이기도 하다. 이후의 『아Q정전』 전파과정은 '아Q'라는 전형의 수용사가 되었다.

1920년대는 다시 말하면 '아Q'라는 형상이 막 지면을 통해 등장한 시기인데 노신과 동시대의 작가들은 그 가치와 비중을 신속하게 감지했다. 모순은 그중 가장 민감한 작가이다. 『신보』에 『아Q정전』이 단 4장 연재되었을 때 그는 자신이 편집하던 『소설월보』의 통신란에서 독자들과 토론을 진행했다. 독자들은 "필자의 필치가 매우 예리하지만 너무 예리해서 진실을 훼손하는 것 같다."고 주장했다. 모순은 오히려 한 걸음 더 나아가 "나는 이 작품을 읽을 때 아Q라는 인물이 아주 낯익은 사람이라는 느낌이 떠나질 않았다. 그렇다, 그는 중국인 품성의 결정체다!"라고 까지 했다.[3] 모순은 아Q 형상이 중국인에 대한 모종의 개괄임을 보아낸 것이다. 모순은 이후 「『눌함』을 읽고」·『노신론』 등의 글에서는 "아Q는 뭔가 '결핍'된 중국인의 결정이다, 아Q의 '정신승리라는 보배'는 수많은 사람들에게서 모두 발견된다."고 주장했다.[4] 또한 '아Q상'이라는 중요한 개념을 제시하면서 "'아Q상'은 전적으로 중국 민족 특유의 것이 아니라 인류의 보편적인 약점 중 하나이기도 하다."고 자신의 견해를 발전시켰다.[5] 비록 분석이 아직 간략하긴 하나, 이는 이후 수십 년간 중국현대문학에서 비중이 가장 큰 인물전형에 대한 이해 과정에서 부딪칠 의혹의 요점을 추상적으로나마 미리 드러낸 것이라 할 것이다. 호적은 작품이 발표되던 해에 노신을 백화문학에서 "단편소설이 점차 형성된" 지표를 의미하는 작가로 치켜세우면서 작품을 중편소설로 여긴 것은 이후의 일, "4년 전의 「광인일기」에서 최근의 『아Q정전』에 이르기까지 많지는 않으나 거의 모든 작품이 빼어나다."고 했다.[6] 이때만 해도 '노신'과 '파인'이 한 사람임을 아는 사람이 많지 않았다.

주작인은 노신의 지인 신분으로 '풍자'와 '냉소' 등 『아Q정전』의 근원에 대해 밝혔다. 그는 "이지적인 문학의 한 갈래는 고전적인 사실문학"이며, "정말로 이상주의의 한 자세"라고 했다. 또한 그 내원에 대해 "러시아의 고글리와 폴란드의 셴커비치H.Sienkiewica가 가장 두드러지고 일

■ 『소설월보』 1922년 2월 10일자 13권2호. 심안빙과 독자 담국당(譚國棠) 사이에 오간 『아Q정전』에 관한 토론 편지가 실려 있다. 심안빙은 『아Q정전』을 최초로 평가한 사람이라 할 수 있다.
■ 『아Q정전』 수고의 한 쪽.

본의 나즈메 소오세키夏目漱石, 모리 오가이森歐外의 작품들도 영향이 적지 않았다.”고 초보적인 분석을 내놨다. 또한 아Q라는 인물은 “한 민족의 유형”이라고 하면서 그 원형은 고향의 “축소된 정말로 사랑스러운 아귀阿貴”이며 당시에도 여전히 건재하다고 설명했다.[7] ‘여사대 사건’ 중 논전을 벌였던 노신의 논적 진서형 역시 『신문학운동 이래 10부 저작』이라는 글에서 “아Q는 type전형: 필자 주일 뿐 아니라 생생하게 살아 있는 사람이다. 이규 · 노지심 · 유씨 할멈처럼 생동감 넘치고 흥미로운 인물이다. 장래에도 아마 불후의 인물이 될 것”이라고 공정하게 평가했다.[8] 진정으로 문학을 이해하고 역사적인 감각이 있던 동년배들이 모두 아Q의 전형적인 의미에 대해 아주 높은 평가를 했던 것이다.

1925년과 1926년에는 『아Q정전』에 대한 각종 평가가 수그러들지 않고 오히려 세계적인 반응이 신속히 일면서 더욱 뜨거워졌다. 조정화는 자신이 러시아 청년 와시리에프에게 『아Q정전』을 소개시켜줌으로써 그가 번역하고 싶어 조바심을 냈다고 하며, “초벌 번역을 끝낸 다음에 완성도를 높이기 위해 의문스러운 점을 모두 열거했다. 노신에게 편지를 썼는데 그 안에 와시리에프의 편지도 첨부되어 있었다.”고 회고 했다.[9] 와시리에프가 번역하던 당시 중국어로 조정화에게 썼던 편지에서 노신의 러시아어판 서문과 간단한 이력 · 사진 등을 요구하고 있음을 지금도 볼 수 있다.[10] 이것이 바로 노신의 『러시아어판 「아Q정전」 서문 및 저자의 자서전』의 유래이다.

그리하여 작가가 자신의 작품에 대한 해석의 물결에 합류하기 시작했다. 가장 중요한 것은 그가 “그토록 침묵에 빠져 있는 국민의 영혼을 그려내고자 했다.”고 아Q를 쓴 기본 목적을 밝혔다는 것이다. 또한 “내 눈으로 본 중국인의 인생”을 쓸 때 세인들이 이해를 하지 못하더라는 착잡한 심정을 토로하고 있다.

> 내 소설이 출판된 후 가장 먼저 내가 받은 것은 한 젊은 비평가의 비판이었습니다. 나중에는 병적이라고 하는 이도 있었고, 익살맞다고 하는 이, 풍자적이라는 이, 냉소적이라는 사람도 있었습니다. 나 스스로 내 마음 속에 무시무시한 얼음

덩어리가 들어 있는지 의심할 지경에까지 이르렀지요.[11]

■ 러시아어판 『아Q정전』 속표지의 삽화.

이것이 바로 노신의 '고독'이다. 고증에 의하면 여기서 노신이 동의하지 않은 아Q 비평가들은 성방오·장정황·풍문병·주작인 등이다.(주 씨 형제는 이때 이미 반목이 시작된 상황이었다)

이후 전행촌은 "아Q의 시대는 죽었고 『아Q정전』의 기교 역시 죽었다."고 완강하게 쓴 글을 발표했다. 그의 뜻은 노신은 만청에서 신해혁명 시기의 시대만 대표할 뿐이며 아Q라는 이 농민은 '5·4'시대도 대표할 수 없는데 어찌 '5·30 운동' 이후를 대표할 수 있겠느냐는 것이었다.[12] 아Q의 생명력은 '좌'경 혁명가가 보기에 아주 짧은 것이었으나 이는 후대의 역사에 의해 착오임이 증명되었다. 사실 이들은 그들의 소위 '혁명'에만 관심이 있었지 중국의 농민·토지·역사 등에 대해서는 문외한이었다. 당연히 노신은 '별종' 독자의 이해에 희망을 걸었고 와시리에프에게 보낸 러시아어판 서문에 그러한 감정을 표출했다(1929년에야 출판). 1926년이 되자 노신은 『「아Q정전」의 창작 요인』의 말미에 프랑스어·영어 번역본을 봤다고 다시 밝히고 있다. 프랑스어 번역본은 1925년의 잡지 『유로파』에 실린 것이었다. 역자 경은어(敬隱漁)가 번역원고를 프

■ 영문 대조본 『아Q정전』

랑스의 대문호 로민 롤랑에게 보내서 그로부터 "이 작품은 풍자가 가득한 사실적 예술이며, 아Q의 고뇌에 찬 얼굴은 내 기억 속에 영원히 남을 것"이라는 찬사를 받았다.[12] 이는 결코 낮은 평가가 아니다. 일본에서는 번역이 약간 늦었다. 그러나 나중에는 중역(重譯)이 가장 많았다. 이는 동쪽 이웃 나라의 국민들이 아Q에 보인 관심의 정도일 것이다.

아Q에 대한 국내독자의 관심은 대중들에게로 옮겨가기 시작했다. 『아Q정전』의 각색 역시 이때부터 시작되

었다. 지금 찾아 볼 수 있는 가장 이른 시기의 연극대본 각색본은 1929년 진몽소(陳夢韶)의 6막극이다. 그리고 원목지가 1934년에 『중화일보』의 부간 『희(戲)』를 편집할 때 자신이 개작한 『아Q정전』 극본을 계속해서 발표했다. 이들 대본은 막 수는 늘었으나 각색을 많이 하지는 않아서 줄거리는 원작과 비슷했다. 그러나 노신은 생전에 아Q 형상에 대한 각색자들의 인식에 문제가 있음을 알았다. 또한 아Q의 초상화가 그려지면서 이것이 수많은 청년 미술가들의 솜씨를 선보이는 장이 되었다. 노신이 목판화 운동을 주창했기 때문에 청년 판화가들 중에는 노신 작품의 삽화로 창작활동을 시작하는 이도 있었다. 노신의 소장품 중에는 진철경이 새긴 『아Q정전』에 관한 10폭 짜리 목판화가 있다. 노신이 이를 원목지가 편집을 맡고 있던 『희』 주간에 실을 수 있도록 보내준 적이 있다는 문건의 기록도 찾아볼 수 있다.

청년 유현 역시 이중 하나였다. 그는 『눌함』을 새긴 이후 『자야』 역시 새길 계획이었다. 처음 『아Q정전』을 새길 때는 한 번에 200폭을 새겨 "문자를 그림으로 번역하여 글을 모르는 사람도 아Q가 어떤 사람인지 알 수 있게 하려했다."고 할 정도로 포부가 컸다.[14] 좌익의 대중화 목적은 분명했다. 유현은 이후 계획을 대폭 축소했다. 1935년 그가 미명목판사에서 출판한 『「아Q정전」 삽화』에는 20폭만이 실렸다. '후기'에서 그가 밝힌 문제는 화극으로 각색할 경우와 완벽하게 같은 것이었다. 애초에 노신은 그가 새긴 두 폭의 판화를 보고 편지로 "아Q의 생김새가 좋지 않네, 조대인 역시 그렇고."라고 했었다. 유현이 최초로 『눌함』을 새길 때 역시 노신은 "아Q의 생김새는 내 생각으로는 건달기가 좀 적어야 하네. 우리 고향에서는 이렇게 흉악하게 생긴 자들은 남의 집에서 일하지 않고도 얼마든지 공짜 밥을 얻어먹을 수 있었네. 조대인도 물론 그렇고."라고 권한 적이 있었다.[15] 두 차례에 걸쳐 아Q와 조대인을 비교해서 양자의 근본적인 차이를 설명해 준 것이었으나 젊은 유현은 이해하지 못했다. 나중에 노신이 『희』 주간 편집장에게 보낸 편지를 보면 아Q에 대한 그의 빼어난 해석을 볼 수 있다.

■ 유현(劉峴)의 판화 아Q처형도

귀 잡지에서 몇 개의 아Q를 봤습니다. 제가 보기에는 모두 너무 특이하고 기괴합니다. 저는 아Q가 나이는 30세 전후이고 생김새는 평범하다고 봅니다. 일반 농민처럼 소박하고 우매하면서도 놀고먹는 이들처럼 교활하기도 합니다. 상해의 인력거꾼이나 수레꾼 중에 아마 그 그림자를 찾을 수 있겠으나 건달이나 무뢰한 같은 모습은 아닙니다. 반원형 모자를 쓰는 순간 아Q의 모습은 사라집니다. 제가 아Q에게 씌워준 건 전모니까요.[16]

아Q에게 반원형 모자를 씌운 이는 엽령봉葉靈鳳이었다. 그리고 노신과 근접해 있던 유현 같은 청년 예술가도 처음에는 아Q를 흉악한 건달처럼 새기곤 했다. 아Q를 이해하기가 쉽지 않았음을 알 수 있다. 사실상 1930년대에 독자들은 이 국민성의 전형을 이미 보편적으로 받아들였다. 인류의 보편적인 약점이 있는 이 농민이 자신들에게 어떤 의미가 있는지 인식했던 것이다. 민족의 저열한 근성 중에서 '노예근성'이 아Q의 핵심임을 모두들 동의했다. 예를 들면 소설림은 "『아Q정전』에 비춰진 중국 민족의 저열한 근성"을 하나하나 열거한 장문을 발표했는데 다음과 같은 것들이었다. "비겁함, 정신승리법, 의기투합에 능함, 과대망상과 과도한 자존심, 색정광, 샤머니즘적인 수구주의, 수많은 금기, 교활함, 우매함, 작은 이득을 탐하는 것, 요행을 바람, 떠들썩한 걸 좋아함, 아둔함, 마비" 등이 그것이다.[17] 그러나 사람들은 아Q가 날품을 팔아 연명하는 떠돌이이자 건달기가 있는 가난한 농민이지 불량배는 아니라는 것은 간과했다.

이 시기 아Q에 대한 독자들의 이해는 주로 그 보편성에 국한된 것이었고, 인물에게서 보이는 농민의 개성이나 작가가 인물에게 부여한 동정과 연민은 인식하지 못했다. 그래서 노신은 생전에 "『아Q정전』은 실로 극본이나 영화로 각색할 요소가 없다, 왜냐하면 공연되는 순간 익살만 남을 것이기 때문이다."라고 수차 밝힌 바 있다.[18] 일반 대중들의 집단적인 오독으로 인해 노신 자신이 직접 나서서 교정을 시도한 것이라 할 수 있다. 그는 그가 창조한 인물들이 사회에 수용될 과정을 충분히 예견하고 있었다.

　노신이 서거한 이후에는 새로 수입된 '전형론'의 영향 아래 아Q의 전형성과 개별성이 줄곧 논의의 중심문제가 되었다. 1930년대 후반과 1940년대에도 아Q에 대한 관심은 지속되었고 그에 대한 평가는 갈수록 좋아졌다. 이에 따라 『아Q정전』은 널리 보급되었고 이 전형의 의미에 대한 천착이 사람들의 주요 관심사가 되었다. 장조화가 그린 아Q상은 매우 마른 데다 우스워 보이는 부분이라곤 전혀 찾아볼 수 없다. 단지 사람들을 어찌해볼 도리가 없는 이 농민 내면의 본질을 이해시키는 데 주력하고 있다. 구추백 역시 아Q상을 한 장 남겼는데 구추백과 노신 두 사람이 모두 사망한 후_{1939년}에 발표되었다. 갈비뼈 앙상한 체구에 큼지막한 손을 통해 억압받는 노동자의 신분이 두드러져 있으나 이 해골 같은 아Q상은 아무래도 좀 기괴하다. 역시 만화이나 풍자개가 그린 것_{1939년}이 가장 노신의 본의에 가깝다. 덧대진 옷에 허리를 졸라맨 의상은 일하지 않으면 굶을 수밖에 없는 아Q의 지위를 설명해주고 있으며, 부스럼 딱지가 있는 머리와 두터운 입술, 뒷짐 진 손과 질책하는 것 같은 표정은 게을러 보이기도 하고 반항적으로 보이기도 한다. 그러나 그 실제 눈빛은 내면 깊은 곳에 숨겨져 있는 불만과 공포를 드러내고 있다. 이 '아Q초상'을 그린 풍자개는 절강 지역 농민의 외모와 심리에 대해 잘 아는 작가였다. 이후 1940년대의 유건암·곽사기·정총 등이 그린 아Q는 모두 풍자개와 같이 연쇄적으로 그린 삽화였고 각각 장단이 있다. 유건암과 곽사기가 '건달'에 비중을 두었다면, 정총만은 불평·위축·허풍·우울함 등이 복합적으로 어우러진 아Q를 그려냈다_{1946}. 노신 서거 1주기가 되자 『아Q정전』을 각색할 기회가 있었다. 국외에서는 1937년 미국의 한 작가가 각색하여 뉴욕에서 공연했다는 보도가 있고, 중국 국내에서는 허행지와 전한이 아Q 능력의 한계를 열어젖히고 조기 노신 소설 속 수많은 인물들을 엮어서 한 장면에 집어넣었다. 두 사람이 각색한 연극은 모두 호평과 비난이 포함된

- 장조화가 중국화로 그린 아Q
- 구추백이 그린 아Q 만화
- 풍자개가 그린 아Q 초상이 노신의 의도를 가장 잘 표현했다.
- 정총의 아Q화전(畵傳)에는 아Q의 복잡성이 잘 그려져 있다.

반향을 불러 모았다.

예를 들면 어떤 이는 "허행지는 재물과 이권에만 관심 있는 혁명을 그리기 위해 아Q를 썼다. 여기에다 그가 썼던 아Q의 다른 면들이 더해지자 아Q는 단순한 웃음거리 혹은 말썽이나 일으키는 인물로만 그려졌던 것이다. 아Q가 물욕에 눈이 어두웠던 것은 물론 부인할 수 없으나 그 역시 혁명의 폭력성의 폐해는 알고 있었다. 그가 혁명에 단호하게 찬동했던 것은 근방에서 유명했던 거인마저도 혁명을 두려워했고 미장 사람들의 쩔쩔매는 모습에 쾌감을 느꼈기 때문이다."라고 평했다. 아Q와 혁명의 관계를 논한 수준은 지금 봐도 상당히 전면적인 것이라 할 수 있다. 그리고 전한의 극본에서 '가장 큰 결함'은 "그가 아Q가 총살을 당할 때 주변에서 구경하던 방관자들을 빠뜨린 것이다. 원저자가 인류의 잔혹함을 결코 잊은 적이 없기 때문에 원작에서 극히 중요한 부분인 것이다."라고 했다.[19] 이 역시 노신을 거의 이해한 사람의 견해라 할 것이다.

1950년대에는 노신연구가 전문화 단계에 들어섰나. 아Q 형상에 관해서는 세 사람의 논전이 진행되었다. 풍설봉으로 대표되는 사상적 전형「「아Q정전」을 논하다」, 하기방으로 대표되는 '공명共名'설「아Q론」, 아Q가 모든 정신승리법의 공명이라고 주장, 그리고 이희범으로 대표되는 '계급적 전형과 역사적 전형'「전형신론 질의」 등을 보라 등이 그것이다. 이러한 논쟁이 전혀 소득이 없었던 것은 아니지만, 이희범의 관점이 당시 이데올로기의 주류를 점했다. 이에 동의하던 이들은 아Q에 대해서 인성론에 편중된 이해로, 이에 그다지 동의하지 않던 이들은 아Q에 대한 계급론적 인식에 편중된 인식으로 각각 발전되어 갔다. 학계에서는 평소에는 풍설봉과 하기방의 견해에 대체로 공감했으나, 정치적인 풍파가 불어 닥치면 모두들 앞가림하기에 바빴다. '좌'가 '우'보다 나을 때면 풍설봉과 하기방 두 사람이 자아비판하기 바빴으니 다른 사람들은 언급할 필요도 없을 것이다. 이러한 풍조의 영향으로 1950년대와 1960년대 화가들이 그린 아Q상들에서는 재미있는 현상이 보인다. 분명 노신은 아Q가 "앙상하고, 마르고 연약하기가 소 못지 않았다."고 썼고, 이전의 화가들이 그렸던 아Q 역시 모두 마른 모습이었으나 고병흠顧炳鑫과 정십발程十發이 그린 아Q는 뜻밖에도 건장하다는 것이다!

그들의 그림 속에서 길을 가거나 시장에 있는 아Q는 정상적인 청년 농민이 되어 있다. 나이는 어려졌고 체격도 비교적 튼튼해 보인다. 그림 설명이 없으면 아Q임을 알아보기가 매우 어려울 정도다. 이는 아Q를 단순히 빈곤한 농민으로만 이해하는 당시 유행하던 견해 때문이다. 즉 '계급론'의 각도에서 아Q를 농민계급의 대표로 보고 그에게서 농민의 혁명적인 열정만을 뽑아내려 했던 견해들이 당시 대규모로 조성된 결과물이다.

최근 20여 년 사이에는 아Q를 '현대'적인 입장에서 이해함으로써 한 걸음 더 나아갈 수 있었다. 계통론적 방법으로 아Q 형상을 분석하기도 하고임홍태의 『아Q의 성격계통을 논함』, 노신과 모더니즘의 관계에서 아Q를 해석하기도 한다염진(閻眞)의 『아Q 이해하기: 현실주의의 경계 밖에서』. 또 세계문학이라는 광범위한 시각에서 아Q의 '정신 전형'을 논하기도 한다장몽양의 『아Q와 세계문학 속 정신 전형 문제』. 물론 과거의 '사상적 전형'과 구분을 분명히 하려 하나 쉽지 않았다.

해외의 연구 역시 이 시기에 사람들의 눈에 띄었는데, 두 가지 부문에서 중국의 연구를 보완해주었다. 하나는 노신이 연재소설을 쓰던 당시, 전후의 의도로 인해 작가의 창작

■ 정십발이 그린 『아Q정전』의 삽화에는 아Q가 건장하게 그려져 있다. 화풍이 독특하긴 하나 시대의 속박을 벗어나진 못했다.

의도와 방법이 달랐다는 점과 그 때문에 생겨난 결함들을 지적한 것이다. 예를 들면 도입부는 '익살'이며 마지막은 '비극적 말로'인 점, "격조가 일관되지 않는데 애써 수정하지는 않았다."^{하지청의 견해, 『중국현대소설사』 참조}는 분석이 있었다. 다른 하나는 전통과 현대의 관계라는 각도에서 『아Q정전』의 서술기교를 분석한 것이다. 1981년 노신 탄생 100주년이 되자 영화·연극·발레·현대 무용 등에서 아Q가 속속 등장하면서 아Q에 대한 분석이 비할 데 없이 다양하게 펼쳐졌다. 이 시기 미술가들은 아Q 해석이라는 물결에 일신된 면모로 뛰어들었다. 언함의 아Q 형 집행도를 보면, 그는 특히 눈을 새기는 데 주의했다. 영혼의 창구인 눈에는 공허·공포·영혼이 빠져나가는 순간의 표정 등이 모조리 표현되어 있다. 아Q는 주위 사람들^{그림에 주위 사람들은 없으나 그 존재를 느낄 수 있다}이 늑대와 같은 "흉악하면서도 쭈뼛거리는, 귀신불처럼 형형한 불빛을 내뿜는" 것을 보고는 자신이 "먼지처럼 흩어지는 듯했다." 이는 영혼에 곧바로 파고드는 화법으로서 기존의 아Q 초상화에서는 볼 수 없는 것이었다. 조연년의 아Q 측면상은 흘겨보는, 정신승리법이 담긴 것이나 망연자실한 얼굴이다. 늘어뜨린 긴 머리와 조화를 이루면서 노신이 설정했던 영문자모 'Q'의 은유가 되고 있다. 구사·왕위군이 그린 아Q는 그야말로 외모와 내면이 겸비되어 있다. 외모를 보면 신해혁명 시기 시정의 떠돌이 농부의 모

■ 진백진(陳白塵)이 각색한 『아Q정전』. 우촌·문흥우 연출. 중앙실험연극원 1981년 8월 30일 공연 모습. 뇌각생(雷恪生)이 아Q역을 맡았다.
■ 서남연합대학 희극연구사가 1940년 곤명에서 공연한 『아Q정전』의 모습.
■ 언함이 새긴 아Q가 형장으로 가는 모습.

습 그것이고, 연필 소묘로 그 당시 특유의 억압적인 시대적 분위기를 잘 전달함으로써 거대한 예술적 재능을 드러냈다. 이들은 아Q가 죽기 전 갑자기 "그 늑대 같은 눈빛을 영원히 기억하겠다."던 장면 역시 그렸다. 아Q가 감옥 속에서 곧 닥쳐올 죽음 때문에 두려움에 떨며 부릅뜬 두 눈을 통해 그의 진실한 영혼을 들여다보았던 것이다!

여기까지가 바로 아직도 끝이 나지 않은 『아Q정전』의 백 년 간의 수용사 개괄이다.

■ 구사, 왕위군이 그린 아Q가
  가장 심오하다.
■ 조연년이 새긴 아Q의 옆모습.

『아Q정전』의 주요 중국내외 판본과 각색본 · 삽도본

판본	작자, 각색자, 역자	출판시기	출판사
『아Q정전』 초간	파인(노신)	1921년 12월 ~1922년 2월	북경신보부전
『아Q정전』 초판	노신	1923년 8월	북경신조사 『눌함』
『아Q정전』 불어판	경은어 절역	1926년5월	파리 리아이델서국 잡지 『유로파』
『아Q정전』	노신	1926년 10월	북경 북신서국 『눌함』
영문 『아Q정전』	양두건 역	1926년 초판	상해 상무인서관
『아Q정전』 러시아어판	와시리에프 역	1929년	레닌그라드 출판사
『아Q정전』 러시아어판	커진 역	1929년	모스크바 청년근위군출판사 『당대중국중단편소설집』
아Q극본(6막 연극)	진몽소 각색	1931년 10월	상해화통서국
『아Q정전』 일어판	임수인(산상정의) 역	1931년 10월	동경 사유서원
『아Q정전』 일어판	정상홍매 역	1932년11월	동경 개조사 『노신전집』
『아Q정전』 연극	원매(원목지) 각색	1934년	상해 『희주간』
『아Q정전』 일어판	좌등춘부, 증전섭 역	1935년	동경 암파서점 '암파문고' 『노신전집』
『아Q정전』 영문판	왕제진 역	1935년	뉴욕 『금일중국』 월간 2권 2~4기
『아Q정전』 삽화본	유현 그림	1935년	미명목각사, 판화 20점
『아Q정전』 6막극	허행지 각색	1937년 4~5월	『광명』 2권 10~12기 (상해광명서국 1939년판)
『아Q정전』 5막극	전한 각색	1937년 5~6월	『희극시대』 1권 1~2기(한구 시대출판사 1937년판)
『아Q정전』 체코어판	푸시크 역	1937년	프라하 인민문화출판사 『눌함』
『아Q정전』 최초 전집 수록	노신선생 기념위원 회 편	1938년 8월	상해 하사(노신전집출판사)
『아Q정전』 일어판 극본	전한 각색, 임수의 (산상정의) 역	1938년 11월	동경 『개조』
《아Q정전》 러시아어판	루도푸, 소삼, 리푸린신 감수	1938년	모스크바 소련과학원 동방문화 연구소
아Q 만화 초상	사철아(구추백) 그림	1939년	상해 『현대』 1939년 제7기
만화 『아Q정전』	풍자개 그림	1939년	상해 개명서점, 만화 53점
『아Q정전』 중영문판	노신	1941년 1월	홍콩 시륜출판사
『아Q정전』 베트남어판	등대매 역	1943년	월남 『청의(淸毅)』
아Q의 초상	유건암 그림	1943년	계림 원방서점, 총 목각 50점.
『아Q정전』 러시아어판	루고프 역	1945년	모스크바 시대출판사
아Q화전	곽사기 그림	1946년	청도 애광사. 그림 30점
『아Q정전』 삽화	정총 그림	1946년	상해출판공사, 24점
『아Q정전』 러시아어 판, 정총 그림	루고프 역	1947년	모스크바 시대출판사

『아Q정전』 7막 전희(滇戱)	맹진 각색	1949년	곤명 운남성교육청 실험극장 출판
『아Q정전』 일어판	죽내호 역	1953년 5월	동경 축마서방 『노신작품선』 전3권
『아Q정전』 불어판	파울로 가마디 역	1953년	파리 프랑스연합출판사
『아Q정전』 독일어판	헤르타 난, 리차드 융 역	1954년	래비시파울로 리스트 출판사
『아Q정전』 러시아어판	애들린 편역	1955년	모스크바 국가아동출판사 『아Q와 기타 소설』
『아Q정전』 골계희	남미 각색, 장락평 조형 설계	1956년	상해 대공골계극단, 양화생 분 아Q
아Q의 대단원 연극	좌림 각색	1956년	상해 영화제작소배우 극단. 항곤(項堃) 분 아Q
『아Q정전』 영화 대본	허염, 서지 각색	1958년	상해 장성화보사
『아Q정전』 삽화	고병흠 그림	1959년	상해 인민미술출판사, 판화 총8점
『아Q정전』 4막 골계희	육군집 각색, 장락평 조형설계	1961년	상해 대공골계극단, 향화생 분 아Q
『아Q정전』 일어판	증전섭 역	1962년	각천서고
『아Q정전』 108도	정십발 그림	1963년	상해 인민미술출판사, 판화 총 108점
『아Q정전』 일어판 3막 연극	상천원지 각색	1969년	조천서국 『비극희극』 제8기
『아Q정전』 일어판	환산승 역	1975년 11월	동경 신일본출판사 『신일본문고』
『아Q정전』 불어판 연극	장 루오데이 각색	1975년	파리 제7대학
『아Q정전』 삽화	범증 그림	1977년	북경 영보재 『노신소설삽화 집』, 증범의 5점 수록
『아Q정전』 8마당 소흥극	범문덕, 왕운근 각색	1979년	소흥 소극단
『아Q정전』	조연년 그림	1980년	상해 인민미술출판사, 판화 총 58점
『아Q정전』	노신	1981년	대북 사계출판사어, 다릉 주편
함흥주점 연극	매천(梅阡) 각색	1981년	북경 인민예술극원, 주욱 분 아Q
『아Q정전』 영화 대본	진백진 각색	1981년	북경 중국전영출판사, 엄순개 분 아Q
『아Q정전』 7막 연극	진백진 각색	1981년	북경 중국희극출판사
『아Q정전』 7막 골계희	목니, 유군 각색, 장락평 조형설계	1981년	상해 인민골계극단, 양화생 분 아Q
아Q 현대무용극	중경가무단 창작조 각색	1981년	중경시 가무단, 단배생 분 아Q
아Q 발레	전세금 각색	1981년	상해발레단, 임건위 분 아Q
『아Q정전』 이백도	구사, 왕위군 그림	1981년	북경 인민미술출판사, 연필 소묘 총 203점.

각주

1) 노신, 「「아Q정전」의 창작 요인」, 「노신전집」 제3권, 인민문학출판사, 1981년판, 378쪽.
2) 함로(涵盧, 고일함), 「한담」, 「현대평론」 1926년 4권 89기. 노신은 이 글을 「「아Q정전」의 창작 요인」에 대폭 인용한 적이 있다.
3) 담국당, 안빙(모순), 「통신」, 1922년 2월 「小說月報」 13권 2호.
4) 방벽(方璧, 모순), 「노신론」, 1927년 11월 「小說月報」 18권 11호.
5) 안빙(모순), 「「눌함」을 읽고」, 「시사신보」 부간 「학등」 1923년 10월 8일.
6) 호적, 「오십년간의 중국문학」, 「신보50주년기념책」 1922년 3월.
7) 중밀(仲密, 주작인), 「아Q정전」, 1922년 3월 19일 「신보부전」에 수록.
8) 진서형, 「신문학운동 이래 10부 저작(상)」, 「진형한담」, 상해, 신월서점, 1928년판, 339쪽.
9) 조정화, 「제비가 한 마리만 날아 온 듯」, 「화(花)」, 북경, 작가출판사, 1964년판, 135쪽.
10) 와시리에프가 1925년 4월 17일 조정화에게 보냈던 중국어 편지. 같은 해 「경보부간」 6월 16일자 에 실림.
11) 노신, 「러시아어판 「아Q정전」 서문 및 저자의 자서전」, 「노신전집」 제7권, 인민문학출판사, 1981 년판, 82쪽.
12) 전행촌(아영), 「죽어버린 아Q의 시대」, 1928년 3월 「태양월간」 3월호.
13) 백생, 「로만 롤랑의 노신평」, 「경보부간」 1926년 3월 2일자. 로만 롤랑의 원문이 인용되어 있다.
14) 유현(劉峴), 「「아Q정전」 삽화 후기」, 「〈아Q정전〉삽화」, 상해, 미명목판사, 1935년판.
15) 이상 「「아Q정전」 삽화 후기」.
16) 노신, 「「희」 주간 편집자님께」, 「노신전집」 제 6권, 인민문학출판사, 1981년판, 150쪽.
17) 소설림, 「「아Q정전」과 노신의 창작예술」, 1934년 11월 5일 「국문주보(國聞週報)」 1권 44기에 수록.
18) 노신, 1930년 10월 13일 왕교남에게 보낸 편지, 「노신전집(魯迅全集)」 제12권, 인민문학출판사, 1981 년판, 26쪽.
19) 두 부분 모두 구양범해의 「극본 「아Q정전」 두 편을 평함」을 보라. 1937년 8월 「문학」 9권 2호.

제17절

'어사' '한담'과 문학의 백화체

　　사람들이 어디에나 있는 '공기'에 대해 가끔 의식하지 못하는 것처럼, 문학사에서도 고대로부터 전해오던 형태가 전환되어 완성된 현대 산문의 과정에만 주의할 뿐 각종 문체의 기초는 관심 밖인 경우가 많다.

　　'5 · 4' 노작가들은 이를 매우 중시했는데, 이는 두 개의 방향에서 이루어진 회고와 평가를 통해 확인할 수 있다. 호적은 "백화산문이 매우 발전했다. 장편논설의 발전은 두드러지니 따로 논하지 않아도 될 듯하다. 최근 몇년 사이 산문에서 가장 주의해야할 발전이라면 아무래도 주작인 등이 제창한 '소품 산문'이다. 이 산문은 평범한 이야기 속에 심오한 의미가 담겨 있거나 때로는 우둔해보이나 사실은 익살인 경우도 있다. 이들 작품의 성공으로 '미문은 백화로 쓸 수 없다'는 미신이 철저히 타파될 수 있었다."고 했다.[1] 그와 함께 『신청년新靑年』 진영에 있다가 훗날 사상적으로 갈라선 노신은 1933년에 "'5 · 4'운동기에 비로소 새로운 흐름이 시작되었다. 소품 산문의 성취도는 소설과 희곡 · 시가를 거의 능가할 정도였다. 물론 몸부림과 전투도 적지 않았으나 영국의 수필Essay을 모방했으므로 유머와 기품도 항상 내포되어 있었다. 그 작법 역시 미려하고 정교했으며, 이는 구문학에 대한 시위를 위한 것이었다. 즉 구문학이 스스로 자신들의 장기라고 여기고 있었던 것을 신문학 역시 못할 게 없다는 걸 밝히려는 것 말이다."[2]라고 언급했다. 이 말에 담겨 있는 풍부한 의미는 다음에 다시 논할 것이다. 여기서 주의해야할 점은

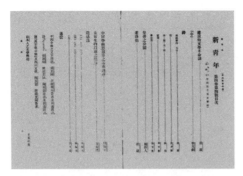

■ 『신청년』 1918년 '수감록' 이 처음 발표된 4권 4호의 목차.

노신이 '5.4' 산문을 더 높이 평가하고 있으며 끝에서는 어기마저 호적과 비슷하게 산문의 성공과 백화문의 성공이 일치하는 것임을 꼬집고 있다는 것이다.

노신이 언급한 '몸부림과 전투'란 『신청년』 전체의 용어선택과 글의 풍격에 관한 것이다. 이는 '수감록'으로 대표될 것이다. 『신청년』은 『청년靑年잡지』로 창간되던 당시부터 각종 사회문제가 실린 '통신'란이 있었다. '5·4'의 중요한 인물들은 모두 이를 통해 등장했으며, 의견들은 점차 첨예해졌고 문학과 언어가 그중 하나의 주제로 떠올랐다. 1918년 『신청년』 4권 4호에는 사상문화 방면의 비판이 전문적으로 다루어진 '수감록'이 더해지면서 논쟁의 열기는 한층 강해졌다. '수감록'은 집단 창작물이다. 작가마다 서명을 쓰기는 했으나 본명을 밝히지는 않았다. 글 편수는 매우 많았고 일반적으로 제목을 쓰지 않았다. 노신은 '사俟, 당사唐俟, 노신' 등의 필명이때만 해도 '노신' 이라는 필명은 아직 낯설었다으로 '수감록'에 27편의 글을 발표했다. 목록 중 제25차부터 꽃을 꽂듯이 끼어들었다. 56·57차에서야 비로소 『왔노라』·『현재의 도살자』와 같은 제목을 썼다.

이는 『열풍』의 목차를 보면 알 수 있다. '수감록'의 작가들은 모두 가장 이른 시기에 백화를 선택한 작가들이다. 그러나 그 문체는 양계초의 '신민체'를 계승한 것이라 문언과 백화가 섞여 있었고, 내용은 현대의 사상과 감정이었다. 이 시기는 현대 백화문의 과도기여서 주자청의 말대로 청말 이해 신파에 의해 형성된 백화 서면어는 대부분 "구소설·문언·어록체 등이 한 데 섞여 있는" 것이었다.[3] 『신청년』 시대가 되자 호적의 문언 색채가 가장 엷어졌고 전현동도 아마 문언을 쓰지 않으려 가장 노력한 작가일 것이다. 다른 사람들은 다소 차이가 있기는 하나 그들을 '5·4' 제1세대 백화체 문장가라 부를 수 있을 것이다. 이대교의 『청춘』·『금今』, 진독수의 『우상 파괴론』·

『저급한 무정부당』, 전현동의 『수감록 사십사』, 유반농의 『작읍주의』 등은 그중 역작이다. 이대교 [1889~1927]의 『금』을 보면 그와 진독수의 문장의 멋을 동시에 느낄 수 있을 것이다.

> 독수 선생이 『1916년(一九一六年)』에서 청년은 민족 혁신의 희망이므로 "1915년의 청년은 반드시 스스로 죽이고 1916년의 청년은 자중해야 한다."고 한 적이 있다. 그 뜻을 보충해서 인생의 유일한 이상이자 청년의 유일한 책임은 "현재 청춘인 나로부터 과거 청춘이었던 나는 없애버리고 내일 청춘일 나에게 양도하는 것이라고 하기도 했다. 오늘 청춘인 나로 오늘 백발인 나를 죽이는 것 뿐 아니라 오늘 청춘인 나로 내일 백발일 나를 미리 죽이는 것이다." 라는 것이다.[4]

이 풍격과 노신의 풍격은 모두 백화문 중에서 문백[文白]을 자유자재로 섞어 쓴 경우에 속한다. 예를 들면 노신이 중국인들이 '현재'를 말살한다고 비판한 것은 상술한 이대교가 '금[今]'을 숭상한다는 의미이기도 하다. 대구를 이루는 문장을 백화로 써낸 예는 이대교·진독수보다 문언투가 훨씬 약해져 있다.

> 인류이면서 신선이 되고 싶어 하고, 땅에서 태어났음에도 하늘에 오르고 싶어 한다. 분명 현대인이고 현대의 공기를 흡입하면서 다 썩어빠진 명교(名敎)에 매달린다. 죽어버린 언어로 현재를 깡그리 무시한다. 이 모든 것이 '현재의 도살자'이다. '현재'를 죽이는 건 '장래'도 죽이는 것이다.— 장래는 후손들의 시대이다.[5]

■ 이대교는 청년시절 이미 수염이 진했다.
■ 노신 『무덤(墳)』 의 표지. 그의 침울한 풍격이 드러나 있다.
■ 『야초』 초판본. 노신이 생명을 걸고 쓴 산문시이다. 산문에서 그의 기이하고 독특한 일면을 볼 수 있다.

노신이 '수감록'과 같은 시기에 쓴 『이제 우리는 어떤 아버지가 될 것인가』를 보면 역시 문언구가 잘 녹아들어 있음을 볼 수 있다.

예를 들면 우리 중국에는 한대의 거효(擧孝), 당대의 효제역전과(孝悌力田科), 청말의 효렴방정과(孝廉方正科) 등이 모두 벼슬길에 오를 수 있는 경로였다. 아버지의 은혜를 일깨우기 위해서 황제의 은혜가 베풀어 진 것이나 허벅지를 베어낸 인물은 결국 매우 드물었다. 이는 중국의 구학설과 옛 수단이 고대로부터 효과가 없었음을 증명한다. 나쁜 사람은 위선적으로 성장하지 않은 경우가 없으며 좋은 사람은 이유 없이 서로 좋을 것 없는 고통만 받았던 것이다.[6)]

『신청년』이 분화된 이후 『어사語絲』는 노신을 대표로 문단에 등장했다. '몸부림과 전투' 풍격을 견지하는 한편, 소위 '유머와 온화함'도 유지했으며 『어사』의 성장과 함께 확대되었다. 『어사』는 1924년 창간되었으며 주요 작가로는 노신·주작인·유반농·전현동·손복원·천도·임어당 등을 들 수 있다. 산문에는 잡감·시사평론·소품·산문시 형식 등이 많았다. '어사'의 주요 작가 주작인1885~1967은 형과 몇 차례 크게 다투기도 했으나 점차 자신에게 부합되는 방식으로 변해갔다. 주 씨 형제는 1925년의 '여사대 사건'과 1926년 '3·18 참안' 당시에는 대체적으로 일치된 행보를 보였다. 그러나 노신이 『유화진군을 기념하며』·『사지』등의 글에서 심오한 정신세계를 침울하고 격정적인 글 속에 담아냈다면, 이에 근거해서 쓴 『3월 18일의 희생자에 관하여』·『신중국의 여인』등 주작인의 글은 노신의 수준에 도달하지 못한 것이었다. 비록 주작인이 만련挽聯으로 분노를 "적화赤化, 적화. 학계

■ 『어사(語絲)』 4권 1기 표지. 노신을 중심으로 '어사파' 산문을 이루어냈다.
■ 1926년 '3.18' 참안 당일. 청원하는 군중들이 북경 단기서 정부 청사 앞에서 군대와 대치하는 장면. 오래지 않아 발포되었다. 노신은 이에 대해 격렬한 산문을 발표했다.

명사와 기자들이 아직 거기서 모함하고 있구나. 헛
되고 헛된 죽음이로다. 혁명정부라는 게 본래 제국
주의와 같은 것이었구나."라고 토로하고 있고 격렬
하다 하지 않을 수 없으나 두 형제의 글에 담긴 감
정의 빛깔은 분명 완전히 달랐다. 게다가 이런 현실
투쟁과 관련된 글을 주작인은 잘 쓰지 못했다. 1926
년을 전후하여 주작인의 대표작이라 할 『고향의 야
채』·『차를 마시다』·『장마』·『뜸배』등의 작품이
발표되기 시작했다.

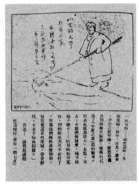

　임어당_{1895~1976} 역시 원래는 '어사'의 구성원이었
다. 『전불집_{翦拂集}』을 보면 '몸부림과 전투' 정신도
다른 작가에 뒤지지 않는다. 『유화진, 양덕군 여사
를 애도하며』·『한담과 헛소문』등이 볼만하다. 그
는 장사교에 대해 '페어플레이'를 해야 할 것인가,
'물에 빠진 개'를 때릴 것인가 등과 관련해서 노신
과 미묘한 의견차를 드러내긴 했으나 전체적으로는
역시 노신과 의기상통했다. '3·18 참안'이 발생한
이후 그는 『노신 선생이 발바리를 때리는 그림』을
그리기도 했고, 『개를 때리다 해석』·『개 토벌 격

문』·『적화와 상가집 개를 논함』등의 글을 통해서 자신이 "개들은 때려서
물에 빠뜨린 후 다시 때려야 한다."는 말을 납득하게 되었다고 밝혔다. 그러
나 재미있는 것은 『전불집』에서는 그의 개성을 찾아볼 수 없다는 것이다.
뛰어난 글귀도 기품 있는 표현도 보이지 않는다. 주작인과 임어당을 '몸부림
과 전투' 중인 '어사'에서 분리해내 '유머와 온화함'파의 기수로 봐도 될 것
같다. 이 두 사람은 나중에 문체 면에서 본래 부합되지 않던 『현대평론』에
서 합류하게 된다. 1930년에 창간된 『낙타초』는 노신이 남하하면서 상해
에서 『어사』와 결별한 이후, 주작인·폐명·양우춘 등이 『어사』와는 독

립된 문풍을 완성하여 '한담체' 쪽으로 기운 지표라고 볼 수 있다. 임어당은 1932년 상해에서 『논어』를 창간한 이후 『인간세』·『우주풍』 등도 창간했다. 이 역시 그가 '유머와 온화함' 쪽으로 기운 문풍의 시작이라 할 수 있다.

주자청에 의하면 주작인은 '5·4' 제2세대 백화의 대표이다. 그는 주작인의 번역과 산문에 대해 "주작인 선생의 '직역'이야말로 새로운 백화를 창조했으며 신문체라고 할 수 있다. 창작에서 주선생의 신백화가 크게 유행하고 있다. 소위 '서구화'된 백화가 바로 그것이다. 이는 중국어에 서구어의 어법이 스며든 것을 의미한다. 상당히 많은 부분에서 분명 언어의 면모를 일신할 수 있었다."라고 했다.[7] 이 서구화된 백화는 결점도 뚜렷했지만 대세를 이루었고 이후 역사에 의해 선택된 중국 현대서면어가 되었다 _{'구어'로 부단히 조화}
_{와 개선을 추구해야 하나 이는 또 다른 문제임·}

그 풍격을 보면 초기에는 비교적 평이하고 유창했으며 문언이 섞여 있다는 느낌도 들지 않았고 이후의 백화처럼 난해하지도 않았다. 『북경의 다식』을 보자.

> 필수적인 일용품 이외에 약간의 쓸모없는 유희와 향락이 있어야만 생활이 재미있다. 석양·가을 강·꽃을 보고 빗소리를 듣고 향을 맡고 해갈용이 아닌 술을 마시고 필요한 만큼 간식을 먹는 것 등등이 생활에 필요한 것이다. 쓸모없는 장식품일지라도 간결할수록 좋은 것이다. 애석하게도 현재 중국의 생활은 극단적으로 건조하고 비루하다. 다른 건 말할 것도 없고 내가 북경에서 십 년을 떠돌았으나 맛있는 간식 한 번 먹지 못했으니까.

굶주린 사람에게 필요한 만큼 먹는 간식은 '유한계급'의 심리처럼 보일 것이겠지만 사실 이는 강남 일대에서는 비교적 보편적인 시민의 정서다. 그러므로 『차를 먹다_{喫茶}』_{처음 『비오는 날의 책』에 실렸을 때는 『차를 마시다(喝茶)』였다}를 보면 문장이 주작인에 의해 중국의 전통적인 사고방식과 문풍으로 약간 되돌아가고 있음을 알 수 있다. 그러므로 서구화된 백화를 속세의 때가 끼지 않은 순수한 것으로 과장할 필요도 없다. 실제로는 초기단계에서 이미 중국화 되어있기 때문이다.

차는 응당 고풍스러운 데에서 맑은 샘물로 우아한 다기에 녹차를 우려 두 세 사람이 같이 마셔야 제 맛이다. 반나절의 여유로 십년의 풍진 세월을 상쇄할 수 있다. 차를 마신 후에는 각자의 본업에 충실해야한다. 그것이 명예를 위한 것이건 이익을 도모하기 위함이건 모두 상관은 없으나 유유자적함은 순간이라도 없어서는 안 된다.

이러한 백화와 '한담체'의 결합에 주작인의 공이 있는 것이다.

'한담'이란 단어는 고대부터 있던 단어인데 후에 문체, 즉 영국식 수필산문을 가리키는 용어로 쓰였다. 이러한 수필은 서구 산문의 정통이라 할 수 있으며, 노변담화처럼 한가로이 이야기를 나누는데 그 순박하고 심오한 격조가 담겨 있다. 수필소품의 창시자로 공인된 영국의 작가 리처드 스틸_{Rrichard Steele}과 조지프 에디슨_{Joseph Addison}은 그 유명한 한 쪽 소품 간행물 『한담자』·『방관자』를 창간했다_{『한담자』는 『한담보』로 번역되기도 한다}. '5·4'시기 도입된 이 영국식 수필은 명대의 필기소품과 결합되면서 대성황을 이루었다. 당시 수많은 간행물에서 '한담'란을 개설하는 등 한동안 대단히 유행했다. 그 중 『현대평론』주간의 '한담'이 비교적 유명했다. 그 주요 작가는 진서형_{1896~1970}이었고, 그의 『서형한담』이 신월서점의 베스트셀러였다. 그러나 진서형과 노신의 논쟁 때문에 '한담체'의 명성에 오점이 남기도 했다. 이로 인해 한동안 '장식품' 산문은 '비수와 투창'식 산문 앞에서 스스로 부끄러워해야 했다.

그러나 오늘날 냉정한 시선으로 보면 '한화, 한담'이 '기품'있는 문체였다. 임어당이 나중에 언급한 대로 제재는 '우주만큼 큰 것'에서 '파리만한 작은 것'에 이르기 까지 포함되지 않는 게 없었다. 문체는 문화적인 일화, 명인들의 뒷이야기, 책의 서문, 발문과 서평, 어록, 경구_{警句} 등에 이

■ 주작인의 『자신의 정원』
■ 임어당의 『인간세』에 실린 주작인의 유명한 자수시(自寿詩)의 수고. 무수한 비판을 초래한 바 있다.
■ 『서형한담』 표지. 호적이 제목을 썼으며 신월서점의 중요한 출판물이다.

르기까지 쓰지 못하는 글이 없었다. '한담'과 앞서 언급한 전투성과 비판성이 강한 문화사상 잡문 사이의 거리는 멀어지고 말았다. 양자가 전혀 통하는 바가 없었던 것은 아니었는데, 예를 들면 문명비판이나 사회비판은 모두 가능했다. 하지만 차이는 있었는데 가장 큰 차이라면 하나는 '풍자'이고 하나는 '유머'였다. 노신의 잡문과 주작인의 소품은 나중에 이 두 가지 산문의 가장 뛰어난 대표작들이 되었다.

'한담'산문과 현대백화의 관계는 진서형·서지마·양우춘 등에 의해 갈수록 긴밀해져갔다. 현대중국어의 발전에 관심이 가장 많았던 주자청은 "진서형 선생의 『한담자』는 평범하나 냉정하며 논점이 분명하여 신문 기사 같다. 또 아주 세심해서 어휘 역시 아주 빼어나 보인다. 그는 호적 선생 못지않게 구어에 가까운 문장을 구사한다. 국어체즉 호적, 진서형 선생의 문체는 우리 백화문의 기초이다."[8]라고 한껏 추켜세웠다. 이 평가에는 주의해야 한다. 진서형의 한담산문은 서구화된 요소는 있으나 문장이 세밀하고 여유 있으며, 흐르는 물처럼 막힘없고 명확하다. 그는 개인의 신사 같은 성격을 문장에 반영한다. 자신의 이야기를 쓰는 것을 원칙으로 하며 때로는 훌륭한 이론을 내놓기도 한다. 그만의 직설적인 말, 반어, 의미심장한 말, 유머 등을 능숙하게 운용했다. 아래 예를 보자.

간혹 예술가에게 은화가 아주 많은 경우도 있으나, 어떤 사람이 은화가 아주 많으면 예술가라 할 수는 없다. 최소한 금이 예술적 가치가 어마어마한 예술품이 될 수는 있다 해도, 금으로 조각상을 만들거나 돈을 붙여서 그림을 완성한다면 그것이 금이나 돈으로 만들어졌다 해서 예술품이라 할 수 없다. 이에 대해 중국의 독일 대학 교수 쉰들러 박사 같은 가장 극단적인 유물주의 학자라 해도 아마 반드시 반대만 하지는 않을 것이며 이 말을 의외로 믿을 사람도 있다는 것은 천지신명께 감사드릴 일이다.

그러나 아주 위험하기도 하다. 미국 영화회사의 광고를 아직 못 봤는가? 그 첫마디는 항상 "이 영화는 은화 얼마가 투자된 작품"이다. 십만! 이십만! 오십만! 백만! 은화가 많이 투자될수록 영화의 가치가 많다는 것인가? 은화는 예술과 같다, 최소한 영화계에서는. 미국의 영화계는 이를 인정하고 말았다.[9]

서구화된 문장이라 읽어 보면 말처럼 바로 이해된다. 언급하고 있는 내용은 지금 읽어봐도 현실감이 극히 강하다. 서지마의 글은 '신월파' 내에서도 명쾌하고 화려하며 감정이 과잉한 편에 속했으나 담백함에는 문제가 없었다. 『내가 아는 캠브리지』는 그의 명작이다. 캠브리지를 쓰면서 '캠 강'만을 다룬다. 강변의 봄, 강위를 다니는 작은 배, 자전거로 야외에서 강의 석양을 보는 즐거움과 캠브리지의 자유로운 정신이 하나가 되어 있다.

> "이른 아침 밥 짓는 연기를 볼 수 있는 때이다. 새벽안개가 점점 피어나면서 어두컴컴한 하늘이 열린다(싸라기눈이 내린 후가 가장 좋다). 밥 짓는 연기가 여기저기서 실낱 같이, 굵은 줄기처럼, 둥글게 말린 채 피어오른다. 경쾌하게 때로는 묵직하게, 또 진하게 때로는 연하게, 하얗게 피어오른다. 사람들의 아침 기도가 하늘에 전해지는 것처럼 고요한 아침에 피어올라 점점 사라진다." [10]

위의 문장에서는 캠브리지 아침의 고요하고 자유로운 분위기가 흥겹게 흘러나온다.

양우춘1906~1932은 창작 생애는 짧았으나, 그의 한담소품은 논리성 강한 미문이었을 뿐 아니라 서구화한 백화문을 척 보면 알 수 있는 수준으로 써냈다. 그의 산문의 주제는 그의 인생에서 비롯되었다. 다른 사람이 언급한 적이 없는 것이나 반정립을 즐겨 썼다. 다른 사람들이 '인생관'을 이야기하면 그는 『인사관人死觀』을 썼다. 스승, 특히 교수를 존경한다는 이가 있으면 그는 『지식 판매점의 점원을 논함』과 같은 비판적인 글을 썼다. 또 누군가가 늦잠을 잔다고 꾸짖으면 그는 굳이 늦잠을 찬미하는 『'봄날의 아침'은 천금 같다』라는 글을 발표했다. 그는 분명 큰 주제를 다루지는 않았다. 『소방대원』은 그가 성심성의껏 소방대원의 정신을 선양한 글로 그 평생 가장 장중한 문장이었다. 그의 주제는 대부분 신변잡기나 독서한 내용이었다. 그는 자기반성에 능하고 성실한 명상형 작가였다. 그의 문장에 사색이 퍼져 나오면 그 어디에도 오랫동안 매달리지 않는다. 어휘는 여유 있고 거리낌이 없으며 논리성이 강했으나 따끔한 풍자가 아니라 악의 없는 유머였다. 아래를 보라.

■ 양우춘이 1930년 발표한 유일한 산문집 『춘료집(春醪集)』. 이미 그의 재능을 드러내고 있다. 요절한 후 그의 친구들이 『눈물과 웃음(泪與笑)』을 출판해주었다.

삶이 답답하다면 반시간 정도를 더 자보라(한 시간이 가장 좋다). 잠에서 깨면 분명 해야 할 일을 할 시간이 없다 느낄 것이다. 그럼 바빠져야 한다. '바쁘다'는 것은 쾌락궁에 들 수 있는 황금열쇠이다. 특히 스스로 바빠졌다면 말이다. 바쁘다는 것은 인간의 체력을 발산해낼 수 있는 가장 좋은 방법이다. 아리스토텔레스 역시 쾌락이란 능력이 효율로 변할 때의 상쾌함에서 생긴다고 하지 않았던가. 나는 항상 근무 시간 오분 전에 일어난다. 그때 세수하고 양치하고 아침 식사를 하려면 가장 빠른 속도로 해치워야 한다. 치약이 사방에 튀고 세숫물이 공중을 날아다닌다. 한 손에는 빗을 들고 거울을 보면서 빵을 먹노라면 이 모두가 가장 낭만적인 행위가 된다. 그 누가 인생에 재미가 없다 할 것인가?[11]

'5·4'운동이 분화된 이후, 당시 사회주의 운동과 소원해진 일파 중 영미파 자유주의 사상에 가까웠던 작가라면 한담의 분위기는 더욱 강했다. 그러나 그 중에 원래는 극렬했던 작가들도 적지 않았다. '어사'가 뚜렷한 예이다. 현대백화가 갈수록 간결하고 유창해진 것은 일종의 협력 덕분이었다. 주자청은 1928년에 쓴 『현대 중국의 소품 산문을 논함』에서 "산문을 논하자면 최근 3~4년간의 발전은 극히 눈부신 것이었다. 양식도 유파도 다양했다. 인생의 갖가지 면을 표현하고 비판하고 해석하면서 산문이 확산되었고 나날이 새로워졌다. 사상적으로도 중국 명사풍, 외국 신사풍, 은사풍, 반도풍 등역시 다양했다. 표현 방식은 풍자, 왜곡, 세밀함, 강인함, 수려함, 세련됨, 유려함, 함축 등 갖가지 방식이 동원되었다."고 했다. 주자청의 작품만 해도 수려한 『노젓는 소리 들리는 진회하』·『하당월색荷塘月色』, 세련됨과 순박함으로는 유명한 『뒷모습』이 있다. 『뒷모습』에는 아버지가 플랫폼에 기다시피 오르내리면서 아들에게 귤을 사다주는 모습이 간단명료하게 묘사되어 있다.

■ 주자청 산문의 대표작 『뒷모습(背影)』

아버지는 까만 모자에 검정색 마고자, 진한 청색 두루마기를 입고 계셨다. 비틀거리면서 철로가에 가서는 천천히 몸을 숙이셨다. 여기까지는 그다지 어려워 보이지 않았다. 그러나 철로를 건너 반대편 플랫폼에 오르려 하실 때는 쉽지 않아 보이셨다. 양손을 위쪽에 짚고 양 다리는 위쪽으로 굽히셨다. 애를 쓰시는지 아버지의 비대한 몸이 왼쪽으로 살짝 기울었다. 이때 나는 아버지의 뒷모습을 보았다. 눈물이 바로 흘러내렸다.[12]

『하당월색』의 문체는 완전히 다르다.

구불구불한 연못 위에는 연잎만이 시야에 가득했다. 연잎은 훤칠한 무녀들의 치마처럼 수면 위로 솟아올라 있었다. 겹겹이 싸여 있는 잎 사이로 하얀 꽃들이 드문드문 피어 있었다. 가냘프게 피어 있는 것도 있었고, 수줍은 듯 잎을 오므리고 있는 것도 있었다. 한 알의 진주 같기도 하고 하늘에 떠 있는 별 같기도 했고 방금 목욕을 끝낸 미인 같기도 했다. 미풍이 지나가면, …… 연잎과 꽃도 살짝 떨렸다. 그 진동이 번개처럼 삽시간에 연못의 반대편으로 전해졌다.[13]

그러나 주자청에게 세련과 수려함이 어떻게 통일되어 있건, 임어당에게 전투와 기품이 어떻게 통일 되어 있건, '5·4'로 통일된 산문에는 한 층 더 높은 차원의 '정신'이 백화문에 보편적으로 담겨 있었다. 이것이야말로 고대문학에서는 드물었던, 현대성을 담지한 일종의 품격이었다. 작가가 문장의 내외에서 그려내는 인생과 세계_{사회의 대사건이건 개인의 사소한 생활이건 상관없이}를 대하는 넘치는 자유로운 개성 말이다!

'나'가 존재하는 개성적인 문장과 그 사유방식은 현대문학 백화체의 정수이다. 이 정수와 문체의 결합의 기원을 처음에는 외래의 영향에서 찾았다. 이 역시 전혀 틀린 것은 아니다. 고대로부터 전해지던 전제정치·제도·예교·사상 등으로 이루어진 거대한 '철옥'에 반항하는 데 효과가 있었던 것은 서양의 총과 대포, '사악하고 음험한 기교'와 함께 도입되었던, 더욱 주동적으로 서방으로부터 '가져 온' 인류의 선진문명이었기 때문이다. 호적·노신·주자청 등은 모두 '5·4'산문에 '영국 수필'이 끼쳤던 영향에 대해 언급

■ 주작인의 『중국신문학의
원류』 표지

한 적이 있다. 잔소리 같은 한담만 늘어놓는 작가만 탄생한 것이 아니었다. 그 누가 "그들은 단순히 파괴만 한 것이 아니라 깨끗이 쓸어버린 것이다. 크게 고함을 지르면서 발목을 잡고 있던 구제도는 전체가 되었건 일부가 되었건 일거에 쓸어버렸다." 『뇌봉탑의 붕괴를 다시 논함』 던가, "그 인육의 향연은 아직도 진행 중이며 그 향연에 끼고 싶어 하는 사람도 아직 많다." 『등하만필』 던가, "진작 이런 참신한 문단이 마련되었어야 했고, 그런 맹장이 진작 나왔어야 했다." 『눈을 부릅뜨고 보라』 라고 말할 수 있는 작가를 개성도 피도 없다 할 수 있을 것인가? 주작인은 후에 '명 말의 신문학운동'이라는 개념으로 백화문학과 백화어에도 중국 고대의 연원이 있다고 밝혔다. "호적지의 '팔불주의'는 명말 공안파의 '격식에 얽매이지 말고 성령을 개성 있게 표현하라'와 '팔과 입이 가는 대로 따르면 모두 격률이 된다'는 주장을 부활시킨 것이기도 하다."고 했던 것이다.[14] 이 주장이 나오자 신문학 진영에서는 대거 반발했으나 오늘날 우리가 받아들이기에는 전혀 문제가 없다. 게다가 주작인은 외국의 영향을 부정하면서 전면적인 복고를 주장하지는 않았던 것이다. 같은 글을 보면 "만약 현대의 호적지 선생의 주장 중 그가 과학 · 철학 · 문학 등의 분야에서 받았던 서양의 영향을 빼면, 바로 공안파의 주장이 된다."라고 분명히 말하고 있지 않은가.[15] 그가 호적이 '받았던 서양의 영향'을 외면하지 않았음을 알 수 있다. 이러한 맥락을 따라 현대 산문의 발단을 연구함으로써 문학과 문장을 긴밀히 연결된 하나의 전체로서 고려하고 사색하게 되었다.

각주 ....

1) 호적, 『오십년 간 중국의 문학』, 『오십년 간 중국의 문학』, 타이베이, 원류출판공사, 1986년판, 149~150쪽.
2) 노신, 『소품문의 위기』, 『노신전집(魯迅全集)』 제4권, 인민문학출판사, 1981년판, 576쪽.
3) 주자청, 『백화를 논함(「남북극」과 「소피득」 감상)』, 『주자청전집(朱自淸全集)』 제1권, 남경, 강소교육출판사, 1988년판, 267쪽.
4) 이대교, 『금』, 『신청년(新靑年)』 1918년 4월 4권 4호.
5) 노신, 『57 현재의 도살자』, 『노신전집(魯迅全集)』 제1권, 북경인민문학출판사, 1981년판, 350쪽.
6) 노신, 『이제 우리는 어떤 아버지가 될 것인가』, 『노신전집(魯迅全集)』 제1권, 인민문학출판사, 1981년 판, 137쪽.
7) 주자청, 『백화를 논함(「남북극」과 「소피득」 감상)』, 『주자청전집(朱自淸全集)』 제1권, 남경, 강소교육출판사, 1988년판, 267~268쪽.
8) 주자청, 『백화를 논함(「남북극」과 「소피득」 감상)』, 『주자청전집(朱自淸全集)』 제1권, 남경, 강소교육출판사, 1988년판, 268~269쪽.
9) 진서형, 『은화와 예술』, 『서형한담』, 상해신월서점, 1928년판, 59~60쪽.
10) 서지마, 『내가 아는 캠브리지』, 『파리의 편린』, 상해신월서점, 1931년 3판, 61~62쪽.
11) 양우춘, 『 "봄날의 아침" 은 천금 같다』, 『춘료집(春醪集)』, 상해북신서국, 1930년판, 233쪽.
12) 주자청, 『뒷모습』, 『주자청전집』 제1권, 남경, 강소교육출판사, 1988년판, 48쪽.
13) 주자청, 『하당월색』, 『주자청전집』 제1권, 남경, 강소교육출판사, 1988년판, 70~71쪽.
14) 주작인, 중국신문학의 원류』, 장사, 악록서사, 1989년판, 54쪽.
15) 주작인, 『중국신문학의 원류』, 장사, 악록서사, 1989년판, 22쪽.

제18절

조기(早期) 향토문학의 농민과 지역 발견

　　전환된 현대문학에서 가장 먼저 배출된 성공적인 흐름은 향토문학이다. 수많은 작가들이 중국의 낙후된 농촌을 그처럼 막대한 규모로 직면했다는 것은 선명한 '5·4'의 지표이자 '5·4'의 성격이 가장 강하게 담겨 있는 것이다. 이는 만청소설이 비록 현대를 향한 큰 걸음을 이미 내디뎠음에도 기본적으로는 전통을 답습한 채 도시와 시민을 그렸을 뿐 시골과 농민을 쓰지는 않았기 때문이다.시골과 농촌을 묘사한 경우에도 대부분 도시인과 관련된 것이었을 뿐 주체는 아니었다. 중국의 소설과 희곡은 민간에서 발생하여 도시에서 번성하였으므로 진정한 시민계층의 문화소비재라 할 수 있다. 민국 전후의 소설에는 커다란 변화 없이 이런 형태가 여전히 발견된다. '5·4' 시기에 이르러서야 부녀와 아동과 함께 농민이 문학에서 발견되었던 것이다.

　　이때의 발견은 역대 시문에 존재했던 '농민의 처지를 슬퍼한' 것과 '농민을 가련히 여긴' 것과는 달랐다. 그것은 사대부 계층이 농민에게 보인 연민이었다. '5·4'의 작가들은 '신성한 노동'과 '평민문학'이라는 기치 아래 현대문명의 민주라는 범주에서, 농민과 사람 대 사람으로서 평등한 관계를 유지하면서 그들의 빈곤·몽매·고통 등 운명에 관심을 가지고 희망을 기탁하는 것을 최소한의 출발점으로 삼으려 했던 것이다. 물론 경제적인 지위나 정신세계는 현대 중국의 지식인들이 우세를 점하고 있었으나 그들이 농민에게 관심을 기울인 입장이나 태도는 만청의 문인 혹은 원앙호접파 문인과 확연히 달랐다. 노신의 『고향』에서 유년기의 단짝 윤토가 '나'를 '나으리'라고 부를 때 "소름이 오싹 끼쳤고, 우리 사이에 이미 슬픈 두터운 장벽이 쳐져 있음"을 얼마나 절감했는지 생각해보라. 또 '나'가 무엇을 반성하고 있는가. '나'는 다음 세대인 홍생과 윤토의 아들 수생이 "더 이상 나처럼 서로 가로막히지 않기를" 바라면서, "윤토가 향로와 촛대를 원할 때 그저 우상이나 숭배한다고 속으로 비웃지 않았던가. 현재 내가 말하는 희망 역시 내가 만들어낸 우상 아닌가."하고 자신을 냉정하게 책망하고 있지 않은가.[1] 이것은 과거 중국문학에는 전혀 없었던, '5·4'시기 향토문학이 도달할 수 있었던 인문정신의 정점이다.

- 『고향』 삽화(범증 그림). 노신은 자신과 농민 윤토 사이에 장벽이 놓여 있음을 느꼈다.
- 노신 『고향』 번역본 삽화. 노신이 배에서 생각에 잠겨 있는 모습. 이는 향토문학 작가가 생각에 잠겨 있는 것이기도 했다.

이들 '농민을 발견한' 작가들은 시골 출신이었으나 작품 창작 당시에는 고향을 떠나 도시에 살던 사람들이었다. 예를 들면 노신·왕로언·허흠문·대정농·건선애臺先艾·폐명 등 당시 북경에 살았던 작가들과, 허걸·팽가황 등 상해에 살았던 작가들을 가리킨다.

그들은 갖가지 도시문명을 겪고 난 후 추억에 의지하여 '나를 낳아주고 키워 준' 농촌을 되돌아봄으로써 농민을 그린 작품을 써냈다. 그러므로 이들은 현대적인 의미의 '향토 유랑자'였다. 농촌에 대한 그들의 추억은 일종의 반항적인 기억이었다. 거기에는 전통을 완전히 부정하는 현실성, 농민과 농촌에 대한 '그 불행은 슬퍼하면서 싸우지 않음에 분노하는' 울분, '뿌리'를 잃은 방황과 미련 등등이 포함되어 있었으며 사회비판과 문화비판 정신 역시 담겨 있었다. 게다가 이들이 중국 지역의 광대함이들은 현대적인 교통 덕에 대략 1~2주 정도면 거처에서 고향에 다녀오는 여정을 마칠 수 있었고 시야도 대폭 넓어져 있었다과 지역에 실제로 존재하던 동서남북의 문화적인 차이와 불균형 등을 반영함으로써 현대문학에 시종 존재했던 기이한 지역적인 특색과 취향이 형성되었다.

절강 동부를 묘사한 향토소설을 보자. 이는 노신_{미명사, 망원사, 문학연구회의 일부 청년 구성원}을 중심으로 형성되었다. 최초의 출발점은 그 수준이 높지는 않았다. '문제소설' 정도의 개념만으로 마치 한 사람이나 한 사건에 천하의 피눈물이 모두 몰려 있는 듯, 농촌에 대해서는 고난을 '전시'할 수밖에 없는 곳으로 그렸다. 그러나 노신이라는 주장이 있었다. 그의 『고향』·『풍파』·『아Q정전』은 일반적인 작품의 수준을 훨씬 능가했다. 이 작품들은 현대국민을 표준삼아 농민의 인격 재건 촉구라는 거대한 시야 아래, 그들의 추악함을 서슴없이 그려냄으로써 그들의 순박함 속에 감춰진 극도의 우매함을 찾아냈다. '아Q정신'에 대한 비판은 당연히 그 정수라 할 것이다. 향토에 대한 노신의 또 다른 표현 방향은 『고독자』·『술집에서』에서 보이듯 '쫓겨난' 지식인들의 귀환에 대한 심오한 분석이었다. 그들은 농민의 처지를 공감할 수는 있었으나 나날이 쇠락해가는 농촌을 직면하고는 자신들의 반항과 이상의 좌절 등에 대해 회의하고 괴로워하며 의기소침해져 갔다. 또 혼인이라는 굴레에 모욕을 당하며 무너져가는 여성의 운명에 절강 동부 작가들의 이목이 집중되었다. 과부가 남편을 해친다는 내용을 다룬 노신의 『축복』, 명혼_{冥婚}을 묘사한 왕로언의 『국영의 출가』, 씨받이를 다룬 허걸의 『노름꾼 길순』 등에서 정도는 다르지만 이를 확인할 수 있다. 절강은 본래 동남의 연해 지역으로 상대적으로 풍요로운 곳이었으나 근대에 맹렬히 발전한 항구도시 상해와 비교적 가까운 탓에 현대적인 발전의 영향을 받기 쉬운 지역이었다. 이것이 과거 우리가 간과했던 특징이 되었다. 왕로언_{1902~1944}의 작품에서 묘사된 영파진 해향촌을 보면 '왕가교, 조가교, 진사교, 부가진' 등은 노신의 작품에서 보이는 '미장, 노진'보다 두 가지가 훨씬 두드러진다. 첫째, "조가교에는 예전부터 장사하는 이가 많았고 관직에 있는 이는 드물었다."[2]는 부분에서 보이듯 마을에 가게가 많고 촌민 중에 장사하는 사람도 많다. 『아마 그 정도 까지는 아닐 것이다』에서는 왕가교의 갑부 왕아우_{王阿虞}가 집에서 "따뜻한 차 한 잔 마실 정도 시간이면 닿을 곳"에 있는 소계두_{小硬頭} 상가에 가게를 열었는데 그곳의 규모가 아래와 같았다.

그는 소계두에 쌀집 · 목재소 · 기와 가게 · 벽돌 공장 등을 열었다. 이들 자신이 직접 경영하는 가게 외에 가부비단 · 개성 잡화점 · 신시창 간장 등에는 자신의 지분이 있었다. ─새로 문을 연 인생당 약국과 문기 지물포에도 그의 지분이 틀림없이 있을 것이다! 이 가게들은 해마다 수입이 좋았다. 특히 작년에는 2만 위안이나 벌었다 한다─ 5만 위안이라는 사람도 있다. 그의 가게의 점원들은 모두 상금이 60위안 이상이어서 얼굴에서 싱글벙글 미소가 끊이지 않았다. 진 씨라는 도제도 50위안을 받았다 하지 않는가! 올해에는 다수의 사장들이 왕아우에게 줄곧 사람을 천거해댔다. 관리직이 힘들면 도제라도 시켜달라는 것이었다.[3]

이 시골 마을에 상업이 얼마나 번성했는지는 어린 소년들이 도제가 되기 위해 다투는 것은 차치하더라도, 상가에서 지분방식이 보편적으로 실행되는 것만으로도 내지의 농촌과는 비교할 수 없던 것이었다는 점만 봐도 알 수 있다. 둘째는 마을을 벗어나 날품을 팔아 생계를 이어가는 사람이 증가하고 있다는 점이다. 예를 들면 첩첩산중인 진사교촌에서 사백백의 아들은 마을을 나가 도시에서 일을 해 가족 전체의 생계를 책임지고 있다 _{「황금」}. 본덕 할멈과 며느리는 시골에서 지내지만 그 집안의 주된 일꾼인 아들 아지숙은 마을을 떠나 기선에서 심부름꾼이 되어 생활비를 보내온다 _{「지붕 아래」}. 그러므로 왕로언 향토소설의 독특한 점은 '폐쇄'와 '낙후'를 과장하지 않는 것으로 유명하다는 것이다. 그의 작품에서 집을 떠난 자가 시골에 남겨놓은 가족은 돈이 없어서 멸시를 받으며, 황금이 진정 그곳 농민들의 인간관계를 가늠하는 주요 가치표준이 되어 있다. 그리고 부인은 집을 떠난 남편의 당부대로 집안을 꾸리면서 어른들을 공

■ 왕로언의 향토소설집 「황금」의 표지. 그는 가장 먼저 농촌이 도시로부터 받는 영향을 주제로 다루었다.
■ 왕로언의 또 다른 소설집 「천장 아래」

경하나, 일생 근검하게 살았던 시어머니와 빈번하게 부딪친다. 그는 농민의 신속한 빈곤화 뿐 아니라 재력가들이 순식간에 파산하는 과정과 날로 가중

되는 내부의 다툼 등도 담아냈다 『자립』·『최후의 승리』. 가장 두드러진 점은 새로운 의식과 새로운 관념이 이 동남부 한 구석에 침입하여 시골 사람들의 경제와 사고방식에 현대적인 의미의 해체를 불러왔다는 것이다. 예를 들면 『자립』에서 태공의 99무짜리 밭과 대저택 서쪽에 있는 정자는 조부가 같은 사촌 형제가 손에 넣으려 했으나, '담장'이 약간 삐져나온 것을 두고 소송을 한 결과 형제는 원수가 되고 현의 지사만 이득을 본다는 이야기가 그려진다. 태공의 후손이 이 소송을 논할 때 전혀 예상치 못했던 관점이 끼어든다. "형제가 등지는 것은 '자립의 길'이기도 하다, 형제가 싸우는 것이 꼭 나쁜 것만은 아니다, …… 이는 여러분이 학교에서 배우는 '경쟁하지 않으면 진화하지 않는다'와 마찬가지로 그렇지 않으면 인류는 퇴보할 지도 모른다."[4]라는 견해가 제시된 것이다. 이는 시민의 견해로서 시민 사상이 향토에 침투한 것이다.

이러한 상황은 절강 천대 출신인 허걸1901~1993의 소설에서도 보인다. 천대는 절강 동부의 산간지역이므로 그의 『짙은 안개』에는 촌민들이 땅을 둘러싸고 벌이는 무력 충돌이 질식할 정도로 폐쇄적인 분위기 속에 그려져 있다. 그러나 그의 다른 작품인 『무대 아래의 희극』에서는 이와 달리 농촌에 이미 스며든 현대문명의 갖가지 면모가 아주 생기 있게 그려져 있다. 이 작품에서는 풍계촌 농민의 경극 공연 과정에 삽입되어 있는 남녀 사건이 주로 다루어진다. 근처 마장의 본촌에 시집간 기혼여성 김사가 '소생'역을 하는 배우와 연애하는 과정에서 두 차례나 적발된다. 촌민들이 두 사람에게 가혹하게 매질을 가할 때 그녀는 되레 꿋꿋하게 '목숨을 걸고 소생을 감싸 안고' 매질을 막아낸다. 경극을 보던 사람들은 김사에 대해 무대 위에서 공연되는 경극보다 더 열렬하게 의견들을 퍼부어댔으니 이는 반응이 다양한 실제 인생극이었다. 그 중 괄괄한 송씨댁이 금세기 최초로 이 마을에서 벌어진 '불륜'에 대해 내놓은 견해는 뜻밖에도 무척 대담하다.

■ 허걸의 소설집 『짙은 안개』의 표지. 향토의 폐쇄성만 묘사하지는 않았다.

"두 사람 잡은들 뭐합니까? 사람이 아니란 말입니까? 만약 나라면 대놓고 말하렵니다. 앉으세요들, 제가 당신들 일에 관여치 않는데 당신들은 왜 이럽니까? ─못 할 게 뭐 있어요. ─내 말이 틀렸나, 지금은 민국시대라고, 자유를 따지는 그런 시대란 말입니다, 몰래 애인 만드는 것도 능력이지, ─사람들한테 잡혀도 뭐가 대수요. ─정절 같은 거 따져서 뭐합니까, 두 사람이 딴 맘 안 먹고, 이놈 저 놈 닥치는 대로 사귀지만 않으면 되는 거지 뭐 ⋯⋯ " [5]

이는 절강 동부 농촌 사람들의 삶 자체에 미묘한 변화가 발생했음을 의미한다. 이 마을을 보면 먼저 부분적으로 도시화와 상업화의 충격을 받아, 마을을 떠나 날품을 팔거나 상업에 종사하거나 남녀 사이의 불륜과 같은 일들이 발생하고 이어서 인생관이 바뀐다. 그리고 이 지역 출신 작가들이 한 걸음 앞서 이러한 변화를 감지하고는 그들의 민감하고 초조한, 그리고 생기 넘치는 특징을 작품으로 표현해낸 것이다.

이번에는 귀주와 안휘 일대의 소설을 보자. 이 지역은 절강 동부보다 훨씬 빈곤한 지역이나 작품의 지방 색채는 더욱 현저하다. 건선애$_{1906~1994}$는 귀주인으로 냉정하고 내성적이다. 『수장』에는 표면적으로는 귀주의 야만적인 풍속이 그려져 있으나, 초점은 수장을 당하는 좀도둑과 강변에서 이를 구경하는 농민 쌍방의 무감각함에 맞춰져 있다. 이러한 국민정신을 사람들에게 보임으로써 치료에 대한 관심을 불러일으키려 한 것은 노신의 영향을 깊이 받은 것이다. 대정농$_{1903~1990}$은 안휘인으로서 러시아 작가 '안더레프와 같은 침울함'이 배어 있는 작가이다. 그의 단편 소설집 『대지의 아들』에 실려 있는 『홍등』・『천이 형』・『촛불』・『맞절』 등에는 안휘 지역 시골의 어두운 면과 민간 풍속이 결합되어 있

■ 1986년 방성이 그린 건선애의 캐리커처.
■ 건선애의 소설집 『아침 안개』
■ 대정농이 지은 『대지의 아들』 표지. 작품 하나하나의 풍속 묘사에는 사회의 본질을 꿰뚫는 힘이 실려 있다.

다. 귀신절에 강에 등을 띄우고, 혼례와 같은 경사로 집안의 병자를 구하려는 충희, 재혼으로 형수를 취하는 경우 처를 팔거나 저당 잡히는 풍습 등에는 유약한 촌민들의 생활방식이 그려진다.

이러한 풍속은 이름과 형식만 다를 뿐 전국 어디에나 있었다. 절강 동부의 왕로언 역시 영혼 혼례를 다루었다. 작품에는 여자 측의 혼수나 가마 행렬이 아주 적나라하게 그려져 있다. 게다가 역순으로 서술되어 있어서 결말 부분에서야 신부가 이미 죽은 사람이라는 것을 알 수 있다 「국영의 결혼」. 허걸 역시 부인을 저당 잡히는 경우에 대해 썼다. 길순은 도박장에서 모든 것을 잃은 후 계약서에 정해진 시기에 낳은 자녀는 모두 전주 소유로 한다는 처참한 이야기를 다루고 있다 「도도길순(「徒吉」)」. 그러나 대정농의 풍습 묘사에 담긴 정취가 더 뛰어나다. 예를 들면 『맞절』에서 동생과 과부 형수가 천지에 예를 올리는 장면을 들 수 있다. 천지·조상·생존해 계신 아버지 기분이 언짢아 잠들었다고 평계를 대자, "아버지 계신 셈 치고 인사드리죠." 라 한다 ·저승에 계신 어머니 등에게 일일이 순조롭게 절을 마친다. 하지만 갑자기 아래와 같은 상황이 나타난다.

"아, ……저승에 계신 형님께도 절을 드려야죠."
순간 형수의 눈에서 왈칵 눈물이 쏟아지더니 전신을 부르르 떨었다. 왕이도 서 있긴 했으나 얼이 빠진 듯 안색이 무섭게 변했다. 삽시간에 분위기가 음산해졌다. 촛불의 불빛도 희미해지면서 모두들 어찌할 바를 몰라 했다.

■ 폐명의 시 『꽃을 꺾다(掐花)』 수고.
■ 1930년대 북경 시절의 폐명
■ 『황매현지』. 현 전경도. 폐명의 글은 모두 자신의 고향과 관련이 있었다. 그림 동북쪽에 있는 토교포·용석교·오조사 등은 소설에서도 그대로 썼었다.

풍속으로 묘사된 장면이 눈앞에 생생히 펼쳐진 듯하다. 이것이 궁핍한 지역에 대한 묘사에 담긴 매력이며 그에 따라 작품의 풍격 역시 진중하다.

호남과 호북 지역을 다룬 향토소설도 있다. 호남과 호북은 장강의 중류 지역으로 19세기에 이미 부유하면서 궁핍하기도 했던 지역이다. 고대에는 초나라 땅이었으며 이 지역에서 배출된 작가들은 상상력이 풍부했다. 폐명 _{1901~1967}은 풍문병이라는 본명으로 출판한 소설집 『죽림 이야기』에서 고향의 순박한 인물들을 표본 삼아 맑고 신선한 인물과 문체를 선보였다.

그는 호북성 황매 출신으로, 작품마다 고향의 산수가 그의 심중에 배어든 듯하다. 그가 초기에 묘사해낸 지역 색채는 인자하고 근면하나 소문에 상처받는 삯빨래하는 여인 「삯빨래하는 어머니」, 빈한한 농촌 출신으로 얌전한 셋째 「죽림 이야기」, 인형극으로 살아가나 집 앞의 버드나무를 좋아하는 늙은 광대 「강변의 버드나무」 등으로 구성되어 있다. 이 작품들은 시적으로 느껴질 정도로 담백하고 평온하다. 『도원』·『대추棗』를 발표한 이후, 특히 장편 『교橋』한 편 한 편의 단편의 모음으로 볼 수도 있다와 『아마도 선생전莫須有先生傳』부터는 평이했던 그의 작품이 난해해졌다. 서술 방식에 외국식인 다초점과 중국식 산발적 초점을 운용한 것과, '선禪' 개념을 도입하여 줄거리는 약해지고 철학적인 암시가 많아진 탓이었다. 요컨대 폐명에게 기묘한 환상은 빼놓을 수 없는 요소였으며, 조기의 그는 향토를 통해 자연과 인생을 묘사하고 문체의 서정을 중시하는 일파의 시조라 할 수 있다.

호남의 팽가황彭家煌, 1898~1933은 희극서사와 풍토묘사에 뛰어났다. 그는 동정호 근방의 상음현 출신으로 그의 주요 작품은 모두 '계진溪鎭'이라는 마을에서 발생한 사건이 중심이다. 그는 재미있는 시골 사람들을 능수능란하게 표현해냈다. 그의 조롱기 가득한 방언 덕에 농촌의 비극적인 이야기는 활기차고 재미있는 이야기로 변하면서 풍자성이 극히 강해지곤 했다. 『살아 있는 귀신』·『진씨댁 소』·『종용』 등에는 호남 향촌 토호들이 어수룩하고 가소로운 존재들로 그려져 있다. 『살아 있는 귀신』에서는 진짜 귀신이 나오는 것이 아니라 시골에서 나이 많은 며느리를 들이는 폐습이 다루어진다. 20세의

■ 팽가황의 『종용』, 1927년 초판
본의 표지. 향촌의 희극성이유
독 강렬했다.

여자가 13~14세인 남편과 함께 지내면서, 5,600무나
되는 밭을 소유한 지주집안의 며느리와 손부의 방에서
하루 종일 귀신 잡는 활극이 펼쳐지는 것이다. 『종용』
은 그의 대표작이다. 교활한 지주 우칠은 돼지를 팔다
손해를 본 마을 주민 정병더러 세도가인 유풍의 점주
풍사장에게 복수할 것을 부추긴다. 돈 있는 자는 꼼수
를 부리고 주변 사람들은 재수 없는 일을 당한다. 결말
에서는 '이래저래 이중으로 피해를 보는' 황당한 일로
끝이 난다. 즉 정병의 부인은 거짓으로 목을 매서 이웃
인 풍 사장의 형의 집에서 죽는 척하려다 정말로 죽을 뻔 하는 바람에 공연
히 "살려달라"고 부탁하는 수모를 당하면서 웃음거리가 되고 마는 것이다.

우칠과 희보 두 인물은 생동감이 넘친다. 우칠은 교활하고 난폭한 현지
의 건달이다. 중재를 하러 온 일년이라는 사람에 대해 욕하는 장면을 보라.

"흥, 일년 그 인간 와봤자 뭐가 대순데. 그 유풍네 옆집 가난뱅이 놈을 내 모
를까. 그 백부라는 작자는 백수 주제에 남의 집 여자 넘보다 망신이나 당하고. 집
안 전체가 절름발이 아니면 장님에다 에미는 중놈이랑 먼 짓을 하고 다니는지 원.
일년이 그 놈도 공부 아무리 해봤자 대가리 속에 든 건 똥뿐이지 뭐. 싸가지 없는
자식 뛰어봐야 벼룩일 테고." 6)

위의 대화는 방언이 운용된 예임에 주의하라. 욕하는 사람은 시골 남성이다 희보는 풍사장의 점원으로
간교한 장사꾼이다. 아래 그가 돼지를 감별하고 사는 장면은 향토언어가 사
용된 실례가 될 것이다.

희보는 돼지를 사는 데 고수였다. 정병은 당연히 그의 적수가 못 됐다. 아무
리 말도 안 될 것 같은 거래라 해도 그가 나서면 성사되지 않는 거래가 없었다.
그가 채찍 몇 번 휘두르면 돼지 값이 바로 나왔다. 배가 큰 그 놈은 근 수가 얼
마나 되고, 모가지가 흰 놈은 비계가 어떨지, 꼬리가 까만 놈은 영양 상태가 너

무 좋지 않다는 것 등을 바로 알아냈다. 또 근수를 늘리기 위해 간밤에 많이 먹인 돼지인지, 몇 근이나 더 나갔는지 모두 그의 귀신같은 안목을 벗어난 적이 없었다. 그러나 사람 좋은 건 차치하고 그의 말재주야말로 최고였다. 별 생각 없이 몇 마디 띄워주는 말을 하면 그 사람은 매운 닭요리라도 먹은 것처럼 매워하면서도 좋아했다.[7]

이상 세 지역의 향토소설을 종합해보면 대부분 서정보다는 사실에 중점을 두고 있다. 그러나 '5·4'시기에는 세계의 현실주의가 중국에 도입되면서 중국 고유의 사실주의 전통과 융합되어가는 도중이었으며 아직 완전히 표준화되지는 않은 상태였다. 낭만적인 필치가 뜻하지 않게 튀어나오는 경우가 비일비재했다. 향토에 대한 서술 양식에 회고가 주로 쓰인 것 역시 전통적인 시의 정취와 관련이 있다. 역시 절강 동부 출신인 허흠문은 회고식 작품으로 『부친의 화원』을 발표했는데 당시에는 매우 유명했다. 그의 작품에는 산문식 문장이 많았고, 사실주의 소설로서 인물 창조나 장면 묘사와 관련된 능력은 지금 보기에는 일반적이나 그 정서만큼은 향토 작가들이 고향을 상실한 이후의 공통된 심경을 잘 대변했기 때문일 것이다.

'5·4' 작가들에게는 이미 현대인의 영혼이 있었다. 그들의 손을 거쳐 기반을 다진 향토문학은 이후 더욱 발전할 여지가 있었으나 이 최초의 일보가 역시 중요한 것이다. '농민 발견'이라는 각도에서 보면 '5·4' 작가들은 농민과 평민, 농민성과 국민성, 농민성과 민족성 등을 하나의 평면에 두고 관찰했다. 그 결과 농민에게서 정신 노예라는 상처를 발굴해내 국민성과 민족성 개조의 중요한 고리로 간주했고, 이는 이후의 향토문학과 '칠월파' 노령路翎의 소설에 기반이 되었다. 그중에는 도식화될 가능성이 있는 작품도 있었다. 예를 들면 『아Q정전』이 나오자 『도둑 아장』왕로언·『노름꾼 길순』허걸·『코흘리개 아이』허흠문 등의 소설이 나왔는데, 이들 작품은 모방의 흔적이 남아 있다. 이 시기 향토문학의 '지역 발견'이라는 성과

■ 허흠문 『고향』의 표지. '붉은 도포(大紅袍)' 라 불린 것은 도원경의 그림이다.

를 논하는 과정에서 우리는 이미 절강동부 · 안휘 · 귀주 · 호북 · 호남 등의 진기하고 다양한 지방 색채를 띤 소설들을 볼 수 있었다. '지역'에는 문학의 협애함과 보수성이 원래 함유되어 있으나 '5 · 4' 작가들은 '지역성'을 그려낼 때 상당히 자각적인 개방성을 부여했다. 이 '개방성'은 실제로는 이 지식인들의 눈이었다. 그들은 아름다웠던 고향의 쇠퇴와 누추함을 발견하고는 세계_{특히 약소한 민족국가}의 풍토 소설과 근접한 입장을 견지했다. 창작 이외에 이론 토론도 진행되었다. "나는 그 전통적이고 애국적인 거짓문학을 경멸한다. 그러나 향토 예술은 아주 중요하다고 생각한다. 강렬한 지방색채가 '세계적인' 문학의 중대한 성분이라고 믿는 것이다."라고 했던 주작인의 견해가 그 한 예라 할 것이다.[8] 이는 1923년에 발표된 것이다. 11년 후 노신이 "현재의 문학 역시 지방색이 있는 것이 오히려 세계적인 것으로 다른 나라의 주목을 받는다."고 하며 이를 다시 반복했다.[9] 향토적인 지방색과 세계성을 하나로 묶어 사고하고 표현한 것이다. 이 점이야말로 '5 · 4'문학이 과거 중국문학과 다른 광대하고 사랑스러운 점이다.

1) 노신, 「고향」, 『노신전집』 제1권, 인민문학출판사, 1981년판, 482~485쪽.

2) 왕로언, 『최후의 승리』, 「황금」, 상해신생명서점, 1929년판, 198쪽.

3) 왕로언, 「아마 그정도 까지는 아닐 것이다」, 『유자(柚子)』, 상해북신서국, 1926년판, 75쪽.

4) 왕로언, 「자립」, 『유자(柚子)』, 상해북신서국, 1926년판, 72쪽. 풀이표와 생략부호는 원문에 있는 것임.

5) 허걸, 「무대 아래의 희극」, 『짙은 안개』, 상해상무인서관, 1926년판, 202쪽.

6) 팽가황, 『종용 · 기쁜 소식』, 인민문학출판사, 1984년판, 46쪽.

7) 팽가황, 『종용 · 기쁜 소식』, 인민문학출판사, 1984년판, 46쪽.

8) 주작인, 「「구몽」 서」, 『자신의 정원』, 장사, 악록서사, 1987년판, 117쪽.

9) 노신, 「1934년 4월 19일 진연교에게」, 『노신전집(魯迅全集)』 제12권, 인민문학출판사, 1981년판, 391쪽.

제19절

시민대중의 생활을 위로하는 책들

앞에서 서술한 『소설월보_小說月報』의 개혁과 『토요일_禮拜六』 잡지의 복간은 '5·4' 이후 기존 문학을 새로운 문학으로 교체한 대표적인 사건이었다. 하지만 이런 '교체'는 단순히 하나가 다른 하나를 삼켜 버린 것이 아니라, '점진적으로 개량하고 있는' 구_舊 시민문학의 일면을 견지하고 있었다. 다시 말해 원앙호접─토요일파가 문학연구회 작가인 정진탁_鄭振鐸·심안빙_深雁冰, 모순(矛盾)·주작인_周作人 등 신문학 진영의 거센 공격을 받았지만 결코 역사 무대의 뒤로 물러서지 않았음을 나타낸다. 왜냐하면 그들에게는 독자가 있었기 때문이다. 『소설월보』가 신문학 진영으로 바뀐 뒤, 그들의 작품을 이해하지 못하겠다고 불평하는 시민독자들이 생겼으며 이러한 독자들은 상당히 많았다. 도시 시민계층의 입장에서만 보더라도 꽤 많은 수를 차지했다. 따라서 이 '견지'의 과정은 절대 짧지 않았으며, '교체'도 오랫동안 지속되었다. 예를 들면 1926년 『양우_良友』 화보가 막 창간되었을 때 광동_廣東 인 사장 오련덕_伍聯德 이 직

■ 『양우(良友)』 의 역대 주편(오른쪽에서 왼쪽으로) 오련덕(1~4기), 주수견(5~12기), 양득소(13~79기), 마국량(80기 이후)

접 편집하였으며, 주편인으로 청한 사람 역시 명성
이 자자했던 주수견周瘦鵑이었다. 주수견은 원앙호접
파의 주요인물 가운데 한 사람으로, 그가 편집한 간
행물은 빈틈이 없었다. 당연히 아름다운 풍격을 지
닌 화보의 지면과 장편으로 연재되는 연애소설 등
이 있었을 것이다. 그러나 그 다음 해의 13기에 이
르러, 갑자기 광저우 배영고등학교廣州培英中學高中를 졸
업한 20여 세의 양덕소梁德所가 이어서 편집하는 것으
로 바뀌게 된다. 훗날 여러 사실들이 양덕소가 『양
우』의 공신이라는 사실을 증명하게 되는데, 그 중

■ 1926년에 창간된 『양우(良友)』
화보 제1기, 표지는 영화배우 호
접(蝴蝶)

하나가 바로 과감한 개혁이었다. 그는 시사 사진·현대도시 사진·세계의
과학기술에 대한 신기한 소식을 대폭 늘렸고, 신감각파의 목시영穆時英과 신
시민작가 여차予且의 작품을 게재했으며, 중국 및 해외의 회화와 예술사진작
품 등을 늘려 원앙호접파의 분위기를 일소하였다. 그러면서 『양우』는 중국
최초로 시장을 세계로특히 동남아시아 일대 확장한 현대시민화보가 되었다. 이 외에
도 『신보申報. 원제 '신강신보(申江新報)'의 약칭』의 문예란인 『자유담自由談』을 예로 들
수 있다. 『자유담』은 명성이 높은 신문의 부록란으로 1911년에 만들어졌으
며, 줄곧 원앙호접파의 근거지 중 하나였다. 이는 왕둔근王鈍根·오각미吳覺迷·
요원추姚鴛雛·진접선陳蝶仙·진냉혈陳冷血·주수견周瘦鵑 등의 주편인 명단을 보기
만 해도 알 수 있다. 또 주수견의 임기는 1932년 12월 1일까지 이어졌고,
그 후 이 간행물은 해외에서 귀국한 여열문黎烈文에게 넘겨진다. 노신魯迅·구
추백瞿秋白·모순矛盾이 여열문을 전격 지지함으로써 간행물은 유명한 신문학
진영으로 바뀌게 된다. 하지만 이는 시대의 추세를 설명할 뿐, '5·4' 앞에
서 구시민문학이 결코 일격에 무너지지 않았음을 보여준다. 『소설월보』가 2
년 동안 신문학 간행물로 변한 것처럼, 상무인서관은 또 원앙호접파에게 『소
설세계小說世界』를 만들게 하였다. 또 『신보』는 『자유담』의 주편을 바꾼 다음
달에, 주수견에게 같은 신문에서 『춘추』란을 편집하게 했다. 출판 상인들은

■ 1932년 11월 5일 『신보(申報)·자유담(自由談)』 개정 이전의 원앙호접파의 분위기
■ 『신보(申報)·자유담(自由談)』 개정을 알리는 『개막전 연설(幕前致詞)』

분명 새로운 세대의 시민문학이 출현하기 이전 기존 시민소설의 독자가 여전히 존재하고 있으며, 그것을 이용해 신구문학간 독서시장의 평형을 유지할 수 있다는 것을 알고 있었다.

시민들은 왜 여전히 원앙호접파의 문학을 필요로 했을까? 이는 다분히 취향의 문제였다. 원앙호접파 작가 하해명何海鳴은 그들의 상업적 단편소설 창작 활동을 촉진하기 위해서 소설은 '판매'라는 목적을 달성해야 한다고 했다. 그는 우선 "소설의 가치를 높여야 하고, 이것이 중요한 문학이며, 삶은 이것으로 위로를 받아야 한다는 것을 사람들에게 가르쳐야 한다. 그때가 되면 대규모 수요가 발생할 것이고, 소설의 판매가격은 자연히 높아질 것이다"[1]라고 하였다. 하지청夏志淸은 원앙호접파 소설의 가치를 논할 때 "귀한 사회적 자료를 제공할 수 있다. 바로 '민국시기의 중국 독자는 도대체 어떤 백일몽을 꾸기를 좋아하는가?'가 그것이다."[2]라고 하였다. 여기서 '백일몽'이라는 표현은 앞에서 언급한 '위로'와 같으며, 시민작가의 창작 본질과도 연관된다. 그들은 글을 써서 돈을 벌었을 뿐만 아니라, 시민의 일상에 읽을거리를 제공하고, 독서하며 휴식하는 동안 현대의 평온함과 여유로운 삶에 대한 희망을 갖게 했다. 가령 평온하지 않으면 더욱 문학에 의지해 횡포한 무리들을 제거하고 백성을 평안케 하는 상상을 하고, 양신과 충복의 선한 힘을 과장하여 스스로를 위로함으로 마음의 평안을 얻게 했다. 시민 가운데 대다수가 이런 사람들이었다. 바로 이들이 원앙호접파 문학 독자의 근간이 되었다.

'5·4' 이후 장한수_{張恨水}의 『춘명외사_{春明外史}』 발표 전까지를 현대시민문학 단계로 본다면, 그것의 시민사회와 시민 자신에 대한 인식이 상해와 북경, 이 가장 대표적인 두 중국 현대도시의 시민 생활을 반영하는 것에 있음은 아주 의미가 있다.

손옥성_{孫玉聲, 필명: 해상수석생(海上漱石生)}의 『해상번화몽_{海上繁華夢}』의 전통을 이어서, 상해에서 벌어지는 인간사를 다루면서 다른 한 편으로는 만화경 같은 렌즈를 이용해 상해 도시의 번화한 정경을 집중적으로 묘사하는 것이 이 시기 상해 시민소설의 특색이 되었다. 이 가운데 다음과 같은 작품들이 비교적 영향력이 있었다. 주수국_{朱瘦菊, 필명: 해상설몽인(海上說夢人)}이 1916년부터 『신신보_{新申報}』에 연재한 『황포강의 물결_{歇浦潮}』은 5년간 연재된 뒤 1921년 단행본으로 출판되었고, 필의홍_{畢倚虹, 필명: 사파생(娑婆生), 1892~1926}이 1922년부터 1924년까지 『신보·자유담』에 연재한 『인간지옥_{人間地獄}』은 필의홍이 60회까지 쓰고 35세에 요절하자, 친구인 포천소_{包天笑}가 뒤를 이어 20회분을 써서 완성하였다. 강홍초_{江紅蕉}는 1922~1923년까지 『주간_{星期}』에 『교역소 현형기_{交易所現形記}』를 연재했고, 포천소가 1924년부터 1926년까지 신문에 연재한 『상해 춘추_{上海春秋}』는 1927년에 대동서국_{大東書局}에서 80회 전권_{1924년 제1집 출판}으로 출판되었다. 또 평금아_{平襟亞,}

_{필명: 망주생(網朱生)}가 1927년 신춘서사_{新春書社}에서 출판한 『인해조_{人海潮}』도 있다. 이러한 작품들은 상해를 다룰 때 대부분 상해 자전의 느낌을 띠었다. 한 도시가 '사람의 자전'처럼 1부 및 다부작 소설이 될 수 있는 경우는 지금껏 아주 드물었다. 만청시기의 『해상화열전_{海上花列傳}』이나 『얼해화_{孽海花}』도 마찬가지로, 이야기가 전체 상해에서 벌어지든 아니면 일부만 벌어지든 간에 상해는 '배경'일 뿐이었다. 상술한 소설들은 어느 정도 이야기의 연관성은 있기는 하지만, 늘 플롯에서 벗어나, 상해의 의식

■ 주수국(해상설몽인)의 『황포강의 물결 (歇浦潮)』

주 및 교통과 오락문화를 묘사하거나 온갖 사기와 협잡 행각을 들추어내어, 이 화려한 세상에 대한 느낌을 묘사하였다. 이러한 느낌은 통상적으로 하나의 문제, 즉 현대 도시란 무엇인가와 상해란 무엇인가에 대한 대답이었다.

포천소$_{1876\sim1973}$는 『상해 춘추』의 저작 의도를 설명할 때 이 점을 언급했다.

> "도시란 문명의 못이자 죄악의 늪이다. 한 나라의 문화라는 것은 반드시 도시에 있다. 각종 기괴하고 요상한 사건들 역시 유독 도시에서 일어나고 횡행한다. 상해는 우리나라의 제1도시이다. 내가 상해에 거주한 지는 20년이 되어간다. 상해 사회 상황에 대해 조금 알게 되면서, 손이 가는 대로 수집하여 소설로 편집하고, 『상해 춘추』라는 제목으로 신문에 매일 실었다. 그것이 쌓이고 오래되니 편폭이 상당히 풍부해졌다. 친구가 단행본으로 낼 것을 권하여, 장을 나누고 목차를 만들어 새롭게 책으로 내게 되었다. 제1권이 이미 인쇄가 완료되었기에 한 마디 덧붙인다. 이 책의 취지는 근 10년 동안의 중국 도시 사회 상황을 묘사한 것이며, 중국 최대 시장 상해를 그 대표로 삼았을 뿐, 다른 큰 의미는 없다." [3]

■ 청년 시절의 포천소
■ 포천소의 『천영루 회의록(釧影樓回憶錄)』, 만청, 민국 시기의 상해 시민들의 일상생활 자료를 매우 풍부히 보존하고 있다.

'중국 제1의 도시, 중국 최대의 시장'을 대상으로 하여, 그것이 나타내는 문화를 표현하면서 그 속의 어두운 면을 폭로하고자 시도한 것이 바로 포천소가 말한 글쓰기의 요지이다. 그러나 사실 도시를 '문명의 심연'이라고 표현하는 것은 그다지 맞지 않다. 오히려 도시를 '죄악의 늪'이라 하는 것이 솔직한 표현일 것이다. 게다가 상해의 죄악은 필설로 다 표현할 수 없을 정도라는 것은 분명하다. 근대 이후 상해 주변 지역에 사람들이 부단히 몰려들었는데, 그들은 상해를 떠돌며 일확천금을 꿈꾸느라 지칠 줄 몰랐고 실패도 두려워하지 않았다. 그래서 이 소설들의 형식은 대부분 '시골 사람들이 도시에서 겪는 불행한 경험'으로 시작된다. 이러한 서술체는 이미 『해상화열전$_{海上花列傳}$』에서 시작된 것이다. 『

해상화』제1회 "조박재趙樸齋, 함과거리鹹瓜街 삼촌을 방문하다"는, 시골에서 상해로 연이어 올라온 조박재 남매가 기방과 관련되면서 벌어지는 사건을 소설의 발단으로 삼았다. 『상해 춘추』 또한 소주蘇州 탕구蕩口라는 시골 출신의 아가씨가 상해에 와서 기녀가 되는 것으로 이야기를 시작하였다 소설 단행본에는 장을 추가해서, 제1회에 "돈을 벌기 위해 가난한 처녀가 몸을 던지다" 라는 구절을 넣었다. 『인간지옥』의 첫머리에는 '아미阿美'라는 여자가 항저우에서 상해로 올라와 출세하고자 한다는 내용을 적고 있다. 그리고 『인해조』에서는, 앞쪽 10회분에 소주蘇州 시골을 쓰고 있고, 11회가 되어서야 소주 사람이 어떻게 상해에 들어와 사람들의 물결에 휩쓸리게 되는지를 서술하고 있다. 이러한 '유랑자, 떠돌이'에 대한 서술 전개는 한편 사실寫實이라서, 사람들은 소북蘇北·소남蘇南·절북浙北, 심지어 광동廣東의 이민이 이 대도시로 모여들어 삶을 꾸린 결과 상해가 형성되었다고 보았다. 다른 한 편으로 이것은 상해를 짜깁기 방식으로 둘러보는 가장 편리한 서술방식이다.

시골 사람 또는 주변 소도시 사람들이 대도시에 들어온 뒤, 그들이 본 상해는 그것의 죄악과 위험성에 치중되었다. 이것이 농업사회 사람들의 현대 대도시에 대한 첫인상이자 총체적인 인상이었다. 오늘날 농민공이 도시로 대거 유입되고 있는데, 그들 대부분은 도시에 대해 원한이라는 시선을 가지고 있다. 상해에서 일어나는 죄악의 면면은 이러한 소설들의 공통적인 스타일로, 이 때 시작된 것이 아니라 이미 만청 시기에 만연했었다. 도시에서의 성공은 모두 '모험'에 있었다. 예를 들어 『황포강의 물결歇浦潮』속의 주요인물인 전여해錢如海는 가짜약을 팔아 집안을 일으켰고, 훗날 보험회사를 열

■ 상해 초기 성 변두리의 이주민. 대량의 이민자가 유입되어 생활하면서 이 도시에 특수한 문화 환경을 가져다주었다.

어 한 일이라고는 모두 안전하지 않는 일들이었다. 『교역소현형기交易所現形記』
는 당연히 공매매하는 투기꾼들에 대해 묘사한 것이다. 『인해조』·『상해 춘
추』 속에는 상업계·화류계·출판계·예술계의 각종 흑막으로 가득 차 있다.
도시에서 성공하지 못한 사람이나 실패한 사람은 사기를 당하거나 타락하였
다. 장사하려고 돈을 빌리는 것에도 물론 각종 크고 작은 사기가 만연하였
다. 유흥에 돈을 쓰는데, 즉 먹고 마시고 기생질에 도박이나 사교 같은 것을
가까이 할 때마다 함정으로 가득했다. 기방 안에서 어쩌다 진실한 사람을 만
나기도 한다. 예를 들면 『인간지옥』이 표현한 기녀에 대한 찬사와 동정은
어디까지나 드문 일이었고, 대부분은 사기 사건을 묘사하였다. 조계지에서
일어나는 사기는 문명을 위장하고 있었고, 그 행위는 비열하고 저질적이었
다. 『황포강의 물결』에 묘사된 조계지 변호사의 법률계의 내막은 정말 기
가 막힐 정도였으며, 문명극文明戱의 주요 내용은 바로 문명극 배우가 사람들
에게 사기를 당하는 동시에 또 다른 사람을 속이는 것이었다. 타락은 사람들
의 눈을 현혹시키는 서술방식으로 드러났는데, 이것은 또한 농업사회의 사
람들이 처음 상공업 사회로 진입한 후 지니게 된 보편적 심리이자 물질문명
이 가져 온 부작용으로, 시민들은 원망하면서 즐기기도 했다. 다음의 비평은
『황포강의 물결』에서 서술된 젊은 남녀가 상해 신무대 문명극을 관람하고
극장에서 자유롭게 사귀면서 표현한 당시 사교연애에 대한 자유로운 시각으
로, 시민소설가들의 일상적인 말투와 윤리관을 드러낸 것이라 할 수 있다.

"여러분께서는 중국이 서양으로부터 문화의 발전을 배운 이래, 남녀 사이에
경계가 자유라는 두 글자로 깨끗이 타파되었음을 아셔야 합니다. 예로부터 여자
가 남자를 만나면 무엇이 그리 부끄러운지 고개를 들지 못하는 악습이 있었습니
다. 사실 다 같은 사람이고, 곰보에다 머리에 피부병이 있어 남자에게 웃음거리
가 되는 것도 아닌데, 어째서 부끄러워해야 합니까? 개혁 이래로, 이러한 악습은
없어졌습니다. 남자는 여자를 마음대로 바라볼 수 있고, 여자 또한 남자를 마음
껏 볼 수 있으니, 즐거운 일이라 하지 않을 수 없습니다. 그러나 이는 보통 남녀
에 관한 이야기입니다. 학계에 속한 사람들에 대해 말하자면, 문명을 많이 주입

한데다가, 자유가 점점 빨리 진화되어, 종종 전혀 알지 못하는 남녀가 인사하고
난 뒤 바로 묘한 의론을 주고받기도 합니다. 또 수많은 군중들이 똑똑히 보고 있
는 데도 꺼리지 않습니다. 심지어는 한 해쯤 지나면 작은 문명의 결과물을 내놓기
도 합니다. 이 또한 사물의 발전이 극에 달하면 반전하는 것처럼, 문명이 극에 달
하니 야만적인 성질도 약간 띠는 것입니다. 소위 만물의 이치가 순환하는 것은,
자연의 오묘한 작용입니다." [4]

'원망하면서도 즐기는' 맛이 과하지 않은가? 시민작가들이 현대문명을
반대한다고 말한다면, '반대'라는 두 글자는 좀 과하다. 그러나 신문학자들
이 '노라가 집을 나간 것'을 찬양하면서도 또 '노라가 집을 나간 뒤 어떠했
는가'의 의식을 토론하는 것에는 차이가 있으면서도 또한 사실이기도 하다.
이것은 전형적인 시민의식이다. 이러한 의식의 영향을 받아 시민소설이 어
떤 '백일몽'에 희망을 걸지는 다분히 상상할 만하다. 보험·주식·도박·타
인을 도와 소송하는 것은 모두 돈을 벌 수 있지만 온당함이 필요하다. 연극
을 보고 기생질 하고 여자를 사랑하는 것은 즐겁기는 하지만 피해를 당해서
는 안 된다. 일을 해 나가는 데에는 '사물의 발전이 극에 달할' 가능성이 있
지만, 소설을 읽고 위로를 얻는 것은 무방하다. 시민들의 사회소설이나 연애
소설은 상해에서 생존하고, 애증을 배울 수 있는 시민생활 교과서다! 이익을
쫓고 해를 피하는 것이 그것의 사회적 기능이다.

■ 20세기 초의 상해 수영장은 이미 남녀가 함께 수영할 수 있도록 개방되었으나, 복식에 있어서 남자도 상의를 착용
하고 있어서 남녀 구별이 힘들다.
■ 민국 이후 대도시 남녀의 사교는 공개적이었으며, 그 중 춤추는 것이 통상적 방식이었다.

그러나 후세의 독자 입장에서 볼 때, 민국초기 상해에서 벌어지는 인생의 악한 모습을 묘사한 이런 소설은 민속사적이나 사회사적으로 '살아있는 화석'의 효과를 가지고 있다. 하지안夏志安이 미국의 한 전기철물점에서 한 무더기의 구소설을 우연히 발견한 뒤 쓴 감상은 사람들에게 널리 인용되곤 하는데, 그 내용은 다음과 같다.

> "『황포강의 물결』을 본 뒤 '세상에는 좋은 게 이루 다 말할 수 없이 많다'고 생각했다. 포천소의 『상해 춘추』를 읽으면서는 탄복해 마지않을 수 없었다. 안타깝게도 포천소의 작품을 어디서 빌릴 수 있는지를 몰라서 60회까지밖에 보지 못했다. 정말 글을 한 편 써서 그 상해 소설들에 대해 토론하고 싶다." 5)

이는 곧 하지청이 앞서 언급했던 원앙호접파 소설이 "귀한 사회적 자료를 제공할 수 있다."는 단언이며, 매우 정확한 표현이라 할 수 있다.

이러한 시민소설은 민국초기 문인의 자기체험으로, 그들의 일상생활이 녹아들어 있다. 대부분의 시민작가들은 상해에서 관찰하여 얻은 것들을 자신의 삶과 연결시켜 작품을 써냈다. 평금아平襟亞는 가난한 집에서 태어나, 글을 팔아 생계를 잇다가 상해에서 명성이 높은 출판인으로 성공했다. 그는 『인해조』를 썼는데, 상해 지역의 도서신문출판업 · 문단 · 예술계에 대해 아주 잘 알고 있었다. 필의홍은 어린 시절 아버지가 그를 위해 관직을 사주었고, 훗날 아버지의 뜻에 따라 정계에 들어갔지만 아버지의 빚으로 인해 소송을 당해 감옥살이를 한 적이 있으며, 변호사 간판을 단 적도 있고, 기녀와 깊은 사랑에 빠지기도 했다. 그래서 『인간지옥』을 쓸 때 견문이 해박하였다. 그 외에 주수국 · 포천소 등의 삶도 마찬가지이다. 시민계층과 상통하는 '상해 조계지 문사'의 시각은 이 소설들의 출발점이 되었다. 『인간지옥』과 같은 이러한 글쓰기처럼, 모두 서로 잘 아는 문인과 기녀의 관계들을 책으로 가져와 중심 플롯으로 삼았다. 『얼해화』처럼 그렇게 상세히 조사 연구할 필요가 없다. 책 속의 가련손柯蓮蓀이 필의홍이고, 요소추姚嘯秋는 포천소, 스님 현만상인玄曼上人은 소만수蘇曼殊, 화아봉華雅鳳은 엽소봉葉小鳳, 예추창(葉楚傖), 조서오趙棲梧는 요원추_{姚鵷雛} 등임을 알 수 있다. 소설 속에서 가련 손이 현만상인을 통해 알게 된 기예를 파는 여자 추파_{秋波}를 알게 되는 장면과 현만상인의 죽음은 거의 사실을 기록한 것이다. 민국시기 유명 인사의 모습을 상해 조계지에 넣어 일련의 시민 작품이 된 것이다. 그리고 '실록'은 이러한 소설의 '현지 뉴스'에 의지하는 식의 글쓰기 방식이다. 많은 시민소설가들은 모두 신문업을 겸업하였다. 그들은 외근기자로 일하면서 신문업이 발달한 상해탄을 누비면서 뉴스거리를 찾아 다녔다. 포천소는 다행히도 오견인_{吳趼人, 옥요(沃堯)}이 직

■ 민국 초기 금방 변발을 자른 상해 시민이 조계지에서 서양 음식을 먹는 데 열중하고 있다.

접 전수해준 소설 쓰기 방법을 얻었다고 한다. 그는 "나는 월월소설사_{月月小說社}에서 『이십년목도지괴현상_{二十年目睹之怪現象}』을 쓴 오옥요를 알게 되었다. 나는 그에게 가르침을 청한 적이 있다. _{그는 내게 노트 한 권을 보여주었는데, 그 속에는 신문에 실렸던 뉴스 기사가 가득 붙어있었고, 친구가 말해준 것을 적은 필기도 있었다. 그는 이 모든 게 소재이며, 그것을 엮으면 된다고 했다.}"[6]라고 하였다. 그리고 『상해 춘추』를 쓸 때 포천소는 『시보_{時報}』 지방신문을 파헤쳐 모은 자료를 가지고 사실을 엮는 방식으로 소설을 썼다. 이러한 뉴스 소설은 허구성이 희박하고, 사료적 성질이 강하다. 문학적 가치의 일부는 역사적 가치에 의존하는 것으로 지탱된다. 이 점은 중국소설의 역사 전기 시스템을 직접 계승한 것이다.

아마도 민국시기 상해를 묘사한 시민소설에 눌린 것 같지만, 북경을 묘사한 몇몇 작품들도 대단히 뛰어났다. 대략 장한수의 등장과 『춘명외사_{春明外史}』와 『금분세가_{金粉世家}』가 나오기까지를 기다려야 한다. 남방 사람이 북쪽의 큰 도시를 묘사해내었으니, 이것이야 말로 충분히 아름다움을 견줄 수 있는 북경을 표현한 현대시민문학이라고 말할 수 있다. 지금 예로 들 수 있는 소설로는 1921년 초판 된 엽소풍의 『수도는 이러하다_{如此京華}』가 있고, 이 시기 『반월_{半月}』에 2년 가까이 연재되었던 하해명의 『십장경천_{十丈京塵}』도 있다.

■ 하해명의 『십장경천(十丈京塵)』 수기원고는 상당히 정교하다. 이 소설의 전용 원고지를 주의해서 보시오.

장한수[1895~1967]가 진정으로 세간의 주목을 끈 것은 『춘명외사』 이후의 일이다. 『춘명외사』는 1924년부터 북경의 『세계만보[世界晚報]』의 부록란인 '야광[夜光]'에 1929년까지 연재되었던 작품이다. 우리는 잠시 이 작품을 '5·4' 시민소설이 1930년대로 진입한 상징적 작품으로 보도록 하자. 상해라는 굴기한 현대 상업도시를 표현한 것과 달리 이 소설들은 북경이 어떤 현대 도시인가를 응답할 때 소리 높여 말하지 않았다. 북경은 이 소설 속에서 정치적 암투가 끊이지 않았던 곳이자 영광스런 과거를 지녔던 곳으로, 지금은 몰락하고 타락하고 부패하고 있지만 그 틀은 여전히 무너지지 않은 도시였다. 『수도는 이러하다』는 방대[方大] 대장군[원세개(袁世凱)를 암시]의 공관을 주요 사건 배경으로 하여 북경 전체를 관리를 팔고 사는 장소로 묘사하였다. 『십장경천[十丈京塵]』은 실의에 빠진 정객과 기녀의 사랑을 주요 플롯으로 하여, 남방 관리의 북경 정계 입성의 부침을 꿰어 넣었다. 이 소설들은 모두 『춘명외사』가 주로 인물간의 감정을 주요 내용으로 다룬 것과 달리 관리사회를 전면적으로 다루었다. 관리사회는 곧 북경이고, 북경이 바로 관리사회였다. 장한수와 신문학의 노사[老舍]가 등장하기 전까지, 북경의 시민소설은 호동[胡同, 후통, 골목] 속 평민의 다채로운 삶을 보지 못했다. 기생집마저도 관리사회, 그것도 고급관리사회[소위 '국무원 결재실/사무실']였는데 이는 무엇이 북경인지를 가장 잘 설명해 주었다. 『수도는 이러하다』는 아랫사람의 눈으로 기방의 장부를 풍자했는데, 매우 간결하면서도 생동감이 넘쳤다.

"첫줄이 모 왕작(王爵)이 기생을 부른 것으로 시작되고, 이어서 모 참모총장, 모 도독이니, 전부 대단한 부호들이어서, 나도 모르게 자꾸만 정신을 놓은 채 보고 있었다. 이렇게 큰 집에 이 국무원의 서명부가 있을 줄은 생각지도 못했다." [7]

소설 속에서 한 기녀가 다른 사람이 그녀가 '국가대사'를 모른다고 말하는 것을 반박하는 장면은 기방이 어떻게 순식간에 관리사회로 변할 수 있는 것인지 조롱하는 것이며, 매우 생동감이 있어 진짜와 같았다.

"됐어, 국가를 대신해 일하는 사람이 기방을 사무실로 삼질 않나? 그저께 그 무슨 비서장이 내 손님으로 왔는데, 말이 전부 내각대신, 외각대신이더라고. 그 사람들 얘기를 듣는데, 요리가 오기도 전에, 무슨 내무총장 외무총장 일을 다 협의한 거 있지. 내가 나중에 신발 끈이 풀려서 그 비서장에게 묶어 달라 했더니 한참이 지나도 잘 묶지 못하더라. 당신들의 그 국가대사라는 거는 체면치레 말일 뿐이야. 어디 신발 끈 묶는 번거로움에 비할 수 있겠니." [8]

이는 관료사회에 대한 시민의 조소이자, 또한 마치 관료사회와 같은 기방의 현란함을 꿰뚫고 있는 순수한 시민의식이다. 소설의 필력은 앞서 서술한 상해 소설처럼 폭로에 놓고 있는데, 각 방면에서 북경 속에 섞여 들어간 일부 상류층 인사들의 일확천금을 노리는 모험성과 사기성을 전시하기 위함이다. 『십장경천十丈京塵』에 나오는 도박으로 집안을 일으켜 관리가 되는 지름길을 걷는 학소역郝筱譯, 매주 북경·천진을 기차로 오가며 1등칸에서 부자들을 사귀어 관직운이 트이는 공제천貢濟川, 별명 '토요일', 사기 치고 세상을 속이려 날뛰는 전표경全豹卿 등이 있다. 북경과 상해가 다른 점은 도시문화의 뿌리와 현대화 과정의 차이에 있다. 그러나 이렇게 북경을 묘사한 시민소설은 일화를 집어넣기를 좋아했으며, 과거 백일몽 세계를 회상하는 것으로 넘쳐났고, 만청시기에서 민국으로 교체되는 시기의 특수한 색채가 반짝거리고 있었다.

무협은 도시를 표현하지 않는 것처럼 보이지만, 사실 소위 무협세계는 바로 시장이며, 시장은 도시의 근거지이다. 이곳은 특별한 장소로, 흑백의 힘

■ 무협소설의 대가 평강불초생(향개연)의 초상
■ 평강불초생의 대표작 『강호기협전(江湖奇俠傳)』 초판 표지. 이 작품으로 그는 민국무협 창시자의 위치를 다지게 된다.

이 뒤섞여 구별할 수 없고, 성실한 평민과 악질 토호·건달이 모두 있어서, 상류층의 다툼과 하층민의 억압에 대한 반항이 동시에 발생한다. 그래서 정의의 '협객'은 인간의 평등을 추구하고, 시민의 불평등함을 완화하여 환상과 실제가 뒤섞인 강호 사회를 건설한다. 민국 시기 이후의 무협소설은 새로운 건설의 시기로 들어섰다. 소위 '남향북조南向北趙'에서 '향'은 『강호기협전江湖奇俠傳』을 쓴 평강불초생平江不肖生, 향개연(向愷然)으로, 이 작품은 1923년부터 잡지 『홍紅』에 연재되었으며 일부는 조초광趙苕狂이 보충해 연이어 썼다. 1925년 세계서국이 단행본으로 출판하기 시작하였으며, 1929년에 11권이 완간되었다. '조趙'는 『기협정충전전奇俠精忠全傳』을 발표한 조환정趙煥亭을 가리킨다. 이 소설은 1923년부터 1927년 사이 익신서사益新書社가 총 8권으로 완간했으며, 총 135만 자에 이른다. 『기협정충전전』은 작품이 우수하고 방대하지만, 청대의 공안협의소설사건재판의협소설의 상투성을 벗어나지 못했다. 소설 속의 양씨 형제 등의 협객은 충효를 다하고, 조정 대신들의 통치를 기꺼이 받아들였다. 『강호기협전』은 호남평강湖南平江·류양瀏陽의 농민들이 경계 쟁탈을 두고 발생한 무장 충돌을 배경으로, 곤륜파·공동파 검객들의 영웅 쟁탈전을 가져왔다. 그 속에서 무협은, 춤추듯 검·도·봉·권을 움직이는 무사가 검빛을 삼켰다 뱉었다 하고 하늘로 솟았다 땅으로 꺼지는 신출귀몰한 존재로 변했으며, 상상력이 더욱 풍부해졌다. 또한 민속 및 민간전설을 활용하여 생동감이 넘쳤다. 협객은 더는 청나라 관리의 충복노릇을 하거나 범인이나 잡아주는 부하 노릇을 하지도 않았다. 이렇게 『강호기협전』은 공안소설의 틀에서 벗어나 협객의 독립적 지위를 개척했으며, 평강불초생을 민국 무협소설의 초석을 놓은 작가로 만들었다. 훗날 환주루주還珠樓主·김용金庸 모두 그의 공헌을 인정했다. 마찬가지로 공안소설의 옛 형식을 벗어난 작품으로 요애민이 1926년부터 1928년까지 『붉은 장미紅玫瑰』에 연재했던 연환무협소설 『남북십대기협전南北師大奇俠傳』이란 것이 있다. 강호를 허구로, 회당을 실제로 하여 강호회당소설의 선례를 열었으며 민간의 기운으로 가득 찬 회당을 묘사했다. 무협소설의 서술 방식은 평등치 않으면 투쟁하고, 정의가 반드시 사악함을 제압하며, 원수는 서로 보복하는 등 끝이 없었다. 그러나 많은 시민들은 불평등함과 원망을 토로할 곳이 없는 상황 속에 처해 있었기 때문에 무협을 읽으면서 통쾌함에 젖어들었고, 심리적으로 커다란 위안을 얻었다. 때문에 무협소설은 오랫동안 대중 독자들의 사랑을 받았다.

지금은 오로지 장한수의 등장만을 기다린다. 수많은 시민계층이 신식학당에서 배출해낸 신형독자가 생겨, '5·4'문학 애호가 무리 가운데 신시민문학과 해파문학의 '길로 뛰어드는下海' 사람들이 생겨났고, 그때에 새로운 현대시민문학의 시대가 도래하게 되었다.

각주

1) 하해명, 『행복재 주인에게 소설을 판다면(求幸福齋主人賣小說的話)』, 1922년 1월 『반달(半月)』 1권 10호
2) 하지청, 『중국현대소설사(中國現代小說史)』 제1장 문학혁명, 역자 유초명(劉鉊銘), 상해, 복단대학출판사 2005년, 19~20쪽
3) 포천소, 『상해춘추』 "덧붙이는 말", 상해고적출판사(上海古籍出版社), 1991년, 3쪽
4) 해상설몽인(주수국), 『황포강의 물결』 상권, 상해고적출판사, 1991년판, 187쪽
5) 하지청의 『하제안의 중국통속문학에 대한 견해(夏濟安對中國俗文學的看法)』에서 인용, 『사랑.사회.소설(愛情.社會.小說)』, 타이베이 순문학출판사, 1970년
6) 포천소, 『천영루의 회고록·잡지 편집의 시작(釧影樓的回憶錄.編輯雜志之始)』, 홍콩 대화출판사, 1971년, 357쪽
7) 인용: 범백군 주편, 『중국근현대통속문학사(中國近現代通俗文學史)』, 강소 교육출판사, 2000년, 365쪽
8) 인용: 범백군 주편, 『중국근현대통속문학사(中國近現代通俗文學史)』, 강소 교육출판사, 2000년, 366~367쪽

다
원
공
생

제3장

제20절

남하의 길: 문학 중심의 회귀

1926년 8월, 노신이 남하의 여정을 시작한 것은 하나의 신호였다. 북방의 '신문화진영'은 이미 분열되었고, 북경은 '5·4' 문학혁명의 발원지이자 전국문학의 중심지라는 지위를 잃어버릴 처지에 있었다.

노신을 전후로 북경을 떠나는 문인들이 증가하였다. 그 원인은 단기서_{段祺瑞} 북양정부가 고압적 통치를 강화하고, 문화금지령이 더욱 엄격해지면서 자유가 나날이 줄어들었다는데 있다. '3·18' 참사 발생과 류화진_{劉和珍}의 희생 뒤, 당시 문화교육계 50여 명의 지명 수배 명단이 신문에 게재되었으며, 그 속에는 노신과 임어당_{옥당(玉堂)}이 모두 포함되어 있었다. 노신은 성_城 내의 망원사_{莽原社}·야마모토 의원·독일 의원과 프랑스 의원 등 여러 곳으로 피난을 다녔으며, 생명을 보장할 수 없는 상황이었다. 첫째, 남쪽에서 북벌 전화가 이미 불타올라, 수많은 진보 문학가들이 온 몸으로 전장을 향해 갔다. 예를 들어 그해 3

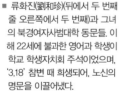

■ 류화진(劉和珍)(뒤에서 두 번째 줄 오른쪽에서 두 번째)과 그녀의 북경여자사범대학 동문들. 이 해 22세에 불과한 영어과 학생이 학교 학생자치회 주석이었으며, '3.18' 참변 때 희생되어, 노신의 명문을 이끌어냈다.

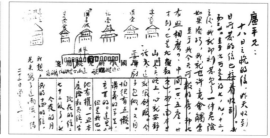

■ 1926년 9월 초 노신이 하문에 도착한 뒤 바로 '하문대학전경' 엽서를 이미 광주로 간 허광평에게 부쳤는데,
엽서에는 생물관의 위치가 설명되어 있다.
■ 노신이 허광평에게 쓴 편지에 하문대학의 거주 및 업무 환경 그림을 손으로 그려 넣었다.

월, 창조사의 곽말약郭沫若·욱달부郁達夫·성방오成仿吾·정백기鄭伯奇·왕독청王
獨清·목목천穆木天은 병력을 총동원하여 광저우로 갔다. 곽말약은 붓을 꺾고
북벌 전쟁에 참가하여, 국민혁명군의 총정치부 부주임을 맡았다. 종군 열
정이 그렇게 뜨겁지는 않았던 욱달부는 연말에 광저우에서 상해로 돌아왔는
데, 아마도 상해가 바로 문학가가 운신할 수 있는 곳이라고 여겼던 듯하다.
그러나 노신이 떠난 것은 절대로 개인의 문제로 볼 수 없다. 수배명단이 공
개된 뒤, 임어당은 한 발 먼저 북경을 떠나 하문대학의 문학원 원장으로 초
빙되었다. 이에 노신도 교편을 잡기로 한다. 『경보京報』가 폐쇄되자, 경보 부
록란을 편집했던 노신의 학생 손복원孫伏原도 하문으로 떠났다. 노신이 하문대
학에 도착하던 날 임어당·손복원 등이 그를 기다리고 있었고, 노신은 생물
학원에서 잠시 머물렀다. 이것이 어사사語絲社 사람들의 남하의 시작으로, 후
에 모두 상해로 모여들게 된다. 당시 노신이 북경을 떠난 것이 북방문단에
커다란 공백을 만들었음을 이해하고자 한다면, 훗날 중요한 좌익청년작가가
되는 두 사람을 예로 들 수 있다. 한 사람은 장천익張天翼으로, 1926년 여름이
바로 그가 남쪽에서 북경대학에 예비 입학한 때였다. 그러나 마음속 인도자
였던 노신이 떠나자 그는 "북경대학에서도 배우고 싶은 것을 배울 수 없다."
고 생각했다.[1] 1년 뒤 퇴학하고 항주로 돌아갔지만, 장천익은 결코 노신에
대한 열망을 접지 않았다. 그는 1928년 연말 상해에 있던 노신에게 가르침
을 청하는 편지를 보냈다. 그들이 가장 처음 서신을 교환하기 시작한 정확한

시간은 바로 1929년 1월 24일이었다. 노신 일기에 회신에 대한 그날의 기록이 남아 있었다. 재미있는 것이 또 하나 있다. 사정(沙汀)도 1926년 여름 성도(成都)에서 성립 제1사범학교를 졸업했다. 그도 멀고 긴 여정을 거쳐 북경으로 공부하러 왔지만, 안타깝게도 시험기간이 이미 지나버렸다. 원래는 북경대학에서 청강을 하려 했으나, 노신의 수업이 없어졌음을 알고, 10월에 우울하게 사천으로 돌아간다. 1930년이 되자, 사정은 상해중화예술대학의 교실 안에 조용히 앉아서 노신의 강연에 귀 기울이고 있었다. 이 두 사람은 짧은 시간 안에 노신과 문학적으로 친밀한 관계를 형성한 열혈청년들이다. 만일 노신이 여전히 북경에 있었더라면 이러한 청년들 여럿을 그의 주위로 끌어들였을 것이라고 본다.

광주 중산대학에서 노신은 '4·12'정변의 혼란을 경험했다. 1927년 10월, 그는 광주를 떠나기로 단호히 결정하고 허광평(許廣平)과 함께 상해로 가는 배에 올랐다. 이후 노신은 다시는 상해를 떠난 적이 없었다. 같은 해, 『어사(語絲)』잡지가 이어서 남하했다. 12월, 『어사』 4권 1기는 상해 출판으로 바뀌었다. 당시의 상황을 노신은 다음과 같이 기억했다.

> "『어사』는 북경에서 단기서 및 그 일당에게 갈가리 찢길 위기에서 벗어났지만, 결국 '장대(張大) 원수'에 의해 금지 당했다. 발행을 맡았던 북신서국(北新書局) 또한 같은 시기에 폐쇄 당했는데, 그때가 바로 1927년이었다.
>
> 그 해 소봉(小峰)이 상해의 내 거처로 와서, 『어사』를 상해에서 인쇄 발행할 것을 제의하면서, 내게 편집장을 맡아줄 것을 부탁했다. 관계로 보자면, 난 부탁을 거절해서는 안 되는 입장이었다. 그래서 맡았다." [2]

'소봉'은 바로 이소봉(李小峰)을 가리키는데, 그는 『어사』의 구성원이자 북신서국(北新書局)의 주인이었다. 이른바 '관계'란 바로 이 서국과 '5·4' 신문학의 관계이며, 또한 노신과의 관계도 포함된다. '5·4' 신문학의 중심은 북경이었지만 문학연구회 작가의 책은 상무인서관에서, 창조사의 책은 태동서국(泰東書局)에서 출판되는 등 대부분의 신문학서적들이 상해에서 출판되었다. 유명한 출판사가 북경 근처에서 신문학작품을 출판했다 한다면, 그게 바로 '북신'이었다. 노신의 『눌함吶喊』·『방황彷徨』·『열풍熱風』·『삼한집三閑集』·『위자유서僞自由書』·『화개집華蓋集』·『화개집속편華蓋集續篇』·『이이집而已集』, 빙심冰心의 『어린 독자에게 부침寄小讀者』, 장광자蔣光慈의 『둘러싼 구름을 뚫고 나간 달沖出雲圍的月亮』 등이 모두 북신서국에서 출판된 것만 보더라도, 이 크지도 작지도 않은 문예서국의 무게감을 느낄 수 있다. 이소봉은 일찍이 상해가 만청문학의 중심이었던 위치로 회귀할 것이라는 것을 알았다. 그는 시기를 앞당겨 상해에 북신서국을 설립한 뒤, '낙타총서駱駝叢書'를 출판하고, 잡지 『북신北新』을 창간하는 등 바쁘게 움직였다. 이제 아예 본점을 적시에 상해로 이전함으로써처음에는 보산로 보산리(寶山路寶山裏)에 있었으며, 나중에는 복주로(福州路) 산동로(山東路) 입구의 예풍태(豫豐泰) 주점 위층으로 이전, '북신'의 남하여정을 완성했다.

노신이 하문대학을 떠난 이유 가운데 하나는 '현대평론'파의 사람들이 이 학교로 모여들고 있음을 느꼈기 때문이다. 이러한 움직임은 북경 신문학 진영의 전면적인 해체 과정을 반영하기도 했다. 『현대평론現代評論』파는 훗날 『신월新月』파와 혈연관계를 갖게 된다. 대부분의 구성원은 구미에서 유학했던 교수로 구성되었으며, 핵심인물로는 호적胡適 『서지마徐志摩』·진서형陳西瀅, 진원(陳源) 등 몇 사람이다. 1924년 북경에서 창간된 주간 『현대평론』은 전반 138기까지는 북경대학출판부에서 인쇄했다. 초기 '신월'의 동료들은 북경 석호石虎 호동胡同 7호 송파松坡 도서관에서 활동했는데, 식사모임이나 희극 클럽 혹은 문예 살롱 같았다. 이때가 되자 이 사람들도 연이어 남하했다. 먼저 북벌이 줄줄이 승리하던 즈음, 때맞춰 귀국한 호적은 일본에서 한 달 남짓 관망하며 어디에 정착해야 할지 결정하지 못하고 있었다. 친구들이 계속 호적에게 북경으로는 가지 말 것을 권했는데, 그의 학생인 고힐강顧頡剛의 권유가 가장 큰 영향을 미쳤다. 결국 호적은 상해로 돌아가, 1927년 광화光華대학의 교수 초빙을 수락했고, 1928년 중국공학의 교장을 맡아 상해에 정착했다. 1927년 7월, 주간 『현대평론』이 상해로 이전하여 139기부터 마지막인 209기까지 70기를 출판했다. 그리고 진정한 의미의 '신월'파는 이 시기 상해에서 형성되었다.

> " '3·18' 참변 및 연이은 북벌전쟁 발발 이후, 신월사 회원 가운데 일부는 남하하고 일부는 해외로 나가, 북경의 활동이 잠시 정지되었다. 1927년 호적이 상해에 도착하자, 신월사의 신구 핵심 멤버인 서지마·여상원(餘上沅)·양실추(梁實秋)·요맹간(饒孟侃)·반광단(潘光旦)·문일다(聞一多)·정서림(丁西林) 등은 매우 기뻐하여, 다시금 호적의 주위로 조직을 부흥시켜 '신월'의 빛을 발산했다. 그들은 이어서 신월서점을 만들고 호적을 이사장으로 추대하였으며, 월간 『신월(新月)』과 계간 『시간(詩刊)』도 창간했다. …… " 3)

1927년 봄에 세워진 신월서점과 1928년 창간된 『신월』은 '신월파'가 상해에서 결사를 완성했음을 상징한다. 이 유파의 작가들은 이후 상해의 좌익 문학과 경쟁할 수 있는 역량을 형성한다.

문학연구회 작가의 활동 중심도 일찍이 상해로 옮겨왔다. 그들은 1927년 이후, 창조사 작가들처럼 그렇게 기본적으로 좌익으로 전환하지 않았지만

훗날 좌익과 거의 다른 길을 가던 창조사의 욱달부·엽영봉은 처음에 '좌련'에 참가하기도 했다. 그러나 욱달부는 '비행집회(飛行集會)' 참가를 거절하고, 엽영봉은 '민족주의문예'의 배경을 지닌 간행물에 원고를 써주었다는 이유로 제명당했다, 좌익과 민주파 두 갈래로 나뉘었다. 좌익은 모순(茅盾)으로 대표되고, 민주파는 주로 '입달(立達)'과 '개명(開明)' 작가군으로 이루어졌다. '입달(立達)'과 '개명(開明)'파는 문학연구회의 연속이다. 이곳의 엽성도(葉聖陶)·하개존(夏丐尊)·풍자개(豊子愷)·주자청(朱子淸)·정진탁·광호생(匡互生)·왕백상(王伯祥)·류훈우 등은 이때 '5·4'에서 물러나지도 또 진보적인 길을 가려는 준비도 되지 않았었다. 절강성 상우(上虞) 백마호(百馬湖)의 춘휘(春暉) 중학 시기를 거쳐 상해의 '입달중학, 입달학원' 시기를 거친 뒤, 마지막으로 '개명서점'으로 모여든 편집인들은 마침내 상해에서 특색 있는 작가군을 형성하였다. 1930년, 엽성도는 상무인서관에서 사직하고 '개명' 편역

■ 『신월(新月)』 창간호. '신월파'의 완전한 확립을 상징한다.

소에 가입했다. 이로부터 이 작가군의 창작성과는 세인의 주목을 받게 된다. 그들은 산문을 중심으로 작품 활동을 하면서 소학교·중학교 및 전 사회의 어문교육에 관심을 가졌다. 문학·교육·학술 세 가지를 밀접하게 결부시켜, '개명'만의 꾸밈없이 소박하고 성실하면서도 진솔하고 품위와 깊이가 있는 '품격'을 만들어냈다. 이는 재물을 숭상하는 상해의 허황된 환경 속에서 유달리 눈에 띄게 되었다.

'어사'에서 분화하여 나온 임어당은 1932년 상해에서 『논어_{論語}』를 창간하고, 후에 분위기가 비슷한 『인간세_{人間世}』·『우주풍_{宇宙風}』 등의 유명 잡지를 창간했다. 이로써 '정서, 자아, 한적함'이라는 '유머 문학'의 기치를 들고, 북방의 주작인과 멀리서나마 서로 의기투합하였다. 이는 자연히 좌익과 서로 달랐고, 여전히 '민주파'였으며, 또한 시민문화를 추앙하는 성질을 가지고 있었다. 그를 둘러싼 작가들로는 편집부의 도항덕_{陶亢德}, 훗날 창작성과가 비범했던 서우_{徐訏}가 있으며, 그 외 소순미_{邵洵美}·이청애_{李青崖}·장극표_{章克標} 등처럼 '해파_{海派}'와 겹치는 사람들도 있었다. 임어당이 하문·광주에서 상해로 오면서, 줄곧 노신과 같이 밀접히 동행했음을 볼 수 있다. 『논어』를 출판한 후 노신이 『논어 1년_{論語一年}』이라는 글을 써주기도 하면서, 오랜 친구 관계를 유지하고 있었다 하지만 문예 및 정치적 문제에 있어서는 분명하게 이견을 지니고 있었다. 그러나 '유머'를 '도시세속'에 대한 신문학의 또 다른 소비적 대응으로 삼고_{결코 계몽을 완전히 버린 것은 아니었다}, 시민 독서 시장에 의존하여 적당한 공간을 획득해냈다.

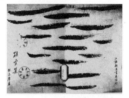

- 신월파의 중간 결산: 진몽가(陳夢家) 편 『신월시선(新月詩選)』
- 1935년 신월 시인 진몽가와 조몽유가 연경대학 서문 안에서 찍은 사진
- 이 또한 신월서점이 출판한 책. 문문일다가 1931년 서지마의 『맹호집(猛虎集)』을 위해 디자인한 표지
- 개명서점은 모순의 『봄누에(春蠶)』 같은 수많은 진보적 서적 및 간행물을 출판한 적이 있다. 1933년 5월 개명서점 초판본

■ 서광평이 짜준 스웨터를 입고 찍은 노신의 이 사진은 상해에 정착한 느낌을 가장 많이 준다.

■ 노신. 서광평이 1927년 10월 상해에 도착한 뒤 친구들과 함께 찍은 첫 번째 사진. 주건인(앞 줄 왼쪽 첫 번째) 이외에 임어당(뒷줄 가운데)과 손복원(뒷줄 오른쪽 첫 번째) 형제도 있다.

혁명의 길을 걷는 작가들이 상해로 모여들었다. 그때 전 세계는 '붉은 30년대'를 맞이하여 사회주의사상이 중국 지식분자 사이에 더욱 확산되었고, '4·12'정변 이후 지하로 들어간 상당수의 좌익 문인들은 어떤 시기보다도 더 상해 조계지로 집중하였다. 후기 창조사는 일본과 혁명전선에서 물러나온 새로운 인원들로 증원되었으며, 1926년 곽말약이 『혁명과 문학革命與文學』을 발표했을 때부터 1928년 성방오가 『문학혁명으로부터 혁명문학까지從文化革命到革命文學』를 발표할 때까지 '혁명문학'이라는 구호를 제창했다. 마찬가지로 이 구호를 고수한 이들로는 1928년 장광자·전행촌錢杏邨·맹초孟超 등으로 조직된 태양사, 이 인원들과 비교적 가까웠던 아문사我們社 등이 있다. 연관된 토론 가운데, 후기창조사와 태양사는 당시 사조의 영향을 받아 중국의 현실을 넘어서는 무산계급문학 건설 임무를 제기했다. '5·4'를 넘어서는 것을 시도하면서 '5·4'를 경시하였고, 노신·모순을 낙오자로 보고 비판을 진행했다. 그러나 노신은 이러한 과정 속에서 중국의 역사와 현실에 주의하여 관찰하고 사유하게 되었다. 세계혁명의 경험과 이론을 학습하고 소련의 초기 문예이론 저작물을 번역하여, '좌익'으로 기우는 과정 속에서 자신만의 독특한 사상과 잡문 창작 방식을 형성했다. 이것은 모두 사상교류가 활발하고 편리한 상해 환경에 의탁한 것으로, 1930년 논쟁의 중지와 '좌익작가'의 각 계파를 연합하는 준비를 마친 것으로 볼 수 있다.

동시에 원앙호접-토요일파는 신문학의 압박 속에서 시민통속문학의 길을 걸었다. 그들의 신문잡지·출판의 근거지는 본래 상해에 있었다. 이 시기 그들은 자신들의 상업적 문학을 '생산'하는 데 더욱 집중했다. 장한수의 출현은 이 유파가 상해에서만 경영하던 전통을 깨버렸다. 장한수는 본래 안휘 출신의 남방 사람으로, 처음에는 남방에서 신문을 발행하였다. 그가 유명해지기 시작한 것은 북경에서 언론인으로 일하면서부터이고, 이어서 북경의 『세계만보_{世界晚報}』·『세계일보_{世界日報}』에 장편 장회체 소설 『춘명외사_{春明外史}』와 『금분세가_{金粉世家}』를 발표한 뒤였다. 재밌는 것은 장한수가 정말 전국적으로 유명해진 것은 1930년 상해 『신문보_{新聞報}』에 『제소인연_{啼笑姻緣}』을 연재할 때였다. 유명 언론인이자 원앙호접파 작가인 엄독학_{嚴獨鶴}이 그의 중개인이었다. 이어서 상해 명성영화공사_{明星影片公司}가 『제소인연』의 원고계약자인 엄독학에게 각색을 요청하고, 호접_{胡蝶}·정소추_{鄭小秋}에게 주연을 맡겨 1932년 동명 영화를 내놓자 전국적인 반향이 일었다. 훗날 여러 차례 영화·희극으로 각색되며 시민계층에게 큰 영향을 주었다. 장한수는 상해에 널리 알려졌으며 중국 내 각 도시로까지 알려지게 되었다.

상해가 다시 새롭게 문학의 중심이 될 수 있었던 것은 작가들의 새로운

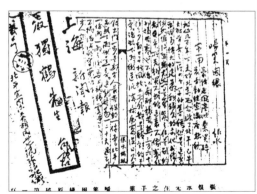

- 『태양월간(太陽月刊)』 창간호
- 장한수 『제소인연(啼笑姻緣)』 원고와 엄독학에게 보낸 편지. 훗날 『신문보(新聞報)』의 '쾌활림(快活林)' 부간에 발표되면서 시민들의 반향을 일으켰다.

움직임과 그들이 그곳에 집결했기 때문인데, 이는 절대 우연이 아니었다. 이후 왕성하게 발전하기 시작한 좌익문학의 입장에서 보자면, 그것은 반드시 상해에 발붙여야 했으며 기타 다른 지방에서는 생겨날 수가 없었다. 1928년 국민당 정부가 수립되면서 난징을 수도로 삼고, 북경을 북평北平으로 고치면서 북경은 정치 중심으로서의 지위를 잃게 되었다. 국민당 정부는 '삼민주의문학'과 '민족주의문예운동'을 보급했다. 그러나 남경 부근의 상해에서 활동하던 '좌익문학'은 오히려 자유로웠고, 보간서국報刊書局의 상업적 이익과 조계지가 보호하는 언론자유의 특수한 위치에 의지해 국민당 문예정책의 압박을 견뎌내며 또 그렇게 성장했다. 당시 상해 출판업은 활발했는데, '프롤레타리아문학'이라는 새로운 도시 트렌드와 하나로 결합한 것은 매우 특이한 현상이었다. 예를 들어 현대서국은 상해 지역에서 상당히 활력 있는 중소형 문예서국 가운데 하나로, 홍설범洪雪帆·장정려張靜廬·노방삼盧芳三이 삼두마차가 되어 경영을 책임졌고, 시칩존施蟄存·엽령봉葉靈鳳 등 일류 편집 인재를 보유하고 있었다. 좌익 입장은 없었으나 오히려 위험을 무릅쓰고 연속으로 좌익 읽을거리 3종을 출판했다. 우선 1928년 출간된 『대중문예大衆文藝』는 훗날 '좌련' 기관 간행물 가운데 하나가 되었다. 다음은 1929년 출간된 『신류월보新流月報』

■ 장광자 주편의 간행물 『척황자(拓荒者)』, 현대서국 출판. 원래 태양사 간행물이었으나 1930년 5월 4, 5기를 합간하기 시작하면서 '좌련' 기관 간행물이 되었으며, 발행 후 바로 조사 금지 당했다.

로, 다른 서점에서 나오던 태양사의 간행물 『태양월간太陽月刊』이 금지당한 후 이를 대체하여 출판되었다. 『신류월보』는 4기까지만 내고 어쩔 수 없이 내용은 그대로 둔 채 표지만 바꾸어 1930년 『척황자拓荒者』로 이어서 나왔다. 같은 해 3월 '좌련'이 결성된 뒤, 『척황자』로는 제3기부터 그 기관 간행물로 출판되기 시작했다. 4, 5기가 합본으로 간행되었을 때 다시 정부에 의해 폐간 되었다. 노신이 친구에게 보낸 편지에서 읽을 만한 간행물을 소개할 때 일찍이 '현대서국'이 내놓은 좌익기간지 몇 종을 언급한 것을 볼 수 있다.

"중국내 문예잡지에 대해 말하자면, 사실 아직 비교적 읽을 만한 게 없다네. 근래 들어 무산문학이 꽤 유행하고 있는데, 출판물은 이를 깃발로 세우지 않고(내세우지 않고) 세간에서는 낙오되었다고 여기고 있는데다, 작가는 아직 드물지. 판매량이 제법 많은 것으로는 『척황자』·『현대소설』·『대중문예』·『맹아』 등이 있지만, 금지될 날이 얼마 멀지 않았지." [4]

그리고 『척황자』가 폐간당하면서 현대서국도 폐쇄되고 조사를 받았다. 당국이 제기한 해금 조건은 놀랍게도 지명 파견된 편집부 주임을 배치하고, 관방이 지지하는 '민족주의문예' 간행물인 『전봉월간前鋒月刊』·『현대문학평론現代文學評論』을 강제로 출판하는 것이었다.[5] 서국은 어쩔 수 없이 받아들였지만, 오히려 방해 받지 않고 하던 대로 계속 좌익문예 서적을 출판했다. 노신은 자신의 글 속에서 1934년 3월 14일 『대미만보大美晚報』의 기사 하나를 기록하여, 국민당 상해 시당부市黨部가 25개 서점의 149종 서적의 명단을 조사하여 금지시켰고, 현대서국이 출판한 금서만 27종이 넘는다고 폭로했다. 그 중 유명한 좌익작가의 작품으로는 노신이 번역한 『과수원果樹園』, 곽말약의 『창조십년創造十年』·『중국고대사회연구中國古代社會硏究』, 정령의 『야회夜會』, 공빙려龔冰廬의 『탄광부碳礦夫』, 호야빈胡也頻의 『시고詩稿』, 장광자의 『야제夜祭』·『리사의 애원麗莎的哀怨』, 홍령비의 『류망流亡』·『귀가歸家』 비좌익인데도 상당히 급진적이었던 것으로는 파금(巴金)의 『맹아(萌芽)』가 있다 등이 포함된다.[6] 상해의 상업성 출판이라는 이러한 시장을 주축으로 돈 버는 데 목숨을 건 이러한 행태 덕분에, 혁명문학을 고수하며 책에 목숨을 거는 좌익의 혈기왕성함이 존재할 수 있었다. '좌익'은 시장의 보호를 받고, 그 또한 시장의 보호를 모색한 것은 우리가 이해하는 이 시기 '좌익문학'이 반드시 상해에서 펼쳐야 했던 요소 가운데 하나였다.

한마디로 상해는 문학의 중심이었으며, 이 시기에 일으킬 수 있었던 작용은 대략 네 가지가 있다.

■ 현대서국이 출판하기로 받아들인 『전봉월간(前鋒月刊)』(1930년 10월 창간호)은 '민족주의문예'의 진영이다.

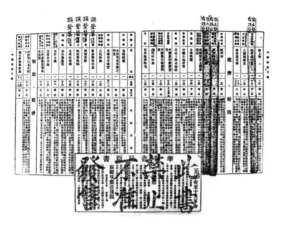

■ 금서─국민당 정부 당국이 진보 도서. 간행물 출판 발행을 금지한 예

첫째, 발달된 출판인쇄업과 번성한 도서신문업을 구비하여, 각 파의 작가들이 원고를 팔아 생활할 수 있는(또는 혁명할 수 있는) 물질적 조건을 충분히 제공했다. 이미 형성된 베스트셀러 메커니즘(노신·곽말약·장광자의 책은 모두 엄청나게 팔렸다)은 객관적으로 저항적 문학을 보호했다. 두 번째, 독서시장의 조절작용으로 청년작가가 문단에 처음 등단하는 평등한 경쟁에 유리했다. 그 당시, 노사·조우·정령 등 거의 모두가 일단 유명한 문학 간행물에 영향력 있는 작품을 발표해 하룻밤 사이 유명해졌다. 그리고 사천 출신의 파금·애무艾蕪·사정沙汀이 구당협瞿塘峽, 옛명칭은 기문(夔門)에서 나와 상해로 나오지 않았더라면, 동북작가 소홍蕭紅·소군蕭軍·단목홍량端木蕻良이 관내關內로 들어와 황포강변으로 오지 않았더라면, 아마도 그렇게 빨리 많은 독자들에게 익숙해지지 않았을 것이다. 세 번째, 중서 현대문화의 합류지점으로서 외국선봉문학의 번역 소개 및 화극·영화·서양화·목각 같은 것들이 상해로 도입되어 번성한 것은 현대작가에게 현대적 소양을 얻을 수 있는 좋은 기회를 제공해 주었다. 네 번째, 조계지 문화는 작가들의 민족적 정서를 강화했을 뿐만 아니라 각양각색의 문학이 발전할 수 있는 가능성 또한 보호했다. 그리하여 국민당의 일당독재 문화통치 아래서 상해를 의지해 상호 대립하는 당파문학과 비당파 문학, 그리고 좌익문학·해파 문학·경파 문학·원앙호접파 시민통속문학 등이 생겨나고 전파될 수 있는 가능성이 생겼고, 따라서 이런 다원공생의 문학 국면이 형성될 수 있었다. 신문학은 그것의 폭발 시기를 거친 후, 규범 및 재창조·심화·변이의 다양한 발전 단계로 진입하게 되었다.

각주

1) 장천익, 『작가자술(作者自述)』, 『중국현대문학연구총간(中國現代文學硏究叢刊)』, 1980년, 제2기

2) 노신, 「나와 「어사」의 처음과 끝(我和「語絲」的始終)」, 『노신전집(魯迅全集)』 제4권, 인민문학출판사, 1881년, 169쪽

3) 호명, 『호적전론(胡適傳論)』,하권, 인민문학출판사, 1996년, 668쪽

4) 노신, 「1930년 5월 3일 이병중(李秉中)에게」, 『노신전집(魯迅全集)』 제12권, 인민문학출판사, 1981년, 15쪽

5) 장정려의 「출판계에서의 20년(出版界的二十年)」, 상해잡지공사, 1938년판을 보라. 세부 사항은 조사할 필요가 있으나, 대체적으로 사건은 차이가 없다.

6) 노신의 「조개정잡문2집 · 후기(且介亭雜文二集 · 後記)」를 보라. 『노신전집(魯迅全集)』 제6권, 인민문학출판사, 1981년, 452~454쪽

제21절

좌익의 성행, 심화 그리고 분쟁

1930년 3월 2일, '좌익작가연맹_{좌련}'이 그 시기 문학 중심이었던 상해에 성립되었다. 이는 1928년부터 1929년까지 2년간의 후기창조사, 태양사와 노신, 모순_{여전히 욱달부·엽성도 등을 비평하는 데 간섭}이 진행한 '혁명문학논쟁'이 드디어 일 단락 고했음을 상징한다. 좌익문학 대열의 새로운 면모는 국민당의 문화통 제를 향해 투쟁을 일으키기 위해 집결했다. 동시에 '좌련'이 시작한 좌익문 학은 어떤 의미에 있어서는 '계몽문학'의 변형을 의미하기도 한다.

'좌련'이 기획 준비한 소그룹은 노신·정백기_{鄭伯奇}·심단선_{沈端先, 하연(夏衍)}· 전행촌_{錢杏邨}·풍내초_{馮乃超}·팽강_{彭康}·양한생_{陽翰笙}·장광자_{蔣光慈}·대평만_{戴平萬}· 홍령비_{洪靈菲}·유석_{柔石}·풍설봉_{馮雪峰} 등 모두 12인이며, 그 중 노신과 창조사

■ 상해 중화예술대학은 1930년 3월 '좌익작가연맹' 성립 대 회의 원래 주소다.

의 정백기만 공산당원이 아니었 다.[1] 논쟁을 멈추고 '좌련'을 기획 한 것은 공산당 중앙이 직접 간여 한 결과였다. 노신을 '맹주'로 추 천한 것은 물론 사람들이 기대한 바였으며, 다른 발기인들은 각 분 야를 대표했다. 하연은 논쟁에 휘 말리기 전이었기 때문에 구체적 인 조직자로 지정되었다. 기획 준

비조는 북사천로北四川路의 '공배 커피숍公啡 咖啡館'의 위층에서 여러 차례 회의를 열었다. 노신에게 의견을 구할 때, 그는 자신을 '위원장' 또는 '서기장'으로 부르는 것을 단호히 반대했으며, "욱달부가 참가해야 한다, 그는 훌륭한 작가다."라는 의견을 제시했다. 그날 중화예술대학에서 성립대회가 열렸으

■ 1930년 해영(海嬰) 백일 때 찍은 노신 가족사진. 노신은 공직을 더는 맡지 않고, 자유롭게 기고하는 '상해 10년'을 시작했다.

며, 3인의 주석단으로 노신·전행촌과 하연이 있었다. 회의는 비밀리에 진행되었고, 대략 40~50명 정도가 참석하여 좌련의 강령과 행동강령의 주요 사항을 통과시켰으며, 노신 등 7인을 집행위원으로 선출했다. 노신은 회의에서 그 유명한 연설을 하게 된다. 이 연설은 며칠 뒤 풍설봉이 기억을 더듬어 초고를 썼으며, 노신의 수정을 거쳐 『좌익작가연맹에 대한 의견對於左翼作家聯盟的意見』이란 제목으로 공개 발표되었다.

지금 노신의 이 연설을 읽으면 수많은 문제점을 발견할 수 있을 것이다. 예를 들면, 그는 좌익의 단결을 얘기했지만, "연합전선은 공동의 목적이 필요조건이 되어야 한다."[2]고 강조한다. 소위 '공동의 목적'이란 물론 국민당 정부에 반항하고, 문학의 계급성을 믿고, 노동자와 농민의 입장을 견지하는 것을 포함한다. 훗날 '좌련'과 노신이 모두 구미 신사풍의 신월파와 국민당 배경의 '민족주의문예운동'을 단호히 비판한 것은 그 일관성을 드러낸 것이다. 그러나 노신이 깊은 뜻을 가지고 반복적으로 강조했던 것은 오히려 "'좌익'작가가 아주 쉽게 '우익'작가가 될 수 있다."는 것이었다. 그는 "만일 사회투쟁과 실제적으로 접촉하지 않은 채, 유리창 안에서만 글을 쓰고 문제를 연구하면, 얼마나 치열하던 간에 '좌', 그것을 모두 쉽게 할 수 있다. 하지만 현실에 부딪히게 되면, 즉각적으로 산산 조각나게 된다. 방안에 갇히면, 가장 쉽게 주의를 깊이 있게 논할 수 있지만, 역시 가장 쉽게 '우경'으로 변할

수 있다."고 하며 "만일 혁명의 실제적 상황을 잘 파악하지 못하면, 역시 쉽게 '우익'으로 변한다."[3]고도 하였다. 이러한 발언은 물론 모두 지적받을 만한 소지가 있다. 하지만 훗날 많은 사실들이 증명하듯, 노신이 좌익 '지식계급'의 문제점을 겨냥하여 일침을 놓은 것은 결코 엉뚱한 발언이 아니었다.

모순의 관점에 따르면, '좌련'은 1930년 성립된 후부터 1936년 자체 해산할 때까지 두 시기로 나눌 수 있다.

"'좌련'이 성립된 후 1931년 11월까지는 '좌련'의 전반기이며, 좌경화된 잘못된 노선의 영향에서 서서히 벗어나오는 단계이기도 하다. 1931년 11월부터는 '좌련'의 성숙기로, 기본적으로 '좌'의 속박에서 벗어났으며, 왕성히 발전하기 시작하여 전방위로 뻗어나가는 단계였다."[4]

많은 당사자들은 모순의 관점에 완전히 동의하지는 않는다. 예를 들어 어떤 이는 '좌'의 영향력이 줄곧 존재했으며, 1931년 11월을 분기선으로 채택하는 것은 아니지만 대부분은 '좌련'에 전기와 후기가 있다는 것에 동의하였다. 모순의 분기는 구추백의 의견에 근거한 것이다. 구추백은 왕명王明 노선의 배척을 받고 공산당 중앙의 영도 지위를 떠난 후, 2년간 '좌련'의 활동에 참여한 적이 있다. 그와 노신의 우정은 노신 사상이 '좌련'과 비교적 조화를 잘 이루게 하는 귀중한 시간을 만들었다. 그 시기 '좌련' 집행위원회는 구추백의 지도 아래, 풍설봉이 기초한 『중국무산계급혁명문학

■ 구추백은 중공 당내 핵심에서 물러난 뒤 단기간 동안 좌익 문화 지도업무에 참여한 적이 있으며, 노신과 우정을 맺었다. 이것은 노신이 구추백에게 선물한 족자.
■ 구추백과 양지화의 사진. 소련에서 유학한 혁명가들은 그들의 서양식 생활을 즐기기도 했다.

의 새로운 임무_{中國無産階級革命文學的新任務}」라는 결의
를 통과시켰는데, 모순은 이것이 '좌련'이 처음
에 정치와 불법투쟁에 치우쳤던 것과 '좌련'의
지배를 받아 생성된 일련의 병폐들을 바로잡았
다고 여겼다. 예를 들어 작가를 비행집회에 참
가하게 하고, "소련을 무장 보위하라."는 전단
을 붙이게 하는 업무를 중시하였다. 그렇지 않
으면 많은 좌익작가들에게 상해의 각 공장에
가서 '노동자통신원운동' 또는 '노동자야학운

■ 좌익 5열사가 체포된 지점인 상해 동방여관

영'을 하게 했다. 또 조직을 정당처럼 운영하
여 창작을 중시하지 않았다. 설령 창작에 신경 썼다 하더라도, 제재에 관한
것이었다. 제재를 중대한 것과 중대하지 않은 것으로 나누었으며, 직접 노
동자·농민의 투쟁생활을 다루었는가, 소자산계급_{프티부르주아계급}의 신변잡기를
다루었는가로 나누어, 끊임없이 후자를 비판했다 _{'제재결정론'}은 훗날 혁명문예이론에 내재
된 고질병이 되었다. 그래서 청년 사정_{沙汀}·애무_{艾蕪}가 노신에게 편지로 가르침을 청
했을 때 물어본 것이 바로 제재와 관련된 문제였던 것이다. 두 사람은 모두
'현시대 대조류'가 테두리 안의 소재에 세차게 부딪치는 것에 익숙지 않음을
고민했고, 테두리 밖의 익숙한 생활은 쓸 수가 없었다.[5] 물론, '좌련'에 모인
것은 포부와 희생정신을 지닌 열혈청년들이었기 때문에, 전기였지만 '주의'
를 위해 글을 쓰는 헌신 이상은 종종 불꽃을 일으키기도 했다. 1931년 5인
의 좌익청년작가가 상해 동방여관_{東方旅社}에서 회의를 열었다가 체포당해, 2월
용화_{龍華}에서 비밀리에 총살당한 사건은 그 중 유명한 사건이다. 노신의 『망
각된 기념을 위하여_{爲了忘卻的紀念}』를 읽은 사람은 그 심한 근시를 앓았던, 사람
이 다른 사람을 속이고 친구를 팔아 피를 빨리라는 것을 믿지 않았던, 옛 도
덕이건 새 도덕이건 모두 자신의 사명으로 짊어졌던 유석_{柔石}을 잊을 수 없을
것이다. 그 외 4인의 '좌련' 구성원은 이위삼_{李偉森}·호야빈_{胡也頻}·은부_{殷夫}·풍
갱_{馮鏗}인데, 역사는 이들을 '좌련5열사'라고 부른다.

■ 좌익문학간행물 가운데 하나
　인『빨치산(巴爾地山)』

'좌련' 후기에는 비교적 합법적인 투쟁을 전재하는 데 주의를 기울였으며, 창작을 더욱 중시했다. 이 시기에는 좌익 문학간행물 편집·문학작품 출판·문학비평을 통해 문학 활동을 전개했다. 몇 년에 불과한 짧은 기간 동안 '좌련' 및 기타 그들을 둘러싼 조직이 출판한 간행물의 종류는 적지 않았으며, 전기의 『맹아萌芽』·『척황자拓荒者』·『빨치산巴爾底山』·『전초/최전선前哨』 등은 획일적으로 기치가 선명한 좌파의 글만 등재하여 종종 간행물의 탄생 즉시 조사당하여 폐간되곤 했다. 전기에서 후기로 뻗어 나온 『문예신문文藝新聞』·『북두北斗』는 유지된 시간이 비교적 길어서, 작가 대열을 확대시켰고 좌익에만 국한되지 않았다. 훗날의 『십자가두十字街頭』·『문학월보文學月報』는 모두 투쟁의 전략에 주의를 기울였다. 북평北平의 '북방 좌련'은 『문학잡지文學雜志』 왕지지(王志之) 등 편찬·『문학월보文學月報』 장반석(張盤石) 등 편찬도 작업한 적이 있다. 훨씬 많은 좌익작가가 다양한 중간적 색채를 지닌 간행물이나 신문에 작품을 발표했으며, 『현대』·『문학』·『논어』와 북방의 『문학계간文學季刊』·『대공보.문예大公報.文藝』에는 모두 좌익작가들이 활약했던 그림자가 남아 있다. 노신이 임종을 앞두고 상해에서 쓴 것은 결코 투쟁하는 한 순간이나 형세의 필요에 국한되지 않았다. 거대한 역사를 개괄한 필력을 지닌 잡문들은 모두 이 시기에 쓴 것이다. 1933년 모순이 출판한 『자야子夜』는 '좌련' 시기 중대한 창작 성과물인 장편 소설로, 출판 후 3개월 만에 4번을 재판하였고 2만 3천여 부를 찍었다. '좌련'은 이러한 성과를 위해 한 소학교에서 비밀리에 축하모임을 열었다. 모임에는 아직까지 신문학작품을 읽어보지 못했던 할머니·아가씨·무희까지 와서 앞 다투어 『자야』를 보려 했다고 한다.[6)]

좌익문학의 영향에 대해 얘기하자면 아주 다각적이라 할 수 있다. 좌익문학은 국민당의 '삼민주의문예'와 '민족주의문예운동'에 대해 압박했다. 왜냐하면 비록 뒤에서 정부가 지지하고 있었지만 독자가 적은데다가, 또 가장 우수한 문학 인재를 모을 만한 역량이 없었기 때문이다. 좌익과 '자유주의' 신월파가 '문학의 계급성'을 둘러싸고 논쟁을 벌이면서, 도시의 급진적 문학 청년들의 옹호를 얻어냈다. 일부 해파 작가들은 초기의 좌익상태에서 벗어 난 사람들로, 시칩존施蟄存 같은 이는 초기에 공청단共青團에 가입한 적이 있었고 프롤레타리아 문학이 일어났던 그 시기에 그도 따라서 『추追』·『아수阿秀』 같 은 프롤레타리아 소설을 쓰기도 했다. 그가 『파리대극원에서在巴黎大劇院』·『마 도魔道』 같은 심리분석 작품을 쓰자, 누적이樓適夷 전행촌 등이 즉각적으로 비 판했다.[7] '신감각파'의 핵심작가인 목시영이 『남북극南北極』을 발표했을 때, 작품 속 노동자 대중의 어휘와 간결하고 명쾌하며 리듬감이 강렬한 서술형식

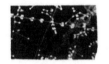

은 좌익진영에서도 칭찬했었다. 『북두北斗』는 창간 호에서 평론을 발표했으며, 본간 2권 1기에서는 전 행촌의 『1931년 문단의 회고一九三一年文壇回顧』라는 글 에서 그 소설에 대해 보다 자세하게 언급했다. 『문 예신문『1932년 43호에서도 이를 평가하였다. 그 러나 그는 신감각파 스타일의 『소모품 취급을 당한 남자被當作消遣品的男子』를 지은 뒤, 구추백 등의 사람들에 게 심한 비난을 받았다. 『현대출판계現代出版界』1932년 7월 제2기에 실린 서월舒月의 글은 『사회 쓰레기 더미 의 떠돌이 무산자와 목시영 군의 창작社會渣滓堆的流氓無産者 與穆時英君的創作』라는 제목을 사용했다. 재미있는 것은 목시영이 이 같은 상황에서 여전히 좌익과 신감각 두 파의 방식을 모방한 글쓰기를 사용했다는 점이다. 예를 들어 좌익을 모방한 『빵을 훔친 제빵사偷面包的面包 師』·『팔이 부러진 사람斷了條胳膊的人』·『유포油布』를 발 표했고, 1993년 『남북극』 증정본을 출판할 때 그대 로 제3편을 보충해서 집어넣었다. 당시 목시영이 쓴 서문에서 좌익의 비난이 그의 마음을 불안하게 만들

■ 정령이 주편한 좌련의 유명 문학잡 지 『북두(北斗)』. 우수한 좌익작품의 발표를 1순위로 놓고 있다.

■ 『집납비판(集納批判)』(월간)은 중국 좌익신문기자연맹의 기관 간행물. 기 존의 『문예신문(文藝新聞)』부록이 었던 『집납(集納)』을 확대 보충한 것 으로, 1934년 1월 7일에 창간되었으 며, 4기를 출판하고서 금지 당했다.

었다는 것을 느낄 수 있다. 북방의 경파와 좌익의 상호작용에 대해 말하자면, 1933년 이후의 경파와 해파의 논쟁 속에서 알아볼 수 있다. 좌익도 상해의 상업 환경 속에 처해 있었고 그들도 현대적 글쓰기의 유행색이 있었기 때문에, 마치 해파를 비난하는 예봉은 좌익도 건드리는 것이나 마찬가지였던 것이다. 그러나 본래의 경파京派 문인 김용에 대해 좌익은 상황을 분명하게 꿰뚫고 있었다. 소건蕭乾의 자유주의는 일찍이 그다지 순수하지 않게 변했고, 하기방何其芳은 항전시기가 되자 '좌파'로 곧 돌변했으며, 국민당 통치구에서 모택동의 『연안문예좌담회에서의 강화在延安文藝座談上的講話』를 '관철'할 때, 뜻밖에도 하기방이 이끄는 옛 '좌련'의 작가들이 와서 학습했다. 이는 좌익과 기타 문학 유파가 서로 배웠던 사례이기도 하다.

'좌익문학'이 상해에서 유행한 것은 '혁명문학'을 제창했던 1920년대 중후기로 거슬러 올라갈 수 있다. '좌련' 성립 이전 장광자를 대표로 하는 '혁

■ 장광자가 주편한 태양사 간행물. 1930년 1월 10일 창간된 『척황자(拓荒者)』는 현대서국에서 출판한 이후 좌련 간행물이 되었다.
■ 장광자(蔣光慈) 『애중국(哀中國)』

명+연애' 작품은 각 출판사의 유행도서였다. '혁명에 연애를 더한' 것은 좌익 글쓰기의 일면일 뿐만 아니라, 대혁명 이후 세대 청년들의 곤혹스러움과 추구함을 진실 되게 반영한 일면도 있다. 그것이 일종의 공식화·개념화의 모델로 변하게 되면, 물론 쇠퇴로 향하기도 한다. 우리는 오히려 이러한 소설이 지녔던, 한 시대의 청년지식인이 역사적 흐름에 따라 집단으로 섞여 들어가면서 '개성이 파괴되는'과정을 표현한 정신적 가치를 중시한다. 그러나 '개인주의'를 완전히 반대하는 것과, '5·4'사상전통 발생과의 위배는 좌익문학에게 있어 내재된 모순성을 구성하기도 한다. 위에서 언급한 '좌익문학'이 '민족주의문학'을 이겼다는 근거 중에 하나는 "문학인재가 어디로 움직이는가."였다. 노신이 이끌어 모여든 정령丁玲·장천익張天翼·사정沙汀·애무艾蕪·오조상吳組緗·소홍蕭紅·단

목홍량端木蕻良 · 소군蕭軍 · 엽자제인叶紫諸人 같은 청년작가들이 좌익 행렬에 끼어든 시간은 서로 다르지만 많건 적건 간에 '좌익문학'의 미숙기 또는 모색기라 불리는 시기를 모두 경험했으며, "혁명에 연애를 더하는 것, 프롤레타리아문학, 신사실주의일본의 구라하라고레히토(藏原惟人)의 이론을 끌어들임, 유물변증법적 창작 방법소련 '라프(RAPP)'의 이론을 끌어왔다,[8] 새로운 소설풍설봉의 정의를 근거로 하여 주로 거대소재를 채택하고 대중군상을 묘사하며, 로맨틱에서 신사실주의까지 등의 특징을 가리킴, 사회주의적 현실주의소련 '라프' 해산 후의 이론을 끌어들임" 같은 이러한 이론의 제창과 창작 실천의 과정을 겪으며 점자 성숙해졌다.

정령1904~1986은 재능이 뛰어난 여성작가다. 그녀는 주목을 받으면서 '좌련' 각 시기의 주류 글쓰기를 경험한 적이 있고, 대표적인 소설들을 탄생시켰다. 물론, 그녀의 작품이 내뿜는 빛은 정치교조가 완전히 덮을 수 있는 것이 아니었다. 『위후韋護』는 '혁명에 연애를 더하는' 유행시기의 전형적인 작품으로, 구추백과 왕검홍王劍虹. 정령의 동학이자 친한 친구의 사랑을 원형실제 모델으로 했으며, 한때 인기를 끌었다. 『수水』는 '새로운 소설' 개념을 제기할 때 예로 드는 작품이며, 드문 필력으로 그해 16개 성城을 휩쓴 수해를 겪은 고난으로 반란을 일으키고 각성한 농민 군중을 묘사했다. 『야회夜會』는 상해 공장지역으로 들어가 노동자를 묘사한 소설로, '혁명사실주의'의 성과다. 그러나 정령의 창작 개성을 가장 잘 드러낸 작품은 『소피 여사의 일기沙菲女士的日記』이다.

■ 정령과 호야빈, 1926년 북경에서
■ 1923년 호남 창덕(湖南常德)에서, 정령과 모친. 그 당시 정령은 "비파를 끌어안은" 문학청년이었다. 그녀는 아마도 훗날 장편 『모친(母親)』을 쓰게 될 것이라고 생각지 못했을 것이다.

■ 1933년 '양우'에 실린 정령의 『모친(母親)』 광고. 얼굴 그림은 채원배(蔡元培)의 딸, 채위렴(蔡威廉)이 그렸다. 양우의 북사천로 판매부에서 당일 판매했는데, 저자가 체포 전 사인한 소장본은 순식간에 동이 났다.
■ 1933년 정령이 체포된 뒤 좌익이 제작한 목각상. 서인군(署紉君) 작품.
■ 장천익, 1933년 자화상

이 작품은 『소설월보小說月報』 발표 당시 수많은 청년 독자들의 관심을 끌었다. 여성작가가 여성을 묘사하는데 있어, 전대미문의 대담하고 세심한 심리 묘사로 대혁명 이후 정치적으로 환멸을 느끼며 방황과 반역, 영과 육 사이에서 극도의 모순에 빠진 여성지식인을 표현했다. 그 여성들은 '5 · 4 개성해방'의 독립적 인격을 유지했으나, 여색을 즐기고 희롱에 가까운 남성에게 빠져 의기소침해지고 실의에 빠지는 방식 속에서 자신의 반항성을 드러냈다. 이 반항은 병적인 상태를 면치 못했지만, 그래도 여전히 반항이었다. 소피의 형상은 이 때문에 영원하며, 그 속에서 작가가 생활 속에서 투쟁했던 개인적 체험을 읽어낼 수 있다. 정령은 이러한 감정적 체험을 허구의 작품 속에 녹여, 줄거리를 구성 · 서술하고 그녀만의 특색을 만들어냈다. 다른 역사시대 '현대여성'의 형상을 제공하여 여성운명의 시각에서 느낀 시대적 정서를 토로했다. 그녀의 글에는 추구와 발견 · 충돌이 있었으며, 장시간에 걸쳐 그녀의 창작 경향을 만들었다. 이 시기 그녀는 장편 『모친母親』도 썼는데, 작가의 어머니를 원형으로 하여 신해혁명기간에 전족을 푼 여성이 걸었던 순탄치 않은 길을 표현했다. 그녀는 본래 대규모로 신해혁명 전후의 중국사회와 인물을 묘사할 계획이었으나, 안타깝게도 완성하지는 못했다.

장천익과 사정은 좌련의 풍자 작가다. 장천익 1906~1985 의 본적은 호남湖南이지만, 강남 도시출신으로 중하층 시민사회의 정경을 잘 알고 있었으므로 비판을 전개했다. 초기 소설 『21개二十一個』는 실제 대중생활을 묘사하고 구어會話를 능수능란하게 구사하여, '혁명에 연애를 더하는' 형식을 타파한 상징적 작품으로 여겨진다. 그러나 진정으로 그의 스타일을 구현한 것은 『포 씨 부자包氏父子』·『웃음笑』·『등과 유방脊背與奶子』 등이었다. 이 소설들 속에서 그는 하급관료·하급공무원·하급지식인·소시민 등의 가식과 졸렬함을 풍자했다. 『포 씨 부자』는 그 가운데 역작이다. 이 소설은 문간방 노포老包가 비천하고 궁핍한 사회적 지위를 벗어나기 위해, 모든 희망을 인간 구실을 못하며 오로지 도련님 행동만 따라하는 아들 소포小包에게 의탁하는 것을 묘사한다. 이는 웃음 짓게 만드는 비극이라 할 수 있다. 부자 2대는 각자 자신의 체면이 망가지는 방식으로 '위를 향해 오른다'. 소포가 올라갈 수 있는 곳은 다른 사람에게 기식하는 위치일 수밖에 없었다. 노포는 보잘것없는 기대가 이루어지는 것을 기다리지 않고 자신이 기거할 생존 공간조차 앞당겨 가불을 받는데, 아들이 날려버린다. 작품은 시민계층의 '아들이 성공하기를 바라는' 비속한 심리와 스스로 노예가 되는 것을 감수하는 현상을 조소하고 있다. 또 희극적 언어와 리듬으로 울지도 웃지도 못하는 이야기를 서술하고 있으며, 이러한 풍자에는 힘이 있었다. 장천익은 또 풍자적인 중·장편 소설 『귀토일기鬼土日記』·『청명시절淸明時節』 등도 썼

■ 장천익이 지은 『귀토일기(鬼土日記)』는 인간에게 귀신의 얼굴을 그린 것으로, 기괴한 상상으로 가득하다.
■ 장천익, 1934년 남경에서
■ 후기 좌익잡지 『현실문학(現實文學)』 표지의 장천익 자필. 훗날 노신 장례식에 쓰인 수많은 글자는 그가 쓴 것이다.

다. 『큰 숲과 작은 숲大林和小林』은 흔치 않은 좌익동화인데, 형제가 각각 살아가는 부유한 삶과 가난한 삶의 다른 길을 표현했으며, 조롱식의 기발함이 가득하고 굴곡이 다양하다. 이 소설가는 항전이 시작

되고 나서, 시민 관료에 대한 풍자성이 짙은 걸작들을 써냈다. 사정$_{1904\sim1992}$
은 사천 북부의 황량하고 외딴 지역에서 나고 자랐으며, 특수한 가정 배경
과 삶의 경험 때문에 향진 기층정권의 횡포와 우매함을 잘 알고 있었다. 그
는 뛰어난 향토작가로서, 초기 작품은 폭로에 치중하고 있었다. 『향약$_{鄕約}$』·
『흉악범$_{凶手}$』·『수도$_{獸道}$』·『사당 안에서$_{在祠堂裏}$』 같은 작품들이 서술하고 있는
것은 형이 도망병이 된 동생을 어쩔 수 없이 총살하거나, 시어머니가 징병당
한 임신한 며느리를 대신해 기꺼이 짓밟히거나, 군벌연대장이 반역한 여인
을 산 채로 관에 가두어버리는 등 야만적 행태에 관한 이야기로 흉흉하고 어
수선한 향진에서 매일 일어나는 기괴하고 공포에 떨게 하는 흉악함을 그렸
다. 작가는 작품을 쓸 때 굳이 고의적으로 참혹하기 그지없는 환경을 담담하
고 냉정한 어조를 사용해 표현했는데 정말 잘 어울렸다. 『대리현장$_{代理縣長}$』·
『공로법단$_{襄老法團}$』을 발표한 뒤, 작가는 향진의 실권 인물을 조롱하는 성격
의 소설을 정식으로 내 놓았다. 구제기금을 삼키고 알력 다툼을 일삼는 소
재는 건달이나 시정잡배 같은 분위기가 농후한 여러 가지 모습의 '썩은 관료
분자'를 묘사하고, 희극적 요소가 다분한 언사를 사용하는 것이 바로 사정의
특기였다. 훗날 더욱 훌륭하게 향토흑암왕국을 묘사한 단·장편 풍자소설이
세상에 나왔으며, 항전문학 가운데 중요한 위치를 차지하였다. '좌련' 청년
작가의 이러한 성과는 좌익문학이 노신의 풍자예술의 창조성에 대해 계승하
고 발양하고 있음을 보여주고 있다.

　　다시 좌익향토문학의 '5·4' 향토문학에 대한 전반적인 초월을 살펴보면
더욱 도드라진다. 1930년대의 향토는 이미 추억이나 찾고 있던 따뜻한 고향
이 아니라, 인간세상의 불평등이 가득하고 옛것이 몰락하며 새로운 것이 일
어서는 삶과 죽음의 장이었다. 이러한 측면에서 좌익은 애무·사정·오조
상·소홍·단목홍량·엽자 등 일련의 훌륭한 재능을 지닌 청년들을 한꺼번
에 배출해냈다. 그들의 성과는 '5·4' 향토 사실$_{寫實}$소설이 이 시기에 어떻게
규범화되고, 규범화된 후 어떻게 심화되었는지 보여주고 있다. 본래 '5·4'
문학의 총체는 다양하게 나타나며, 그 안에는 시종 존재해왔던 낭만적 정

서도 있다. 그 중 후자는 양실추梁實秋에게 신고전주의 각도에서 비판을 당한 바 있다. 양실추는 1926년 『현대중국문학의 낭만적 추세現代中國文學之浪漫的趨勢』라는 문장을 발표한 적이 있다. [9] '좌련'은 끊임없이 마르크스레닌주의 문예이론을 수입하여 각종 새로운 '현실주

■ 사정과 좌련 동맹원의 단체 사진. 뒷줄 왼쪽부터 애무, 사정, 양소. 앞줄 왼쪽부터 백미, 두담, 왕몽야 등의 청년들

의'를 보급하고, 초기의 '혁명로맨틱' 경향을 청산했다. 이는 이 시기 '사실' 문학의 신속한 성장에 도움이 되었다. 앞에서 언급한 좌익청년작가의 성과는 기본적으로 '5·4' 사실소설의 길을 따라 왔다는 점이다. '좌련'은 처음부터 '무산계급문예이론'의 번역 소개에 주의를 기울였으며, 초기의 번역 소개는 통속사회학vulgar sociology의 성분을 상당히 포함하고 있어 좌익의 현실주의 문학으로 하여금 시행착오를 겪게 하기도 했다. 구추백이 1932년이 되어 소련이 발견한지 얼마 안 되는 문헌에 근거해서 엥겔스가 발자크·입센에 관해 쓴 두 통의 편지를 번역하고 레닌이 톨스토이에 대해 논한 두 편의 글도 번역한 후에야, [10] 좌익작가들은 비로소 마르크스레닌주의 창시자가 문예를 논했던 원작을 읽을 수 있었다. 좌익진영의 '현실주의' 문제에 대한 오랜 토론과 실천을 겪은 뒤, 구추백·풍설봉이 긍정적으로 동의한 노신·모순의 '가장 또렷한 현실주의, 혁명적 현실주의'를 포함하여, 호풍胡風과 주양周揚의 '전형' 문제에서의 토론, 비교적 뒤에 있었던 '사회주의현실주의'의 도입과 제창까지 이렇게 좌익현실주의문학은 5·4현실주의문학에 대해 다음과 같은 몇 가지 측면의 발전과 규범화를 이루었다. 첫 번째, 사회현실에 대한 반영은 꾸며서는 안 되며, 객관적으로 그 모순성을 보여주어야 하고, 역사발전의 배경에서부터 표현해야 한다. 『자야子夜』에서의 1930년대 매판자본주의와 민족자본주의에 대한 투쟁은 현실에 대한 혁명성을 반영한 것으로 여

科學的藝術論叢書

全叢書十二本，魯迅、雪峯、葆泆（沈端先）、林柏
修……何乃超、馮生裳譯，馮雪先生負責編輯、書名，
內容，和原著者，以及各書譯自書目等

(1) 藝術論 伽力亞諾夫著 魯迅譯 六角五分
內容：論藝術——原始民族的藝術——再論原始民
族的藝術——論藝術……二十年間論三版序文等四篇。
前三篇大要以原始民族藝術爲中心之藝術爭之
例，最後一篇則能表對于文藝批評的意見。

(2) 藝術與社會生活 伽力亞諾夫著 雪峯譯 五角五分
內容：以史的唯物論的觀點，研究近代階級社會的
藝術；說明藝術上的各種線，怎樣地限社會生活而
生；而藝術，怎樣的跟本來是什麼，價值如何。

(3) 新藝術論 波格達諾夫著 蘇汶譯 三角
內容：單就波格達諾夫關于藝術的底氣論之「藝術」宗
教，周馬克思主義等四篇，加以全般地述著者對
于看藝術的態度和對于新藝術的主張。

(4) 藝術之社會的基礎 盧那卡爾斯基著 魯迅譯 七角
內容："藝術之社會的基礎"、"新俄新藝術底"等三
篇。著者盧那卡爾斯基，是很早就從事于科學的藝術
理論之論者之人。現在又是革命政府底文藝總督之
實際的指導者。

(5) 藝術與文學 盧那卡爾斯基著 雪峯譯 近出
內容：從社會學的見地加十八世紀法國西底劇文學
及論爭——關系兩個運動與資與階級解放文學及藝
術底意識，培林斯基·車爾尼雪夫斯基及沙河與夫斯
四篇，——前二篇論階級社會的藝術，後二篇沙及文
學與批評。

(6) 文藝與批評 盧那卡爾斯基著 魯迅譯 九角
內容：有的批明藝術底意義，有的實地批判作
家，有的揭開現代藝術底秘密和批評藝術之論之
圖，有的顯示新底藝術底根——適用了盧那察爾斯基
文藝批評的重要原則論。常有附有著者底記如三色
版之圖像等，誠然有附底畫面批判於本文的說明。

(7) 文藝批評 列甫都夫著 沈端先譯 近出
內容：不多關關與藝術批評上野多馬那，內含"藝術現象來……"

■ 1930년 『맹아(萌芽)』 1권 1기에 실린 광화서국 '과학적 예술론 총서'
광고. 총 14종. 노신 풍설봉, 하연, 소문, 풍내초, 임백수 등이 번역했다.

겨진다. 여기에는 세부적인 진실이 포함된다. 두 번째, 인물은 문학 표현의 중심이다. '전형'을 묘사해낼 수 있는가의 여부는 문학의 최고 목표다. 『자야』의 오손보吳蓀甫, 『소피 여사의 일기』의 소피, 『포 씨 부자』의 노포, 사정의 붓끝의 향진관료, 애무의 변경인물은 모두 전형적 성격의 표현에 특히 중점을 두었다. 세 번째, 환경 묘사의 전형화다. 소홍의 동북 호란현呼蘭縣의 소도시 환경, 단목홍량 과이심기科爾沁旗 초원 환경, 오조상의 안휘 산골 환경, 엽자의 호남 동정洞庭 호수 유역의 시골 환경 등 모두가 전형적이고 개성 있는 배경을 만들었다. 환경 묘사는 인물묘사와 유기적인 구성을 이루었다. 이렇듯 '5·4' 이래로 중국 고대 백화문학과 프랑스·러시아문학의 이중 작용 아래 형성된 현실주의문학은, 1930년대가 되면서 이런 인물과 환경 관계에 주목하고 세부적 사항에 관심을 쏟는 좌익 사실寫實문학으로 변화했다. 그러나 비좌익 문학가의 시각으로 볼 때 이렇게 대세를 이룬 좌익문학은 그들에게 압박을 가했고, 시칩존은 경계에 서 있던 해파의 입장에서 그것을 '정격正格'이라고 칭했다.11)

'정격'의 현실주의문학은 좌익이 넘실거리는 조류 속에서 여전히 각종 비현실주의문학의 측면적 공격을 받았다. 게다가 그 자체도 심화 과정 속에서 유익한 변이를 진행하였다. 섭감노聶紺弩의 기억에 따르면, 그가 소홍과 편히 대화를 할 때 다음과 같이 말한 적이 있다고 한다.

"어떤 소설학에서는, 소설은 일정한 쓰기 방법이 있으며, 반드시 몇 가지를 구
비해야 하고, 반드시 발자크나 체홉의 작품처럼 그렇게 써야 한다고 하더군. 난 이

걸 믿지 않네. 각양각색의 작가가 있고, 다양한 형식의 소설이 있지. 만일 어떻게 해야만 비로소 소설이라고 한다면, 노신의 소설 가운데 일부, 예를 들어 『머리카락 이야기(頭髮的故事)』·『어느 작은 사건(一件小事)』·『오리의 희극(鴨的喜劇)』 등은 소설이 아닐 것이네.” 12)

이는 곧 좌익내부가 문학형식의 각도에서 변이의 원동력을 찾은 것이다. 실제로 소홍_{1911~1942}의 이 시기 작품은 장편 『생사장_{生死場}』이든 단편 『우차 위에서_{牛車上}』이든 간에 모두 인물이야기 중심의 고정된 쓰기 방법을 타파한 것이었다. 그녀의 다른 소설은 피로 물든 북중국 농촌의 검은 토지와 인민이 동물처럼 생사 멸절하는 풍속화였다. 이 소설은 사회 침체가 가져온 문화시공의 응고에 서술 특징을 더해 현재와 기억, 현재와 몽환 사이를 자유롭게 드나들면서 그 민족 질식 상태를 표현한 것으로, 소설과 산문 및 시가 사이에 낀 새로운 형식의 문학 양식을 만들어냈다. 소홍은 31세까지밖에 살지 못했다. 그녀의 후기 작품은 비할 데 없이 뛰어나며, 모두 순현실주의는 아니었다. 그 외 애무_{1904~1992}는 사정과 함께 사범대학에서 공부한 동창이었다. 그는 실제로 사천·운남을 거치고 국경을 넘어 버마·말레이시아·싱가포르로 갔던 도보유랑생활을 제재로 삼아 『남행기_{南行記}』각 편을 썼다. 그중 『산협중_{山峽中}』·『모초지_{茅草地}』·『나는 당신이 그렇게 웃는 것을 저주한다_{我詛咒你那麼一笑}』등은 담배 팔이·가마꾼·말 도둑·떠돌이 등 다양한 유랑민의 운명을 묘사하고 있으며, 사실을 묘사하는데 전기적 낭만주의 색채

■ 두 소(蕭)가 노신에게 보낸 첫 번째 사진. 사진 속의 옷은 그해 하얼빈에서 유행했던 것이다.
■ 하얼빈 상시가 25호, 소홍, 소군의 거주지 대문
■ 소홍이 지은 『생사의 장(生死場)』 초판 표지

가 가득하다. 오조상$_{1908\sim1994}$은 모순 스타일에 가까운 향토사회체 작품이 있고, 비사실적 성분을 섞기도 했다. 객관적 사실 묘사 수법은 그의 명작 『천팔백단$_{—千八百擔}$』 속에서 '백묘'의 대화를 단독으로 사용하여, 송가네 사당 내 10여 명의 인물들 사이에서 벌어지는 가족들의 재산 다툼의 다양한 면상을 생생하게 그려냈다. 그러나 『판가네 점포$_{樊家鋪}$』처럼 고리대를 놓는 모친을 농가의 아낙이 살해하는 변태적인 상황 속에서 발생한 것도 있다. 『녹죽산방$_{綠竹山房}$』에서 평생 수절한 늙은 과부가 신혼인 질녀를 몰래 훔쳐보는 이야기를 과장되게 묘사한 음산한 분위기는 일반적인 사실을 벗어났다. 오조상은 안휘 농촌이 파산한 현실을 발판삼아 사람과 사람 사이의 관계에 내재된 변화를 써낸 작가로, 창조성이 아주 풍부했다. 같은 동북 작가인 단목홍량, 그리고 소군은 모두 거칠면서 웅장한 동북대륙을 자신들의 넘쳐흐르는 기질과 하나로 연결하는 데 능했다. 소군$_{1907\sim1988}$의 『8월의 시골$_{八月的鄕村}$』은 묘사가 질박하지만, 앞뒤를 꿰뚫는 어조는 고조되고 격앙되어 있었다. 특히 단목홍량$_{1912\sim1996}$의 출세작인 『백로호의 우울$_{鷺鷥湖的憂鬱}$』에서는 농가 아낙이 자신의 몸으로 유혹한 대가로서 농작물을 지키는 것을 묘사했으며, 비분한 마음을 그림 같은 야경을 통해 감정을 토로하는 글쓰기를 하였다. 『요원한 모래바람$_{遙遠的風砂}$』 등은 모두 기세가 범상치 않다. 그의 장편소설 『과이심기 초원$_{科爾沁旗草原}$』은 일찍 썼으나 항전시기에 발표되었는데, 한 편의 웅대한 서사시 같았다. 이러한 소설가들의 사실$_{寫實}$ 묘사가 순수하지만은 않다. 이는 좌련 중후기 좌익작가들이 개성 있는 글쓰기로 진입하는 가장 좋은 설명이 된다.

■ 오조상의 1933년 청년시절 사진

이상 '두 명의 소$_{노신 곁의 소홍 · 소군}$' 같은 좌익작가는 사실 '좌련'에 가입하지 않았다. 이는 곧 좌익 내부에 존재하는 상처의 일면을 보여주는 것이다. '좌련'의 역사를 주의해서 살펴보면, 준비기의 '혁명문학논쟁'에서부터 말미의 '두 개의 구호 논쟁'까지 여러 분쟁들이 끊이지 않았던 듯하다. 노신과 주양_{1933년부터 줄곧 함께 '좌련' 당 단체 서기를 맡았으며, 실제적 지도자였다}의 갈등은 좌익의 '독립파'와 '주류권력파'의 대립이다. 후자는 표면상 노신을 '기수'라고 부르지만, 사실 당 외의 '동반자'로 보고 있는 것이다. 이러한 종파주의 · 폐쇄주의는 분명 존재했다. 바로 '좌련'이 반파시스트와 항일통일전선이라는 새로운 형세에 적응해야 한다는 필요 때문에 자체해산하기 전까지, 주양의 '국방문학'과 노신의 '민족혁명전쟁의 대중문학'이라는 두 개의 구호가 연이어 제

■ 단목홍량은 남개대학, 청화대학의 학생으로, 좌익청년작가 가운데 학력이 비교적 높았다.

기된 것은 분명한 일례다. 그러나 파벌의 배후에서 중요한 것은 좌익문예사상이론이 성장과정 속에서 차이를 숨기고 있다는 것이다. 간단히 말하자면, 문학과 정치의 관계에서 노신은 세계문학예술을 참조했기 때문에 문학이 독립성을 갖고 있어 절대적으로 정치의 종속물이 될 수 없다고 강조하였으며, 좌경기계론과 저속적 사회학에 대해 줄곧 경계했으니 이것이 바로 그 차이 중 하나이다. '좌련'의 간행물 『문학월보_{文學月報}』가 '자유인' 호추원_{胡秋原}을 비판했을 때 운생_{芸生}의 시 『매국노의 진술서_{漢奸的拱狀}』를 등재했는데, 그 속에는 놀랍게도 "조심하라, 당신의 뇌가 잠시 후 잘린 수박처럼 변할 것이니." 같은 구절이 들어 있었다. 노신이 이를 보고 "모욕과 협박은 절대 전투가 아니다!"[13]라고 엄중하게 지적했다. 차이의 두 번째는 작가의 세계관과 창작의 관계다. 노신은 '5 · 4'시기부터 자신의 창작은 '군령에 따른' 것이며 '복종문학'이라고 했지만, 그는 작가의 사상적 입장과 창작에 대해 직접 등호를 긋는 것에 반대하고 문예가의 창작의 자유를 존중했다. 이를 위해 1930년대 내내 잡문을 가지고 국민당문화전제통치에 항쟁하는 것을 게을리 하지 않았으며, 자신의 문예조직내부에서 사람과 사람 사이에 과한 예속에 대해, 심지어 노예관계에 대해서 아주 민감했다. 이러한 차이는 모두 '5 · 4' 계몽전통에 대한

다른 평가로 이어진다. 결코 중국 좌익문학의 고립 문제만이 아니었다. 그것은 세계 범위 내에서 마르크스레닌주의 문예이론에 대한 인식사에까지 영향을 미쳤으며, 이어서 노신이 서거할 때까지, 연안 해방지역까지, 호풍사건이 발생할 때까지 좌파가 일으킨 일련의 문예비판운동의 전후까지 이어졌다. 그래서 후대에게 깊은 정반의 계시를 남겨주었다.

각주 ∙∙

1) 하연, 『옛꿈에 대한 기록을 게을리 찾다(懶尋舊夢錄)』, 삼련서점, 1985년, 149쪽

2) 노신, 『좌익작가연맹에 대한 의견(對於左翼作家聯盟的意見)』, 『노신전집(魯迅全集)』 제4권, 인민문학출판사, 1981년, 237쪽

3) 노신, 『좌익작가연맹에 대한 의견(對於左翼作家聯盟的意見)』, 『노신전집(魯迅全集)』 제4권, 인민문학출판사, 1981년, 233쪽

4) 모순, 『'좌련' 전기("左聯" 前期)』, 『모순전집(矛盾全集)』 제34권, 인민문학출판사, 1997년, 476쪽

5) 『소설제재에 관한 통신－Y와 T에게 온 편지(關於小說題材的通信－並Y及T來信)』를 보라, 『노신전집(魯迅全集)』 제4권, 인민문학출판사, 1981년. Y는 양자청, 즉 사정을 가리키고, T는 탕도경, 즉 애무를 가리킨다.

6) 모순의 『「자야」 글쓰기의 전후(「子夜」寫作的前前後後)』를 보라, 『모순전집(矛盾全集)』 제34집, 인민문학출판사, 1997년, 516쪽

7) 누적이(樓適夷)의 『시칩존의 신감각주의－「파리대극원에서」를 읽고(施蟄存的新感覺主義－讀了「在巴黎大劇院」)』를 보라, 1931년 10월 26일 『문예신문(文藝新聞)』 제33기에 실렸다. 전행촌의 『1931년 문단의 회고(一九三一年文壇回顧)』에도 시칩존의 신작이 "몰락"한 신감각주의를 대표했다고 언급했다. 1932년 『북두(北鬥)』 2권 1기에 실렸다.

8) 소련의 "라프"는 1925년부터 1932년까지의 기간 동안 소련에 존재했던 소위 무산계급 문학단체이다. 이 단체는 구소련공산당(볼셰비키) 중앙의 지도를 받았으며, 당시 소련 사회의 정치경제의 커다란 혼란의 소용돌이에 휩쓸렸다. 그러던 중 정치적 입장을 전환했고, 훗날 결국 해산되었다. 내부에서는 줄곧 "직위파", "문학전선파", "좌익반대파" 등의 파벌투쟁이 있었다. 중국좌익문학은 줄곧 문학을 사상을 전달하는 수단으로 여기는 것과 문학이 목전의 정치를 위해 복무하는 관념을 제창하는 것, 그리고 문학창작방법을 적극적으로 모색하는 것 등을 포함하여 "라프"의 깊은 영향을 받았다. "직위파"의 관점은 1928년 "혁명문학논쟁"에 반영된 바 있다. 구추백, 풍설봉, 주양 등은 모두 "라프"의 이론을 번역 소개한 적이 있으며, "혁명의 로맨틱함"의 비판에 대해, 새로운 "현실주의창작방법"의 제창에 중요한 역할을 했다.

9) 양실추의 『현대중국문학의 낭만적 추세』는 1926년 『신보부전(晨報副鐫)』에 발표되었다.

10) 구추백은 『엥겔스가 발자크를 논한다－하크네스 부인에게 보내는 편지』, 『엥겔스가 입센을 논한 편지－에른스트에게』, 『레프‧톨스토이상－러시아 혁명을 바라보는 거울』, 『L.N. 톨스토이와 그의 시대』를 번역했으며, 이는 『구추백 문집－문학편(瞿秋白文集－文學編)』 제4권, 인민문학출판사 1986년판에 수록되었다.

11) 시칩존, 『소설속의 대화(小說中的對話)』, 1937년 4월 16일 『우주풍(宇宙風)』 제39기에 실렸다.

12) 섭감노, 『소홍선집‧서문(蕭紅選集‧序)』, 『소홍선집(蕭紅選集)』, 인민문학출판사, 1981년, 2~3쪽

13) 노신의 『모욕과 협박은 전투가 아니다(辱罵和恐嚇絕不是戰鬥)』, 『노신전집(魯迅全集)』 제4권, 인민문학출판사 1981년을 보라.

제22절
시대의 색채가 선명한 장편소설

1930년대가 비록 '5·4'문학이 규범화되고 풍부해지는 시기이기도 하지만, 성숙의 시기를 거쳐 현대문학 발전의 상징이 되는 장편소설이 점점 나타나기 시작하는 시기이기도 하다. 대체적으로 1920년대 중반부터 두각을 드러내기 시작했는데 장자평張資平 · 왕통조王統照 · 노은盧隱 · 양진성楊振聲 등 상대적으로 서툴고 비교적 긴 편폭의 소설들이 속속 발표된 후에, 1920년대 후반에 수작이 나타났으며 1930년대 중반까지 발전하며 점차적으로 형태를 갖추게 된다. 단행본 초판 시일을 기준으로 순서를 살펴보면, 1929년 엽성도의 『예환지倪煥之』, 1920년 모순의 『식蝕』『환멸(幻滅)』·『동요(動搖)』·『추구(追求)』 3부작, 장한수의 『제소인연啼笑姻緣』, 1931년은 작품이 없으며 『가(家)』는 이 해에 연재된 것이지만, 만일 연재로 얘기하자면 『환멸(幻滅)』은 1927년이고, 심지어 1928년 1월에 연재되기 시작한 『예환지(倪煥之)』에 비교해도 더 이르다, 1932년 폐명廢名의 『다리橋』, 1933년 모순의 『자야子夜』, 파금의 『가家』, 노사의 『이혼離婚』, 1934년에는 침종문沈從文의 『변성邊城』, 1935년 이할인李劫人의 『사수미란死水微瀾』, 소군의 『8월의 시골八月的鄕村』, 소홍의 『생사장生死場』, 장한수의 『금분세가金粉世家』, 1936년 이할인의 『폭풍우전暴風雨前』이 해 노사의 『낙타상자(駱駝祥子)』는 『우주풍(宇宙風)』에 연재되기 시작했음을 반드시 언급하고자 한다. 그 단행본 출판은 전쟁 때문에 1939년으로 미루어졌지만, 장편 현상으로서 보면 반드시 전쟁 전에 속해야 한다, 1937년 주문周文의 『백삼진에서在白森鎭』, 이할인의 『큰 물결大波』 상·중·하, 소군의 『제3대第三代』가 있다. 『제3대』는 미래 장편의 한 부분일 뿐이며 이어지지 못했는데, 소군이 연안의 시골에 있을 때도 전부 완성하지 못했다. 전쟁이 문화를 파괴하는 힘은 여기에서도 잘 알수 있다 하겠지만, 장편의 발전은 자신의 생명과정이 있으며 1930년 중반에 생산된 수많은 우수한 장편의 맥락은 명확하다.

이 시기의 장편은 사실_{寫實}적인 것과 시화적인 두 가지 큰 부류로 거칠게 나눌 수 있다. 시화된 장편은 아래 경파에 대해 얘기할 때 다루고자 하며, 여기에서 중점적으로 이야기할 것은 1930년대 좌익문학이 창작을 이끌었던 지극히 시대성이 강한 현실주의 장편소설이다. 향토문학은 '5 · 4'의 촉진 속에서 1930년대가 되어서도 여전히 중요한 성과의 하나로 꼽혔으며, 시대문학과 종횡으로 교차하는 관계를 형성했다. 다시 말해 폐명이나 심종문의 소설 같은 일부 향토작품들이 사람을 매료시키는 점은 결코 시대성에 있지 않았으며, 소홍의 『생사장』 같은 일부 작품은 향토 생활 풍경의 사실 묘사의 풍부함 외에 역사적 배경이 주는 인상은 후반부에 가서도 결코 이해하기 쉽지 않았다. 하지만 시골에 국한 되어 있었기 때문에 시야가 협소했다. 바로 엽성도의 『예환지』준비를 거치고 나서_{가정학교에서 주인공 예환지가 사회로, 5 · 30운동과 대혁명으로 뛰어드는 것까지 썼다,} '모순'의 필명으로 발표한 『환멸』이 문학무대에 등장하자 눈과 귀를 새롭게 하고 시야를 넓혀주는 시대소설이 출현하게 되었다. 또한 이후의 사실로 보면, 그 영향력이 상당히 심원했다.

시대적인 장편은 풍부한 현실 투쟁 생활 경험에서 출발하여 사회역사에 대해 설명하고자 하는 동기와 결합하여 발생하였다. 모순_{1896~1981}의 창작 경험이 이 부분에서 가장 풍부한 대표성을 띠고 있다. 그는 대혁명 국공분열 이후 상해로 몰래 돌아와서 홍구_{虹口} 경운이가_{景雲裏家}의 후문에 거주했다. 바로 노신이 두 달 뒤 와서 머물 방의 앞문과 마주보

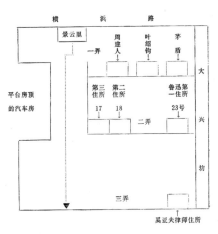

■ 1927년 상해 경운리 노신·모순 등의 거주 위치도. 두 사람이 앞뒤 집에 살았다. 모순은 여기의 지하상태에서 『환멸(幻滅)』 등을 썼다.(자료 출처: 노박(魯博) 『노신 연보(魯迅年譜) 증정본』 제3권)

■ 노신이 1927년 하반기에 입주했던 상해 경운리 2농 아래층의 23호. 서광평이 훗날 글에서 "경운 깊은 곳은 내 집"이라고 말했다.
■ 경운리농 입구의 현재 모습. 1927년 모순·노신 등이 모두 이곳에 거주했었다.

고 있었던 것이다. 오래지 않아 노신은 둘째 동생인 건인과 동행하여 모순을 만나러 간다. 모순은 당시 비밀리에 숨어 있었기 때문에 출입이 불편하였다. 10개월간의 칩거는, 이 '5·4'의 저명한 편집자이자 평론가가 방금 경험한 역사의 1막을 '반추'할 시간을 갖게 했다. 그의 기억으로는, 북벌 무한武漢시기에 서로 알고 지냈던 '시대여성'이 그의 머릿속에서 떠나지 않았다고 한다. 하루는 모처에서 열린 집회에 비밀리에 참석한 뒤 빗속에서 길을 걷고 있는데, 곁에 있던 그 '시대여성'이 그의 창작 열정을 불러일으키게 했다고 한다. 그래서 『식』 3부작이 묘사한 몇 명의 여성의 '혁명'에 대한 이상화의 추구로부터 환상이 부서질 때까지의 이야기는 한 세대의 청년지식인의 시대심리를 잘 표현하였다. 그 웅대한 구성과 역사적 기질은 훗날 『자야』와 서로 상통한다 하지만, 북벌군대 정치부 내에 있는 직업여성의 활약상, 남녀 사교의 장, 좌파 내부의 복잡성 및 무한 3개진의 북벌 실화 기록 장면의 생동감과 역사성을 겸비한 특징은 후대에 볼 수 없는 것이었다. 『식』의 창작에는 감정을 발산하는 기질이 들어 있으나 『자야』는 그렇지 않다. 그것에는 분명한 이성적인 창작 동기가 있었다. 모순의 기억에 따르면, 1930년 여름에서 가을로 넘어가던 때 시작된 지식계의 중국사회의 성질에 관한 대논쟁이 바로 그것이다. 그 자신은 중국이 반봉건반식민지 상태에 처해 있다는 관점에는 동의하지만 자본주의에 진입했다는 의견에 반대하기 위해, 문학으로써 제국주의가 근본적으로 중국민족자본주의의 홀로서기를 방해한다고 설명했다. 모순은 사회생활을 분석하는 분석력을 지녔을 뿐만 아니라, 동시에 다량의 사회생활소재를 보유하고 있었다. 그의 친척과 오랜 친구들 가운데 자본가와 상인이 다수 있었는데, 그 중에 그가 북경에서 학교를 다니고 상무인서관에 취직을 하게 도와주었던 전직 북양 정부 국채사 사장이자 은행가인 외숙 노학부_{盧學溥}가 있었다. 노학부는 그가 장기적으로 관찰하고 이해하게 된 인물인데, 이는 곧 훗날 『자야』의 주인공 오손보_{吳蓀甫}의 원형이 된다. 1930년 가을, 모순은 눈병으로 인해 독서와 글쓰기를 하면 안 된다는 의사의 말을 들었다. 그는 그 기회에 노 외숙의 공관 응접실에서 수많은 상업계 인사들과 접촉했으며, 직접 상해 교역소에 가서 투기장의 소란한 분위기를 체험했다_{전문적인 산문을 쓴 적이 있다.} 이렇게 해서 1931년부터 1932년까지 1년 동안 모순은 자신의 대표작을 써냈다.

　　『자야』의 시대성은 다음과 같은 것을 나타내고 있다. 첫째, 이는 민족자본가 오손보의 이야기일 뿐만 아니라 오손보와 연결된 1930년대 당대 사실로, 작가가 동시에 표현한 것이다. 이러한 중대한 소재의 선택, 넓은 각도의 파노라마적 시야, 즉각적 반영력은 이전의 소설들이 아직 도달하지 못한 것이었다. 1930년대 상해라는 이 특별한 경제·정치·문화 환경이 만들어낸 계급·계층·인물 간의 복잡하게 얽힌 갈등은 민족자본가와 매판자본가_{조백도(趙伯韜)}의 대립과 타협의 관계, 커다란 민족자본가 사이_{오손보 및 그 육친 사죽재(杜竹齋)}의 연합과 분열 관계, 대자본가와 중소자본가_{제사공장을 연 주음추(朱吟秋), 직조공장의 진군의(陳君宜), 성냥공장의 주중위(周仲偉) 등}의 연합과 집어삼키는 관계, 자본가가 노동자에 대해 착취하고 억압하며 매수하고 분열하는 관계, 그리고 자본가의 수하_{도유악(屠維岳), 막간승(莫幹丞)}와 친구와의 사이에 밀고 당기는 관계, 친구와 사랑하고 사랑하지 않는 관계, 고향 지주·고리

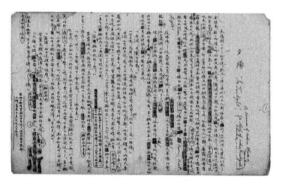

■ 『자야(子夜)』의 처음 제목 『석양(夕陽)』의 수기원고 첫 페이지. 필체가 여성처럼 섬세하고 수려하다. 현재 현대문학관 소장.

■ 『자야(子夜)』 초판본(양장본). 당시로는 상당히 신경을 썼다.

대업자·농민과의 관계, 심지어 파업을 통해 파업 반대가 일으킨 지하당의 업무와 공산당 내의 노선투쟁과의 간접 관계 등등을 둘러싸고 있다. 이렇게 조성된 거대한 사회 네트워크는 인물의 성격과 운명을 형성하고, 인간사를 엮어내는 큰 무대가 되었다. 모순은 "그러한 '역사적 사건'이 반드시 10만 자 이상의 장편 속에 들어가야 속속들이 시원하게 묘사해낼 수 있다."[1]고 말한 적이 있다. 광대한 사건과 거대한 구조는 서로 딱 들어맞는다. 두 번째, 비극적인 영웅 인물형상을 재구축하였다. '5·4' 문학이 세운 평민·소인물을 묘사하는 글쓰기 방식은 어떤 의미에서는 전복되었고, 중국 역사와 영웅 연의의 문학전통과 새롭게 연결되었으며, 19세기 프랑스·러시아 '대하소설' 관념의 수법을 본보기로 삼아 오손보라는 이 민족자산가의 복잡한 성격을 훌륭히 묘사해냈다. 오손보라는 이 1930년대 공업왕국의 '영웅'을 둘러싸고, 작가는 동정과 비판을 동시에 진행하였다. 소설 속에서 그가 처한 복잡한 뒤얽힘과 부딪힘의 주요 위치를 빌어, 영리하면서 잔혹하게, 강인해 보이는 듯 하지만 속은 나약한 비극적인 인물 성격과 마지막 파국을 표현해 냈다. 정신적으로 오손보는 현대 서양 자산계급의 형제이며, 그의 아버지 세대와는 완전히 다른 그래서 소설 시작 부분에 그 아버지가 상해에 도착하자마자 봉건 강시가 즉각 풍화되었다고 썼다 중국공업사회의 중견층 인물이었다. 또 그는 민족공업을 발전시키려는 웅대한 포부를 가지고 있고, 현대 기업의 관리에 관한 지식과 재능을 구비하고 있으며, 고집 세고 결단력 있는 강압적 인물이었다. 그의 몸에는 봉건적 마귀가 들러붙어 있어서 그의 회사 내 상하관계, 가정의 아내 및 농민과의 관계로부터 고립된 '폭군'이었다. 그는 때를 잘못 타고 나는 바람에 군대의 수많은 핍박 아래 좌충우돌하다가, 결국 매판경제·제국주의경제의 탄압을 견디지 못하고 패하고 말았다. 오손보와 배필이 된 이는, 부차적 인물인 도유악_{屠維岳} 이라는 작업반장 · 상사 · 동급의 파업 이탈자 및 노동자와의 여러 가지 갈등 속에서 강하고 지혜로운 성격을 드러내기도 한다. 같은 시기 경파 작품의 비영웅 인물과 산뜻한 목가식 풍속 묘사와는 아주 분명하게 구별되었다. 세 번째, 기세를 서술하고, 조각 같은 입체화 묘사 기법이 뛰어났다. 소설에서 현대도시의 분위기를 묘사하는 장면은 매우 강렬했다. 공장 파업과 교역소 매매, 여행과 비행집회는 요동치는 형세의 변화를 드러내었다. 금융을 조종하고 여인을 희롱하는 데 모두 능한 조백도 · 오손보에게 먹히는 중소자본가 주음추, 시골에서 상해로 올라와 증권시장 정보를 알아내 투기를 하려 하지만 '본전도 못 찾은' 재력가 풍운경_{馮云卿}, 그들 사이의 서만려_{徐曼麗} 등의 현대도시여성까지도 아주 세밀하게 묘사되었다. 네 번째, 이러한 시대소설 속 사회모순의 근원과 발전 전망에 대한 부단한 탐구정신이다. 이를 위해 엽성도가 모순을 잘 알고 있을 때 "난 그가 『자야_{子夜}』를 쓸 때 문예가의 창작 정신과 과학자의 연구정신을 모두 겸비했다는 느낌을 받았다."[2]라고 말한 것처럼 그 장단점은 아마도 모두 여기에 있을 것이다.

모순의 시대적 글쓰기는 평생 동안 걸어온 창작의 길을 관통하고 있다. 1940년대에는 계림_{桂林}에서 써낸 『단풍잎이 2월의 꽃처럼 붉다_{霜葉紅似二月花}』가 있다. 강남 현성_{縣城}의 마을에서의 중국 근대사회의 혼란스러움을 그리면서, 그 속에서의 초기 민족자본가 · 몰락한 귀족 · 개량지주_{전량재(錢良材)} 등 각 계급의 혼란한 역사와 그들을 둘러싼 가정생활을 묘사했다. 그 가운데 여성 형상인 장완경_{張婉卿}은 중국의 구식 상류층 부녀 가운데 뛰어난 인물로, 미래 '현대여성'으로 변화할 가능성을 가지고 있음을 예시하였다.

■ 모순의 『무지개(虹)』 초판본과 수기 원고. 역시 뛰어난 시대소설이다.

모순의 소설은 지나치게 웅대하게 기획되어 종종 탈고를 하지 못한 미완성 작품도 많다. 『단풍잎이 2월의 꽃처럼 붉다』는 원래 신해혁명 이후부터 1927년_{마침 「식」이 시작된 시간과 서로 연결된다}까지 쓰려고 했다가 중도에 그만 두었다. 초기의 『무지개_虹』는 여주인공 매행소_{梅行素}가 집을 나와 경험한 세상을 쓴 것으로, '5·4' 시기의 사천에서부터 '5·30'의 상해까지를 배경으로 한다. 오늘날의 세심한 독자는 끝부분이 엉성함을 알아챘을 것이다. 사실 작가는 『서문_跋』에서 "당시 자기 능력을 모르고 중국의 근 10년의 웅장한 기세에 흔적을 남기고자 했다. 8월에 이사로 인해 잠시 붓을 내려놓았는데, 이후 바빠서 다시 붓을 잡지 못했다."고 시인하고 있다. 1948년 쓴 장편 『단련_{鍛煉}』은 지금 제1부밖에 볼 수 없는데, 상해 '8·13'사변부터 상해 함락까지를 배경으로 한다. 실제로 계획한 건은 5부작으로, 무한_{武漢} 보위에서부터 항전의 '참담한 승리'와 이공박_{李公樸}·문일다_{聞一多}가 암살당한 것까지 쓰려고 했으나,_{이 책의 작가 『서문(小序)』을 보라,} 원하는 대로 써내지 못했다. 모순은 이렇듯 장편 소설가로, 또 역사 대변인의 입장과 신분으로 시대성과 정치성이 강렬한 제재를 다루었으며, 거대한 역사적 구상과 세밀한 생활 묘사를 결합하여 '시대여성'과 민족자본가라는 두 형상을 그려내는 데 능숙했다. '사회분석' 소설이 가지고 온 역사적·미학적 특색도 있었지만 '본질화' 사유가 예술 자체를 해치기도 했다. 그러나 어쨌든, 모순의 시대역사소설은 중국장편 소설 문체의 발전과 혁명현실주의에 지대한 영향을 주었다. 모순의 현실주의 글쓰기는 '전형적 환경, 전형적 인물'이라는 방법을 창조적으로 운용했으며, 세계문학을 따르는 것에 주의하면서도 그 자체는 폐쇄적이지 않았다. 그러나 이후 현실주의만을 떠받드는 문예정책 아래서 자족하는 한계를 점점 드러내기도 했다.

결코 좌익작가가 아니면서 직접 프랑스의 '대하소설'을 스승으로 삼아 사천 편년사를 써낸 이가 있는데, 그가 바로 이할인_{李劫人, 1891~1962}이다. 그의 가장 중요한 작품은 3부작 『사수미란_{死水微瀾}』·『폭풍우전_{暴風雨前}』·『큰 물결_{大波}』로, 1937년 항전 전에 중화서국에서 출판되었다. 각 권은 모두 독자적인 이야기와 주인공으로 구성되었으며, 일부 인물들이 서로 연결되어 있었고 주제가 일치하였다. 이 중 『사수미란』이 가장 훌륭한데, 이는 성도成都 부근의 천회진天回鎮을 배경으로 하여 포가袍哥 비밀조직원 나왜취羅歪嘴와 큰형수 채蔡 씨의 관계를 중심으로, 갑오 1894년부터 신축1901년까지 중국 내지에서 제국주의와 관료세력의 개입으로 벌어지는 종교인들과 비밀조직 포가 두 역량의 악전고투를 그려냈다. 나왜취와 큰형수 채 씨의 '사랑'은 봉건 도덕의 기준으로 보면 도를 벗어난 것이지만, 동정과 찬양을 받는 것처럼 서술되었다. 큰형수 채 씨의 형상은 특히 감동을 주었는데, 그녀는 강호의 야성을 갖추고 있었다. 그녀는 출신은 비천하지만 삶에 대한 욕망이 충만한, 그리고 과감하게 행동하고 책임을 지며 과감하게 사랑하고 미워하는 성격을 지닌 여성이었다. 그녀는 포가가 실패하자, 남편과 연인을 구하기 위해 주체적으로 만석꾼에게 재가를 한다. 이는 정조를 멸시하고 관습을 지키지 않는 것, 또 과거의 삶으로 돌아가길 원치 않겠다는 용기를 표현하였다. 『폭풍우전』은 1901년부터

■ 1922년의 이할인에게는 여전히 프랑스 유학생의 분위기가 물씬 풍긴다.
■ 이할인의 『사수미란(死水微瀾)』 1936년 초판본

1909년 사이 성도의 새로운 기상을 묘사하였다. 반은 관리, 반은 세도가인 학우삼郝又三의 집안을 중심으로 우철민尤鐵民 등 재일 유신지사의 활동과 학우삼과 평민 여인인 형수 오伍 씨의 관계 등을 줄거리로 엮어냈다. 『큰 물결』은 신해혁명 전야의 사천 철도보호운동을 쓰고 있다. 성도의 황란생黃瀾生의 가정과 관련 인물을 통해 철도보호회의 성립, 청나라 조정의 철도 회수 및 국유화에 대한 반항을 탄압한 일련의 역사적 사건들을 연결했으며, 초자재楚子材와 그 사촌 제수 황 씨 부인 사이의 사랑도 끼워 넣었다. 작가는 모순에 비해 5

살 정도 많았으며, 사천을 잘 알고 있는 진정한 '성도 전문가_{成都通}'였다. 또한 이 도시와 그 주변 지역 도시의 형성, 거리 연혁, 점포 및 찻집의 위치, 시민의 생활 방식에 대해 모르는 것이 없었다. 그렇기 때문에 그의 소설은 시대적 느낌이 강할 뿐만 아니라, 배경분위기·인물관계·복식 차림새·가정집에 대한 묘사가 지역문화와 잘 어우러져 아주 자연스러웠다. 책 전체에 걸쳐 천서 평원_{川西壩} 지방 마을의 장터 풍경, 성도 동대_{東大} 거리의 정월 등_燈 구경하기, 2월 청양궁 오르기_{趕青羊宮}, 혼인장례의식, 하련지_{下蓮池} 거리의 평민생활, 사천성 전체 학생 운동회 등 각종 세태와 풍경을 묘사했으며, 그 색채가 농후하였다. 이것은 시대사·사회사 및 풍속사가 정밀하게 결합한 것이며, 모순과 연결되어 있으면서 또 작가 자신의 특색을 아주 잘 드러낸 것이다. 또 다른 점은 소설구조와 서술에 있어, 시대적 장편의 웅대함과 모순이 주의한 역사적 큰 줄기의 수평적 부분을 절취하고 있었다. 다만 이할인이 수직적 성향이 더 강했고, 문체는 훨씬 냉정하고 객관적이었으며, 마찬가지로 시대 여성을 묘사하는 데 능했다. 두 사람의 필치는 모두 객관적이었지만, 모순은 감정을 이할인처럼 깊이 숨기지 못하고 무심결에 드러냈다. 이할인은 프랑스 유학에서 돌아온 뒤 사천에서만 활동했다. 나중의 『큰 물결』은 간접적인 서술이 지나치게 많고 줄거리 전개가 간결하지 못했으며, 더 나아지지 않아서 안타까움을 주었다. 이할인에 대한 평가는 오랜 기간 동안 비교적 적

막했지만, 곽말약이 동향인인 그의 '대하소설'에 호감을 갖고 있었고, 며칠 동안 그의 책에 푹 빠져서 읽었다고 하니, 그야말로 그를 알아주는 지기라고 할 만 하다.

시대 소설 시리즈 중에는 가족소설도 있다. 이러한 문체는 사실 '역사·사회'라는 두 가지 요소를 함유하고 있는데, 하나 또는 몇 개의 '가족' 이야기에서 시작하여 작은 것에서 큰 것을 보면서 몇 대에 걸친 복잡한 운명을 전개하였다. 대가

■ 파금의 1927년 초상. 수려한 외모와 훌륭한 성품에 굳은 의지와 빼어남을 지녔다.

족의 붕괴는 시대 격변의 축소판으로 이전 세대의 몰락은 종종 자손 1세대, 청년1세대가 새로 태어나는 시작이 된다. 중국은 원래 봉건적 가족사회인데 이 점이 가족 장편소설을 특히 발달하게 만들었다. 1930년대 커다란 영향을 미친 파금의 『가家』, 그리고 단목홍량의 『과이심기 초원科爾沁旗草原』, 1940년대의 『4세동당四世同堂』·『경화연운京華煙雲』·『재력가의 자녀들財主底兒女們』 등은 모두 좌익 혹은 비좌익 작가들이 연이어 써낸 것들이다.

파금1904~2005의 『가家』, 그리고 '격류3부곡'이라는 이름 아래 함께 있지만 조금 못미치는 『봄春』·『가을秋』은 연속성을 지닌 장편으로 아주 유명하였다. 『가』는 파금이 자신의 집을 원형으로 삼은 것으로, 당시 작가는 무정부주의를 신봉하는 열혈청년이었다. 1931년부터 1932년까지 『가』가 상해 『시보時報』에 연재되고 있을 때, 각신覺新의 원형인 파금의 큰형이 청두에서 음독자살을 하였다. 『가』는 신문에 꼬박 1년 동안을 연재했는데, 처음에는 커다란 반향을 일으키지 못했다. 심지어 중간에는 기대만큼 반향이 없자, 신문사측에서 여차하면 '요절'시킬 참이었다. 단지 파금이 원고료를 더는 받지 않겠다는 해결방법을 제시했기 때문에 완간될 수 있었다. 이러한 글이 다음해 개명開明 서점에서 단행본으로 출판한 뒤 급속도로 팔려나갈 줄은 아무도 몰랐다. 이는 단행본의 청년 독자 대상과 신문 연재소설의 시민 독자 대상이 완전히 다르다는 것을 나타낸다. 현대문학에 대한 이 두 종류 독자의 추진력은 여기에서 더 분명해졌다. 『가』는 성도

■ 청년 독자에게 영향을 주었던 초기 파금의 작품 『애정3부곡(愛情三部曲)』. 이것은 양우판 특대본.
■ 『가(家)』의 원형, 실제 모델인 파금의 성도 옛집 대문. 1950년대 이후에도 있었지만, 지금은 볼 수 없다.
■ 1929년 파금과 큰형(각신의 원형, 실제 모델)이 상해에서 함께 찍은 사진. 그러나 얼마 되지 않아 『가(家)』출판 전에 큰형은 슬프게도 자살했다.

■ 개명 제4판 『가(家)』의 빈 페이
지에 파금이 손으로 그린 '집'
평면도는 자신이 다시 수정할
때 쓰려고 남겨둔 것이다.
■ 『가(家)』의 개명서점 제4판에
는 파금의 증정 도서 표시가 있
다. 그는 자기 작품의 매회 수정
본을 중시했다.
■ 『가(家)』의 수기 원고

의 고高씨 집안의 수대에 걸친 이야기가 중심으로, '5·4' 이전부터 서술해간다. 이는 봉건 대가족 몰락의 시작이었다. 넷째와 다섯째 나리는 탕자로 매일 같이 가족의 정신적·물질적 가옥을 깎아먹고 있었지만, 고 씨 큰 어르신은 옛 봉건 예교로 집안을 다스리며 최강의 권력을 장악하고 있었다. 종가집 장손인 각신覺新은 가장 성공적인 인물로 그려졌다. 그는 신사조의 영향을 받았지만, 그의 가정 지위와 봉건 윤리 탓에 무슨 일이든 적당히 동의해가며 자신을 지켰으며 나약한 성격을 지녔다. 그는 먼저 전錢씨 집안의 사촌여동생 매梅(사촌누이)과의 감정을 희생했고, 대학에서 연구할 기회를 희생하고, 옛날식으로 혼인했다. 훗날 아내인 서각瑞珏은 아이를 낳았지만, 집안 어른이 "조부가 아기 출산 때문에 죽은 자가 극락에 들지 못한다."는 명목을 내세워 성 밖으로 쫓아냈고 결국 죽음에 이르게 된다. 동생과 자신의 여러 경험은 결국 각신을 변하게 한다. 그는 동생의 반역행동을 지지하며 "우리 이 집안은 반역자가 필요하다."는 생각을 갖기 시작한다. 각혜覺慧는 이 집안에서 가장 먼저 각성된 인물이다. 그는 적극적으로 학생운동에 참여했고, 계집종인 명풍鳴鳳과 서로 사랑했다. 명풍은 고 씨 큰 어르신이 자신을 다른 사람에게 첩으로 하사하자 호수에 몸을 던져 자살하고 만다. 이 사건은 그에게 이 집안의 죄악을 확실히 깨닫게 했다. 각혜는 둘째 형 각민覺民을 도와 결혼 반대에 성공한 뒤, 자신 또한 용감하게 집을 나와 멀리 떠난다. 이러한 '5·4' 신세대가 봉건적 속박으로부터 벗어나 사회로 진출해 운명을 주체적으로 주도하는 것은 이처럼 세세대대로 청년들을 격려하였다. '가출'은 반역·각성·추구의 대명사가 되었으며, 사회주의와 옌안을 향해 가는 혁명가는 『가』를 품고서 만 리 여정에 오르기도 했다. 파금의 시대소설은 '5·4'의 계몽정신을 견지하고 있으며, 모순·이할인과 같지는 않다. 작품 속 인물들의 사회에 대한 반역의 근거는 인도주의·민주자유사상이며, '개인'의 가치를 중시하자는 것이었다. 그의 서술은 주관적인 경향이 강했다. 감정 묘사, 이상_{理想}의 연소, 그 청춘의 숨결은 청년들의 독서에 적합했다. 파금은 시대소설이 수많은 독자를 갖도록 만들어 주었고, 시대적 글쓰기의 사회적 영향력을 확대했다. 중국 현대 독자들의 사회 민감성은 떨어지지 않았다. 문학의 오락과 소일 목적에 만족한 것은 일부 시민뿐이었다. 『가』는 한 세대 한 세대의 진보적인 청년들이 사회로 나아가는데 필독서가 되었으며, 20세기 신문학에서 인쇄수가 가장 많은 현대문학 명저가 되었다.

■ 『가(家)』의 삽화: 새해 가족 만찬
■ 『가(家)』의 외국어 번역본 표지

문학사의 각도에서 볼 때, 1930년대에 생산된 장편소설은 중국현대 장편소설의 형성에 초석을 놓은 것이다.

 각주 ●●

1) 모순, 「나의 회고(我的回顧)」, 『모순전집(矛盾全集)』 제19권, 인민문학출판사, 1991년, 408쪽
2) 엽성도, 「안빙 형님의 문학 업무에 대한 간담(略談雁冰兄的文學工作)」, 『엽성도산문(葉聖陶散文)』, 성도, 사천인민출판사, 1983년, 495~496쪽

제23절

시대적이고 개성화된 글쓰기의 잇따른 고양

    시대적 글쓰기가 1930년대에 성장할 수 있었던 것은 투쟁의 시대, 특수한 독자 구성과 연관된다. 앞 절에서 서술한 파금의 『가家』가 상해 『시보時報』에 처음 연재되었을 때 '요절'될 뻔한 사건에 대해 전기傳記 작가들이 제시한 해석은 두 가지다. 첫째, 동북에서 발생한 '9·18'사변으로 인해 국가의 위기를 다룬 뉴스가 크게 증가하면서 신문의 지면이 부족했기 때문이다. 둘째, 소설이 너무 길다는 편집자의 불만 때문이다. 하지만 사실 이 두 가지 이유는 하나도 믿을 수 없다. 형세의 위급함 때문이라고 한다면, 『가』가 다시 연재되기 시작한 시점은 1932년 1월 26일인데 이틀 후 바로 눈앞에서 '1·28' 전투가 벌어지자 당시 상해시민의 민족정서는 더욱 고조되었지만 『가』의 연재에는 영향을 주지 않았다. 다른 사람의 예를 들면, 상해 『신문보新聞報』가 1931년 9월부터 1933년 3월 26일까지 장한수의 그리 유명하지 않은 소설 『태평화太平花』를 연재하고 있었는데, 이 소설의 편폭 역시 『가』와 비슷한 30만 자였고, 시기도 마침 '9·18'부터 '1·28'까지였음에도 연재 중지라는 문제는 전혀 생기지 않았다. 그렇다면 진짜 원인은 오로지 하나, 『가』 연재 신문의 독자들은 매일 수백 자의 통속작품을 보며 만족해 온 시민들로써 『가』는 그들의 취향에 맞지 않았기에 냉대를 받은 것이다. 그러나 훗날 단행본으로 인쇄되어 베스트셀러가 된 것은, '책'의 독자들이 다른 이들로 바뀌었기 때문이다. 『가』의 도도한 시대적 스타일이 결국은 시대 청년 독자들의 호감을 얻은 것이다! 파금은 결코 좌익작가도 아니었고, 당시의 시대 청년 독자 무리 또한 좌익만은 아니었고 그보다 훨씬 광범위했음을 알 수 있다. 이들을 '급진적 성향의 도시 독자'라고 해도 무방할 것이다. 그들은 일정한 문학적 취향을 갖고 있었으며, 단순히 돈을 내고 정치적 교조물을 읽기만 한 것이 결

■ 상해 거리 어디에서나 볼 수 있는 움직이는 서적 가판대는 늘 사람들로 붐볐다. 이곳은 시민대중 독자의 문화 소비 장소였다.

코 아니었다. 독자는 작가를 떠받드는 추종자이기도 했지만, 제약자이기도 했다. 시대적 글쓰기의 함정은 쉽게 정치화·개념화한다는 것인데, 독자들의 제약과 1930년대 우수한 시대작가들의 개성 있는 창작품의 출현에 의지하여 부단히 극복해 가는 가운데 비로소 신문학 발전의 족적을 드러냈다.

노신은 '좌익5열사' 가운데 하나인 시인 백망_{白莽, 즉 은부(殷夫)}에 대해 평가할 때, 그의 시대적 시가의 충만한 시의에 대해 의견을 말한 적이 있다.

"이는 동방의 희미한 빛이며, 숲속의 향전(響箭)이자, 겨울 끝자락에 움튼 싹이고, 진군의 첫걸음이며, 선구자에 대한 사랑의 깃발이자, 박해자에 대한 증오를 드러낸 걸작이다. 소위 말해 원숙하며 세련된, 숙연함과 동시에 장엄한, 그윽하고 유원한 작품으로 비교할 필요가 없다. 왜냐하면 이 시는 다른 세계에 속해 있기 때문이다." [1]

여기에서 시가 가리키는 것은 1930년대 신월파·상징파를 제외한 시대의 정서를 표현한 혁명시가를 가리킨다. 혁명시가는 자신만의 길로 성장했는데, 1932년 '좌련'이 이끄는 '중국시가회'가 성립하기 전, 장광자가 시인_{소설가이기도 하다}으로서 '무산계급시가'의 서곡을 울렸다. 『신몽_{新夢}』은 그의 대표 시집으로, 초기 백화시의 '평민' 전통을 계승했지만 '5·4'시가의 주관적이

고 개인적인 성향에 반대하면서, 시인은 군중 속에 뛰어들어 자신을 녹여 내어 정치적 이상을 노래해야 한다고 주장했다. 예를 들어『모스크바의 울음莫斯科吟』에서는 다음과 같이 소리 높여 노래한다.

"시월 혁명, 다시 하늘에 닿을 듯한 불기둥처럼, / 뒤에서는 과거의 잔해가 타고 있고, / 앞에서는 미래의 새로운 길이 빛나고 있다."

또한『자제소상自題小像』에서는 "그 군중의 파도 속에서만이 진실한 내가 나올 수 있다."고도 했다. 이러한 시들은 종종 시대를 개인과 대립시켜, 이 대립 속에서 새로운 정서와 사상을 드러냈다.

중국시가회의 주요 시인으로는 은부·포풍蒲風 등이 있다. 이 단체는『신시가新詩歌』등의 간행물을 출간했으며, 현실주의 시가를 강력히 제창했고 시대의 급변하는 형세와 노동자·농민의 투쟁을 직접 반영했다. 은부1909~1931의 정치서정시는 고조되고 격앙되었으며 상당히 선동적인 것으로,『1929년의 5월 1일一九二九年的五月一日』·『혈자血字』등이 있다.『혈자』에서는 "'5·30'이여! / 일어나 남경로로 가자! / 네 피의 빛을 하늘 끝까지 쏘아 올려라, / 네 강인한 자태를 황포강 입구에 비추어라, / 너의 큰 종소리 같은 예언으로 우주를 뒤흔들어라!"[2]라고 썼다. 시풍이 강인하고, 서사와 비평 성분이 모두 강렬하다. 은부는 본래 부유한 집안 출신으로, 형이 국민당의 고급 관리였으

■ 5.30 운동 때 상해 시민들이 거리에서 반제국주의 선전용 포스터를 보고 있다. 이는 시민정치성의 일면을 보여주고 있다.
■ 상해 거리의 시위행렬이 지나가고 있는 뜨거운 장면

므로 그가 혁명에 몸을 던진 것은 고통의 과정이었다. 『잘가 형!_{別了, 哥哥!}』 같은 시를 쓴 적도 있는데, 이 시의 부제 "'계급'을 향한 고별사라고 치자."에서 그 고통의 일부를 엿볼 수 있다. 개인과 계급의 관계를 다룰 때 그는 이러한 시대적인 시가에서 종종 웅대한 장면 속에 자신을 끼워 넣었지만, 이 자신은 이미 '작은 나'가 아니었고 전투를 거쳐 세례를 받은 '큰 나'였다. 그의 시가에서 서정적 주체는 무리의 '우리'로 종종 전환되었다. 『1929년의 5월 1일』에서 '5 · 1 시위'의 군중 행렬 속에 있는 시인을 묘사한 것처럼, 개인은 무리로 녹아들었으며 자신은 역사적 운명을 장악할 수 있는 신생계급의 대표라고 의식했다.

> 나는 사람들 속으로 들어가, 높이 소리친다:
> "우리는…… 우리는…… 우리는……"
> 희고 붉은 오색 종이조각이,
> 아침 햇살 속에 비둘기 떼처럼 흩날린다.
> 하하, 응답하라, 응답하라, 응답하라,
> 거리에 가득 찬 것은 우리의 외침!
> 나는 소리의 거센 물줄기 속으로 들어간다,
> 우리는 위대한 영혼.
> 거리에 온통 모두 노동자, 동지, 우리들,
> 거리에 온통 모두 거친 외침,
> 거리에 온통 모두 희열의 웃음, 외침.
> 밤의 침묵은 남김없이 없애버리자.[3]

시위하는 것을 시에 넣을 수 있고, 비밀회의에서 결의한 것도 시에 넣을 수 있다. 『의결_{議決}』 속에서는 다음과 같이 말하고 있다.

> "어두운 기름등잔의 불빛 속에서, / 무수히 많은 우리들—함께 사진을 찍는다, / 우리는 공통적으로 악취를 맡고 있다. / 우리는 더불어 거대한 마음을 지니고 있다." [4]

집단의 색채를 부여받은 개인이 무한히 확장 될 수 있을 때, 이것은 곽말약의 시에 등장하는 그 '5·4'식의 서정적 주인공처럼 어떤 일치를 얻는다. 중국시가회 소속의 또 다른 중요한 시 인인 포풍은 『망망야茫茫夜』·『6월류화六月流火』등 의 농민투쟁을 묘사한 시편들을 썼는데, 그 필 치가 매우 웅장하다. 『망망야』에서 '가난한 군 인'에 참가한 청년농민과 어머니는 바람결에 말 을 전한다.

"왜 우리는 온종일 일 년 내내 힘들게 일해도 / 배 고픔과 추위, 온갖 모욕과 매질을 겪어야 하는가? / 왜 그들은 일 년 내내 배불리 먹고 즐길 거리를 찾는 가 / 그런데도 우리는 왜 그들에게 영원히 굴복해야 하 는가?" [5]

시구는 거칠고 강경하다. 이 시파는 '가요화' 라는 목표를 제기했을 뿐만 아니라 실천하기도 했 다. 결과적으로 그다지 이상적이지는 않았지만, 이것이 시가대중화의 '홍색 30년대'라는 주장이 다. 훗날 항전 초기 및 1940년대 해방구의 시가운 동 중에서, 곽소천郭小川의 정치서정시에 이르기까 지, 일정 정도 체현될 수 있었다.

시대적인 시가가 낼 수 있었던 소리는 약하지 않았으며, 좌익에서부터 밖으로 확대되는 추세였다. 이 점을 가장 잘 증명할 수 있는 것으로는 초기 신월파의 영향을 많이 받은 장극가臧克家, 1905~2004가 있는 데, 첫 번째 시집 『낙인烙印』을 출판할 때 문일다가 서문을 써주었다. 그는 훗 날 점점 좌경화하여 농민의 고난에 가장 잘 직면한, 그리고 중국 시골을 가

■ 1934년 5월 1일 『춘광(春光)』 1권 3기 에 실린 포풍 시집 『망망야(茫茫夜)』를 춘광서점에서 그해 4월에 출판한다는 내 용의 광고
■ 장극가(臧克家) 시집 『낙인(烙印)』의 초 판본. 책 속의 격정적 정서와 차분한 표 지 디자인은 대비를 이룬다.

장 잘 표현한 시인 가운데 한 사람이 되었다. 그의 명작인 『노마_{老馬}』는 분명 잘 쓴 작품이다.

> "어쨌든 대형 짐차에 가득 실어야 한다, / 그는 어찌됐든 한마디 말도 하지 않는다, / 등 위의 짓누름이 살 속으로 파고들어, / 무겁게 머리를 늘어뜨린다! / /지금 이 순간에는 다음 순간의 운명을 모른다, / 그는 눈물을 삼킨다, 눈 속에는 채찍의 그림자가 떠다닌다, / 그는 고개를 들어 앞을 바라본다." [6]

이것은 무거운 짐을 짊어진 늙은 말을 표현한 것이고, 당시 중국 농민의 형상을 대신한 것이다. 그것은 전통 시가 가운데 '영물'시의 전통을 계승했지만, 시대의 정서와 시구를 넣어 조각처럼 힘 있게 표현했고, 거친 호방함 속에서도 세밀함을 드러냈다. 이것이 장극가 시_{詩質}의 개성인 것이다.

시대적인 시가의 창작에서 진정으로 개인의 독창성을 유지하고 발휘한 민족시인은 애청_{艾靑, 1910~1996}이었다. 애청은 1933년 감옥에서 쓴 『대언하–나의 보모_{大堰河－我的保姆}』라는 한 편의 시로 당시의 시단을 놀라게 했다. '대언하'는 노동 여성이자 지주의 아들인 애청의 실제 보모다. 그 시는 깊은 정으로 이렇게 노래한다.

> "나는 지주의 아들, / 대언하의 젖을 먹고 큰, /
> 대언하의 아들. /
> / 대언하는 나를 보살펴서 그녀의 가족을 부양했다, /
> 그리고 난, 당신의 젖을 먹고 길러졌다. /
> 대언하, 나의 보모." [7]

■ 1929년 파리에서의 애청

여기에는 순수 지식인의 입장을 바꾸고 싶어 했던 혁명시인의 잠재적인 의식을 포함하고 있다. 애청은 본래 중국과 프랑스에서 그림을 공부했는데, 시의 외부적 영향은 주로 유럽 상징파·인상파_{모두 현대파에 속한다}이며 러시아 19세기 현실주의 대가의 우수한 작품을

■ 애청(오른쪽에서 두 번째)은 1930년 친구와 파리에서 그림을 배웠다.

읽은 적도 있다. 그는 '피리 부는 시인'이라고 불렸는데, 실제로 '유로파'의 피리를 불었다. 이 모든 사실을 통해 왜 그가 적극적으로 혁명 활동에 참여했는지, 훗날 연안으로 가 걸출한 시인이 됨과 동시에 사실파가 쉽게 범하는 개념화라는 고질병이 비교적 적었는지, 그리고 세계 현대시가의 풍부한 영양을 중국농민 · 토지와의 혈육관계에 자신 개인의 재능을 연결시켰는지 등에 대해서 쉽게 이해할 수 있을 것이다.

애청의 시대적인 서정시는 격앙되었으며, 예술적 성과가 뛰어났다. 『중국의 대지 위에 눈은 내리고_{雪落在中國的土地上}』는 대지를 묘사한 명시이다. 시 속에서 그는 자신의 운명을 마차를 모는 평범한 '농부 · 꾀죄죄한 부녀자 · 연로하신 어머니'와 연결하여, "중국의 고통과 재난이 / 이 눈 내리는 밤처럼 광활하고 기나길구나"[8]라고 털어놓았다. 『나는 이 땅을 사랑한다_{我愛這土地}』의 전체 내용은 이러하다.

> 내가 한 마리 새라면,
> 나도 잠긴 목으로 노래를 불러야 한다:
> 폭풍우의 공격을 받고 있는 이 토지,
> 언제나 넘실거리고 있는 우리 비분한 강물,
> 멈추지 않고 불고 있는 이 격노한 바람,

그리고 숲 사이에서 나오는 비할 바 없이 부드럽고 따스한 여명 ……
―그리고 나는 죽었다,
날개깃마저 땅 속에서 썩고 있다.
왜 나의 눈 속에는 늘 눈물이 고이는가?
내가 이 대지를 너무나 깊이 사랑하기 때문에 ……⁹⁾

대지와 인민은 너무나 가까워 끼어들 틈이 없다. 놀랄 만한 어휘도 없다. 하지만 그 글자들은 이 짧은 시 안에 상감되어 사람을 감동시키는 전염력을 일으킨다. 애청에게 있어, '나'와 '우리'를 그렇게 분명하게 구분할 필요는 없었다. 『여명의 통지黎明的通知』가 내보내는 것은 '나'의 '빛나고 따뜻한' 소식이다.

"정직한 당신의 입을 빌어서 / 나의 소식을 가져가 주시오 // 갈망으로 눈이 타는 듯이 아픈 인류와 / 멀리 고난 속에 휩싸인 도시와 촌락에 통지해주시오."
"그들이 환영을 준비하도록 해주시오, 모든 사람이 환영을 준비하도록 해주시오 / 수탉이 마지막으로 한 번 울 때 내가 갈 것이오."
"이 밤은 이제 곧 끝날 것이오, 그들에게 알려주시오 / 그들이 기다리는 것이 곧 올 것이라고 전해주시오." ¹⁰⁾

이는 악몽을 꿔본 선량한 이들 누구라도 가질 만한 기대이다. 시인은 단숨에 글을 써내려가 농민과 대지에 대한 미련을 맘껏 숨김없이 드러냈다. 애청의 시 『태양太陽』·『태양을 향해向太陽』는 빛에 대한 끊임없는 추구이며, '태양'을 상징적 이미지로 응결하고 감각을 붙잡아 사상의식으로 정련해냈다. 이는 현실주의 밖에서 주관적인 감각과 인상을 중시하는 서양 현대파 예술로부터 배운 것이다. 『나팔수吹號者』는 군대에서 가장 자주 볼 수 있는 현실을 쓰고 있다. 작가는 '기상나팔, 출발 신호, 돌격나팔'로 꿰뚫고 있으며, 나팔수가 총탄에 맞았을 때 시인은 나팔수가 희생되기 전의 그 순간을 잡

■ 애청 저『여명의 통지(黎明的通知)』

아, 감각의 느낌을 다음과 같은 시구로 응결시키고 있다.

> "그 구리 나팔의 표면 위에, / 죽은 자의 피와 / 그의 창백한 얼굴이 비추고; / 영원히 끝나지 않을 질주, / 사격하며 전진하는 무리, / 울부짖는 말들, / 붕붕거리는 차량들을 비추었다 …… / 그리고 태양, 태양은 / 그 나팔은 반짝거리는 빛을 뿜어내었다 ……"
> (두 개의 생략 부호는 모두 원래 있었다)[11]

이 시는 영화의 수법 같으면서, 또 영화에 비해 언어적 매력이 훨씬 많았다. 애청은 그 자신이 혁명시인으로 성장해가는 과정 속에서, 결코 예술적 시각을 축소한 적이 없었다. 그리고 시대적 의미와 사실 묘사, 상징적인 개성화 글쓰기를 고도로 융합시켰다. 그는 많은 우수한 자유체시를 창작했으며, 시가의 산문화를 위해 이론과 실천을 내놓았다. 그는 20세기의 가장 개성적인 창작력을 지닌 중국의 시대적인 시인이 되었다.

시가의 상황과 비슷하게, 연극화극話劇도 1930년대에 들어선 후 시대적 글쓰기의 시대적인 조류에 휩쓸렸다. '5·4' 시기 『신청년新青年』이 '입센'의 극본과 입센주의를 들여온 것부터 간단하게 돌아보도록 하자. 호적이 『종신대사終身大事』를 쓰고 중국 사회가 '노라'라는 이 여성의 사회적 운명에 관심을 갖게 된 이래, 연극이 중국에서 걸어온 길은 상당히 험했다. 구극에 대한 비판을 포함해 문명극이 지나치게 상업화·직업화된 교훈을 받아들여 진행된 '아마추어 극非專門 非商業的인 劇' 실천은, 공연 속에서 점차 중국의 서양 연극 학습에 대한 기본 방향을 확립해 나가도록 만들기 시작했다. 물론, 이 사이에 전통극과 서양연극의 관계를 어떻게 처리할 것인가에 있어서는 줄곧 갈등이 존재했다. 신문학 창시자들도 이 문제에 대해 일치된 의견을 내놓지 못했다. 1924년, 구미 시스템의 연극교육을 받았던 홍심洪深, 1894~1955은 왕이덕王爾德의 작품에 근거해 각색한 『아씨의 부채少奶奶的扇子』를 연출했으며, 문명극 의 '스타시스템'을 '감독시스템'으로 바꾼 것은 연극을 중국에서 정규 '극장극'으로 만드는 데 촉진 작용을 일으켰다. 1928년, 홍심은 'drama'를 '연극話

劇'으로 번역했으며, 이때부터 연극의 명칭이 정형화되었다. 이 시기 전한_{田漢, 1898~1968}은 극작가와 연극 주최자·교육가 등의 다중적 신분으로 연극계에 등장했다. 그의 경력은 일종의 경향을 대표했는데, 그 경향은 개인화된 연극 창작으로부터 시대적인 글쓰기로 전환되었다. 전한의 초기 극작품인 『카페의 하룻밤_{咖啡店的一夜}』·『쑤저우 야화_{蘇州夜話}』는 탐미적·낭만적 분위기가 가득했다. 『유명 배우의 죽음_{名優之死}』은 정직한 연예인이 위기를 맞는 것을 묘사한 작품으로, 사회성이 비교적 강했고 감상적 정서를 꿰뚫고 있었지만 그리 널리 알려지지는 않았다. 그가 이끈 남국사_{南國社}는 다른 좌경적인 극단인 신유사_{辛酉社}·모던사_{摩登社}·상해예술극사_{上海藝術劇社} 등과 훗날 연합하여 '좌익희극가연맹'을 만들었다. 그는 남국사 내부의 젊은 세대들의 자극을 받아, 1930년 『남국월간_{南國月刊}』에 『우리의 자아비판_{我們的自己批判}』이라는 글을 발표하여 '무산계급희극'으로 전향할 것을 촉구했다. 이때 써낸 『홍수_{洪水}』·『구정홍의 죽음_{顧正紅之死}』·『난종_{亂鍾}』·『폭풍우 속의 일곱 명의 여인_{暴風雨中的七個女人}』 등의 극은 사회투쟁을 직접 취했고, 시대영웅을 묘사하는 경향이 있었다. 그러나 극본의 조잡함을 면치 못했다. 이러한 변화는 전한에게만 나타난 게 아니라, 좌익이 전혀 아니었던 홍심에게도 나타났다. 그의 대표작인 『농촌삼부곡_{農村三部曲}』『오규교(五奎橋)』·『향도미(香稻米)』·『청룡담(青龍潭)』을 포함한 농촌을 제재로 한 극 중 『오규교』는 '다리'를 둘러싸고 벌어지는 농민과 지주의 첨예한 갈등을 통해 당시의 농촌 현실을 건드렸다. '국방극'이 제창되고 나타난 집체창작 작품 『밀수_{走私}』 홍심 집필·『매국노의 자손_{쯏見的子孫}』 우궁(尤兢) 집필은 시대의 혼란함 속에서도 연극무대를 석권했다. 미국에서 연극을 공부했으나

■ 1930년 상해에서의 전한
■ 전한이 지은 『카페에서의 하룻밤(咖啡店之一夜)』은 그의 극작 초기 낭만극작의 대표작이다.
■ 『남국(南國)』 창간호. 남국사는 전한의 초기 화극 사업.

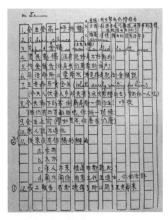
■ 홍심의 『오규교(五奎橋)』 극본 대강

좌익이 아니었던 웅불서熊佛西, 1900~1965는 1932 년에서 1935년 사이 시대의 영향을 받아 하 북 정정현正定縣에서 '농민극 실험'을 진행했다. 시범적 의의를 지닌 웅불서의 농촌광장에서 의 『과도過渡』 공연은 전국 대중화극 운동 가운 데 두드러진 사건이다. 항전 후 후방에 널리 전파된 가두극의 대표작 『당신의 채찍을 내 려놓아라放下你的鞭子』는 실제로 동북 '9·18' 함 락 이후 먼저 만들어졌지만, 1937년 이후 영 향이 더 컸을 뿐이다. 이러한 시대적 연극 글

쓰기 중 후대에 남겨질 만한 걸작은 그리 많지 않다. 선전선동 역할이 지나 치게 강조되었고, 형세를 따라 급조된 작품들은 종종 예술성이 결핍되었다. 그러나 나름대로 성장의 길을 모색하고 있었다. 예를 들어 전한이 1935년에 쓴 『회춘지곡回春之曲』은 구국이라는 주제를 여주인공 매梅 아가씨의 사랑이야 기에 잘 엮어, 시대성과 작가의 연극정서와 낭만전기의 특징을 비교적 잘 결 합하였다. 그러나 솔직히 말하면, 시대극은 시대소설이나 시대시가처럼 그렇 게 성공적이지는 못했다. 『회춘지곡』의 극본은 다만 '혁명에 연애를 더한' 모 델로 회귀될 수 있었다. 이 극의 대부분은 매 아가씨가 부르는 주제가인데, 그 로인해 오랫동안 전해질 수 있었다.

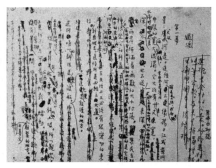
■ 농촌 길거리 극장에서 공연된 『과도(過渡)』 제1막. 계단 위의 연기자와 아래쪽 농민 관중이 구별하기 어렵다.
■ 정현 농민 화극의 대표작: 웅불서의 『과도(過渡)』 원고의 한 페이지.

그리고 노신이 '상해'에서 10년간 창작한 후기 잡문은 바로 개성화된 시대적 글쓰기의 위대한 대표작이었다. 노신은 '5·4'의 '마음 가는 대로 기록하는' 시대로부터 훗날 '어사' 시기까지, 이미 잡문의 양면작전을 펼치는 날카로운 필치의 그만의 잡문을 개척해냈다. 북양군벌정부의 통치에 정면으로 논쟁을 펼쳤으며, 5·4진영과 혁명문학진영 내부에 대한 분석에는 늘 자신에 대한 통찰도 더해졌다. 1930년대 노신 잡문의 시대적 면목은 더욱 선명해졌다. 그의 잡문은 중국현대생활의 여러 층면으로 깊이 들어가 정치·사상·문화·생활에 대한 심미적인 대답을 진행했으며, 그 시대 중국민족의 삶에 대한 역사적 경험과 현실적 운명을 총괄해냈다. 그는 의식적으로 잡문 속에 시대적 모습을 남기려고 했으며, 그 자신의 작품에 일관적으로 '편년체'의 편집방식을 적용한 것을 볼 수 있다. 1927년 이후 『삼한집三閑集』부터 1936년 『차개정 잡문 마지막 편且介亭雜文末篇』까지 총 아홉 개의 문집을 편찬했으며, 『집외집集外集』·『집외집습유集外集拾遺』 두 문집도 1903년부터 1936년까지 '빠진 내용을 보충한'것으로, 똑같이 엄격한 연대배열에 따른 것이다. 노신의 잡문은 종종 시대 뉴스에서 출발하여 당권자의 전제적 탄압 수단을 비판하거나 중국인 등의 굽고 펴짐을 해부하고 『중국인은 자신감을 잃어버렸는가?(中國人失掉自信力了嗎?)』·『중국인의 얼굴을 간략히 논하다(略論中國人的臉)』, 현대시민의 서양을 숭상하는 매국노 같은 모습, 저속하고 싸구려 같은 모습 『빈둥거림(吃白相飯)』·『제목 미정의 원고(題未定草)』·『아진(阿金)』과 지식인의 노예성 『이추예술(二醜藝術)』·『틈(隔膜)』을 분석하고 풍자했다. 『9·18九一八』같은 글의 '뉴스 모음' 방법은, 전편에 걸쳐 '9·18' 2주년을 맞아 중앙통신사中央社·일본연합통신日聯社·로이터통신·대미만보大美晚報, Shanghai Evening Post and Mercury·대만보大晚報, Shanghai Evening Post·생활주간의 8개 매체에서 발표한 국치기념일 당일 경찰의 순찰 강화와 민중집회시위 방지 등의 보도를 일일이 나열하여 기록했다.[12] 전투성이 없어 보이는 서문 속에서, 대량의 당시 신문 자료에 대해 '보존을 위한 기록' 방식을 채택한 것은 사실 강력한 사회 비판의 기능을 발휘한 것이다. 예를 들어 『위자유서僞自由書』의 후기는 2만 자의 길이에 이르는데, 노신이 스스로 서문을 쓴 이래 미증유의 기록을 세웠다. 『신보申報』 '자유담自由談'에 실린 노신의 글을 비난한 출처와 제목·저자이름이 있는 24편의 글을 인용하여, 몇몇 문인들의 면모를 폭로했다.[13] 『준풍월담准風月談』의 후기도 유명한데, 그 해 대략 18편의 문단 토벌 실록을 초록했으며, 『차개정 잡문 2집且介亭雜文二集』의 후기는 국민정부의 문화토벌의 금서 명단을 그대로 옮겨 썼는데 한 글자도 추가하지 않고 엄혹한 현실의 진상을 있는 대로 다 드러냈다. 이러한 '신문 오리기, 신문 붙이기'는 인민의 입장에서 남겨놓은 사회사·문화사·문학사·심령의 역사 자료이며, 바로 미래의 '역사'인 것이다.

잡문이라는 이러한 문체는 옛날부터 있었던 것이지만, 노신의 손에서 종합적으로 창조발전을 이루었으며 포용하는 힘과 표현력이 모두 아주 웅대한 산문 문체를 이루었다. 노신의 시대에는 당도唐弢·섭감노聶紺弩 등의 청년들이 계승했고, 지금까지도 수많은 작가들이 계속 사용하고 있지만 그를 넘어선 사람은 없었다. 노신의 잡문은 개성이 매우 풍부하다. 첫째, 노신 표시의 변론기질과 전투스타일을 갖고 있다. 따라서 그가 법망을 뚫기 위해 무수한 필명을 써 발표했어도, 독자들은 한 눈에 그를 알아볼 수 있었다. 그의 비판은 날 선 듯 예리했고, 논점의 정곡을 찔러 치명상을 입혔다. 아무렇게나 펜을 한 번 굴려도 상대방은 편치 않았다. 소위 "생존의 소품문은 반드시 비수이자 투창이며, 독자와 함께 생존의 혈로를 뚫는 것이다."『소품문의 위기(小品文的危機)』라는 말로 표현할 수 있다. 누군가 그의 글쓰기가 "잔혹하고 악랄하다."고 지적했지만, 노신은 '공적公敵'만 있을 뿐 '사적私敵'은 없다고 솔직하게 말했다. 둘째, 당시의 정치적 상황을 채찍질하고, 국민의 심리를 상세히 분석해서 중국의 심중한 문화축적물과 조우했다. 노신은 중국의 정사를 반전하여 읽었고, 글자 행간의 틈새 속에 끼워진 의미를 읽어냈다. 또한 야사를 철저하게 읽어서, 정사에 덮이고 뒤틀린 역사의 진상을 끄집어냈다. 『마음대로 뒤집어보기隨便翻翻』에서는 야사를 읽는 것이 기만을 치료하는 길이라고 했다. 『「소학대전」 구입기買「小學大全」記』·『앓고 난 뒤의 잡담病後雜談』은 역사를 빌어 세상을 이야기했으며, 야사 중에서는 청대의 문자옥文字獄과 명 말의 갖가지 혹형을 기록해 냈고, 상상력을 불러일으켜 망각을 거부했다. 역사 비판과 현실 비판을 서로 반추하고 통하게 하는 것이 세계를 관찰하는 노신의 망원경과 현미경이었다. 셋째, 전형에 대한 수집이다. 『준풍월담准風月談』의 후기에서 노신은 『위자유서』의 인쇄발행에 관한 '완전히 꼬리를 위한 것─『후기後記』'라는 비판에 회답한 적이 있는데, "이는 사실 오해다. 내 잡문에 쓴 것은 늘 코 하나, 입 하나, 털 하나이지만, 합치면 이미 거의 하나의 형상이거나 전체가 된다. 무슨 원형_{실제 모델}을 첨가하지 않아도 된다. 그러나 꼬리 하나를 그려 넣으면 훨씬 더 완전해보일 것이다."[14]라고 말했다. 그는 또 다음과 같이 말했다. "나의 단점은 시사를 토론할 때 봐주지 않는 것이고, 펌하·폐색·부정에는 늘 유형이 있다. 후자는 특히 당시의 형세와 맞지 않았다. 무릇 유형을 쓰는 것은, 나쁜 점에서 흡사 병리학상의 그림과 같은데, 종기를 예로 들면 이 그림은 모든 형태의 종기 표본이거나, 혹은 갑의 종기와 서로 닮거나, 을의 종기와 같기도 하다." [15]정확히 말하자면, 비판하는 것은 단지 갑과 을의 종기일 뿐이지, 갑과 을은 아니라는 것이다. 이는 노신의 잡문을 읽는 기본적인 방법을 제시해주었다. 그의 모든 잡문은 한 시기·한 사람·한 사건에서 출발한 것이지만, '합쳐놓으면' 한 시대의 '전체'가 된다. 소순미_{邵洵美}·장극표_{章克標}·양실추_{梁實秋}를 쓴 것이지만, '합쳐놓으면' 어떤 문화 유형을 가리키는 것이다. 이는 모두 작은 것을 취해서 크게 확대한 것이며, 결코 이 사건이나 그 사람을 전면적으로 개괄한 것이 아니다. 중의_{中醫}를 배척하는 것은 사실 중국문화의 비과학적인 신비와 불가사의를 비판한 것이다. 매란

■ 상해 노신 장례 노선도(공해주(孔海珠)의 『노신과의 아픈 이별(痛別魯迅)』을 보라). 그 이전에는 손중산의 장례만 이러한 민중 동원 능력이 있었다.

■ 노신 선생의 장례식 행렬이 1936년 10월 22일 행진하고 있다(앞쪽 플랜카드는 장천익이 손으로 쓴 것이다).

방_{梅蘭芳}을 풍자한 것은 중국 사대부 문화가 어떻게 그를 종속문화_{대중문화} 속에서 꺼내어 유리덮개를 씌웠는지를 비판한 것이다. 이것은 노신의 그 특정한 시대를 떠난 후대 사람들이 읽을 때 주의해야 할 점이다.

노신의 잡문이 넘나드는 시대적인 편폭은 '백과전서'식이다. 예컨대 이 10년간 국민당정부의 문화독재, 좌익의 발전, 각종 문학사조의 교체, 공산당 내 '좌'의 노선, 상해를 대표로 하는 상업사회와 조계사회 및 사회 속 천태만상의 기만과 비양심적 현상 등 그는 시대적 병폐를 지적하는 것에서 문화사상 각 영역으로까지 깊이 파고들어 각양각색의 권력자·범죄를 돕는 자·지식인·약자의 정신적 노예화 등의 병증에 집중하여, 그 역사적 뿌리를 깊이 파헤쳤고 강인한 전투정신과 역사비판·문명비판의 거대한 그림자를 표현해냈다. 그 사이 그는 동시대인인 주작인의 산문과 『논어_{論語}』의 임어당의 산문과의 대치를 통해, 그를 대표로 하는 "유해한 사물에 대해 즉각 반향하거나 항쟁하는 것은 자극에 반응하는 신경이자, 공격하고 수비하는 손과 발이다."_{『주개정잡문(且介亭雜文)』 서문}라고 주장하는 문예성·전투성 잡문으로 발전해나갔다. 노신 이후, 노신 잡문의 유산을 계승할 것인가 '노신 잡문의 시대'인가에 관한 논쟁이 그친 적이 없었다. 그리고 대대로 노신의 마음과 통하는 진보적인 사람들은 이러한 구체적인 시공에서 영원으로 향하는 문학을 이해할 수 있었다. 1936년 10월 노신이 상해에서 서거한다. 그의 나이 향년 55세

■ 노신 서거 당일 그의 책상 사진(공령경(孔另境) 소장)
■ 상해 최초의 만국공동묘지의 노신 묘. 나중에야 묘비가 생겼다. 훗날 홍구 공원으로 이장하면서 지금은 노신공원이 되었다. (사진: 공령경(孔另境) 소장)

였다. 수천수만 명에 이르는 청년학생과 시민군중이 자발적으로 장례식장에
와서 그를 참배하고, 출상에 참여했다. 시대적 글쓰기는 노신에게서 그의 천
부적 재능과 결합하여 최고봉에 이르렀다.

각주

1) 노신, 「백망이 쓴 「해아탑」의 서문(白莽作「孩兒塔」序)」, 「노신전집(魯迅全集)」 제6권, 인민문학출판
　사, 1981년, 494쪽
2) 은부, 「혈자(血字)」, 「은부시문선집(殷夫詩文選集)」, 인민문학출판사, 1954년판
3) 은부, 「1929년의 5월1일」, 「은부선집(殷夫選集)」, 상해 개명서점, 1951년
4) 은부, 「결의(決議)」, 「은부시문선집(殷夫詩文選集)」, 인민문학출판사, 1954년
5) 포풍, 「망망야(茫茫夜)」, 「낙인(烙印)」, 국제편역관, 1934년
6) 장극가, 「늙은 말(老馬)」, 「낙인(烙印)」, 상해 개명서점, 1934년
7) 애청, 「대언하 – 나의 보모(大堰河 – 我的保姆)」, 「대언하(大堰河)」, 상해문화생활출판사, 1939년
8) 애청, 「중국의 대지 위에 눈은 내리고(雪落在中國的土地上)」, 「북방(北方)」, 상해문화생활출판사, 1942년
9) 애청, 「나는 이 땅을 사랑한다(我愛這土地)」, 「북방(北方)」, 상해문화생활출판사, 1942년
10) 애청, 「여명의 통지(黎明的通知)」, 계림문화공응사, 1943년
11) 애청, 「나팔수(吹號者)」, 「그는 두 번째에 죽었다(他死在第二次)」, 상해잡지공사, 1946년
12) 노신, 「9.18(九一八)」, 「남강북조집(南腔北調集)」, 「노신전집(魯迅全集)」 제4권, 인민문학출판사, 1981
　년판, 578~581
13) 노신, 「위자유서·후기(偽自由書.後記)」, 「노신전집(魯迅全集)」, 제5권, 인민문학출판사, 1981년판,
　152~186쪽
14) 노신, 「준풍월담·후기(准風月談.後記)」, 「노신전집(魯迅全集)」, 제5권, 인민문학출판사, 1981년판,
　382~413쪽. 그 중의 인용문은 382~383쪽을 보라.
15) 노신, 「위자유서·전기(偽自由書.前記)」, 「노신전집(魯迅全集)」, 제5권, 인민문학출판사, 1981년판,
　4쪽

찾아보기

중국현대문학발전사 上

2015년 8월 20일 초판 1쇄 인쇄
2015년 8월 30일 초판 1쇄 발행

지은이 오복휘
옮긴이 김현철 · 신동순 · 신진호 · 정선경 · 조홍선
펴낸이 이건웅
편 집 권연주
디자인 이주현 · 이수진
마케팅 안우리

펴낸곳 차이나하우스
등 록 제303-2006-00026호
주 소 서울시 영등포구 영등포동 8가 56-2
전 화 02-2636-6271
팩 스 0505-300-6271
이메일 china@chinahousebook.com
ISBN 979-11-85882-12-3 93820

값: 25,000원